IJSKOUDE HEMEL

MIRKO BONNÉ

IJskoude hemel

Vertaald door Jan Bert Kanon

AMSTERDAM · ANTWERPEN
2009

Voor Julika

Q is een imprint van Em. Querido's Uitgeverij BV, Amsterdam

Oorspronkelijke titel *Der eiskalte Himmel*
Copyright © 2006 Mirko Bonné / Schöffling & Co.
Verlagsbuchhandlung GmbH, Frankfurt am Main
Copyright translation © 2009 Jan Bert Kanon /
Em. Querido's Uitgeverij BV, Singel 262, 1016 AC Amsterdam

De vertaling van het motto van T.S. Eliot is van Paul Claes:
Het Barre Land – The Waste Land, De Bezige Bij 2007 (p. 55).
De Bijbelcitaten zijn ontleend aan *De Nieuwe Bijbelvertaling*,
© Nederlands Bijbelgenootschap 2004.

Omslag Wil Immink Design
Omslagbeeld Bettmann/Corbis
Foto auteur Julia Sobottka

ISBN 978 90 214 3742 2 / NUR 302
www.uitgeverijQ.nl

Wie is die derde die steeds naast je loopt?
Als ik tel, lopen enkel jij en ik hier
T.S. Eliot

Eerste deel

DE HOUTEN VIS

1

Rubberlaarzen en chocola

Een zacht deinen van zijn geraamte, een kraken van zijn houten gewrichten, dan weer een klap tegen de pier, opdat niemand nu nog indommelt... Zo verdrijft het schip de tijd.

Het wacht tot het kan uitvaren.

En gelijk heeft het met zijn ongeduld. Waarop wachten we nu nog?

'Het gaat beginnen,' heeft Bakewell gezegd. Maar er gebeurt niets. Al uren hetzelfde, deinen in het donker. Maakt niks uit of ik mijn ogen open of dicht heb. Het is even donker als 's nachts in een zwarte tent.

Tjonge, wat smaakt het water heerlijk.

'Hier, je moet wat drinken,' heeft hij gezegd en hij heeft me de fles in de kast aangereikt. In de kier van de deur zijn beroete gezicht.

'En, kleintje, lukt het? Doe me een lol: als je honger hebt, eet dan niet mijn laarzen op. Neem die van McLeod.'

'Ha ha, Bakewell, heel grappig, ha ha.' Ondertussen lurkte ik al aan de fles.

'Kom op, nu gaat het beginnen. Wij met z'n tweeën, hè!'

Volgens de overlevering heeft koning Arthur ooit in mijn geboortedorp overnacht – geen idee of dat in een kast, een tent of in herberg De Schrale Linde aan de doorgaande weg naar Mynyddislwyn was. Het is hoe dan ook lang geleden. En Pillgwenlly, Wales, is een machtig eind weg. Vandaag is een van de laatste dagen in oktober 1914, en ik verlaat Buenos Aires. Ik vaar op de Britse barkentijn HMS Endurance. Ben een verstekeling.

Drie van haar matrozen hebben me de Endurance op gesmokkeld en in een kast voor oliekleding verstopt. De daders zijn Bakewell, met wie ik op de USS John London hierheen ben gekomen, How, die ze Hownow noemen, en McLeod, die al op de Terra Nova van kapitein Scott richting Zuidpool voer. McLeod wordt Stornoway genoemd, naar het stadje waar hij werd geboren. En Stornoway is dan misschien niet zoveel bekender dan Pillgwenlly, zijn afkomst is voor McLeod heel belangrijk, en als het aan hem lag wist de hele wereld waar Stornoway ligt: 'Op de Hebrrriden!'

McLeod, How en Bakewell behoren tot de zevenentwintig mannen van de Imperial Trans-Antarctic Expedition van sir Ernest Shackleton. Als ze erin slaagt weg te komen, zal de Endurance koers zetten naar het zuidpoolgebied, dat voor het eerst te voet zal worden overgestoken.

Zoals het er nu voor staat, ben ik van plan hun achtentwintigste man te worden. En ik maak een goede kans: zodra de Endurance het lichtschip bij Recalada passeert, komt ze op open zee. De sir zal me niet overboord laten gooien, en of ik als de zeventigste sledehond eindig, zoals Stornoway gisternacht in benevelde toestand heeft voorspeld, zal wel blijken.

De kast zou een patrijspoort moeten hebben, en onder het raam het liefst ook een bed. Ik zou mijn hoofd maar hoeven optillen en ik lag al in de zilveren zon boven de Río de la Plata. De nieuwe zweefbrug fonkelt in al zijn properheid. Er klinkt een langdurig concert van hoornen en scheepstoeters, want het gebeurt niet elke dag dat een Britse nationale held onder de brug met zijn overzetplatform door vaart. Honderden *porteños*, bewoners van de wijken bij de haven, konden wel eens op de pier staan om Shackletons walnoot uitbundig uit te zwaaien.

'Heilige zeeslang, wat stinkt het hier naar rubber!' heeft Bakewell gezegd. Dat de pikbroeken nou uitgerekend de kast met oliekleding voor me moesten uitzoeken, terwijl ze zelf boven tussen de blaffende honden de zon op hun gezicht laten branden. Vaarwel, Argentinië!

Op de daken van de eigeelkleurige handelskantoren van La Boca huilen de sirenes. Toeters van alle kanten. Nog even en de sleepboot zal de Endurance de vrijheid geven. Goed geraden! Je hoort ze al joelen, nu is ze los! En ik piep mee. Hé ho! We gaan het ijs tegemoet, het witte, witte ijs!

We kijken naar de Beardmoregletsjer, en we bewonderen Mount Erebus en Mount Terror, de beide Eiffeltorens van het zuidpoolgebied… Met een beetje geluk ontdekken we de Blackboropinguïn of zijn we de eersten die aan de onbekende kant van het ijsplateau staan… Pillgwenllyland.

Ho ho, ho ho. Als je het doet, doe het dan ook goed.

Zo staat het ervoor! Wat zou ik niet allemaal kunnen vertellen als ik niet zo moederziel alleen was geweest? Ik ben een jongeman uit een gat bij Newport. Ben een kind van mijn moeder. Nauwelijks voor te stellen! Jawel, dat je een kind bent van je moeder is in tijden van de Grote Oorlog iets bijzonders. In geen van de landen van onze vijanden ben ik ooit geweest, maar Russische en Duitse matrozen ken ik wel. Van Groot-Brittannië ken ik alleen Wales en dan nog maar een deel ervan. Om precies te zijn ken ik Newport en de zuidelijke dorpen tussen de Usk en de Ebbw. In de Usk plonzen de grootste forellen van Wales. Ik weet zeker dat koning Arthur dat ook al wist.

Ik heb een oudere broer, Dafydd, en een zus, Regyn; haar man is directeur van de oudste fabriek van Wales, die zonder overdrijven van zichzelf kan beweren tevens de oudste fabriek ter wereld te zijn. In Wales stond de wieg van de industriële revolutie, maar ook dat is lang geleden. Mijn zwager Herman en mijn broer Dafydd gingen op de dag van de algemene mobilisatie naar het station en spoorden naar de nieuwe luchtmachtkazerne van Merthyr Tydfil.

How vertelt dat de Endurance diezelfde dag in de monding van de Theems voor anker lag en wachtte op het besluit van de koning of de expeditie ondanks het uitbreken van de oorlog doorgang moest vinden. Nu joelen ze, mijn motorsledekameraden, omdat ze naar het witte land gaan. En met een 'Hoera, hoera!' zullen ze de Union Jack planten. Maar als koning George niet alleen dat ene majesteitelijke woord – 'Go' – had getelegrafeerd, maar er nog twee op had laten volgen: 'to war' – dan hadden ze allemaal gehoorzaamd en waren ze de kanonneerboten en de loopgraven in gegaan: de sir en zijn vervanger Wild; kaptein Worsley en de beide artsen Macklin en McIlroy; de onderzoekers; de schilder en de fotograaf; McNeish de timmerman; Green de kok; de beide stokers; evenals Vincent de bootsman en al zijn matrozen. Alleen Bakewell zou tegen zijn pet hebben getikt en ahoi hebben gezegd: 'Niets voor mij. Ben een yankee zonder thuis, en oorlog is alleen belangrijk voor lieden met een thuis.'

Gelijk heb je, Bakie! En zal ik je nog eens wat zeggen? Dat er belangrijkere dingen zijn dan zoveel mogelijk Duitsers en Russen neer te maaien, dat heeft ook de koning ingezien en met zijn 'Go' heeft hij niets anders bedoeld. De koning wil dat we iets van ons leven maken. Hij wil dat we de eersten zijn die het zuidpoolgebied van de Weddellzee tot de Rosszee te voet doorkruisen. We moeten ook onze achterkleinkinderen nog kunnen vertellen hoe we het voor elkaar hebben gekregen. En omdat dat allemaal te veel is om in een telegram te zetten, heeft de koning alleen dit ene opmonterende woordje laten optekenen.

Go! Get all the canvas set, boys!

George V, koning van Engeland, is een al even verstandig man als mijn vriend Bakewell uit Joliet, Illinois.

Wat je aan doek hebt, omhoog ermee aan de ra's.

De sir en de schipper lopen op het dek langs de rijen met hokken. Orde-Lees controleert de sjorringen van de sleden waarvoor geen trekhonden nodig zijn omdat ze door een motor worden aangedreven, *made in Wales*. Hurley staat aan de verschansing en maakt foto's. En hoog op een ranok dansen Bakie, Hownow en Stornoway de tango met de eerste langbenige windvlagen van Kaap Hoorn.

Op naar het zuiden van het zuiden. Het is tweeënhalf jaar geleden dat Scott, Wilson en Bowers op de terugmars van de pool zijn doodgevroren. Elke fase van de tragedie, vanaf het moment dat hij hoorde dat Amundsen hun voor was geweest, heeft kapitein Scott in zijn dagboek opgetekend, nachtenlang heeft mijn broer me daaruit voorgelezen en hebben we ons geprobeerd voor te stellen hoe het moet zijn geweest in het tent-je midden in die tien dagen lang brullende blizzard.

Antarctica, Antarctica.

Ik zit hier sinds een nacht en een halve dag en eet niets anders dan chocola.

2

Emyr, Gwendolyn, Dafydd en Regyn

Ik weet nog welk gezicht mijn moeder trok toen mijn broer en mijn zwager uit Merthyr Tydfil schreven: 'Mam, ze hebben ons hier inderdaad bij de hangartroep gedetacheerd. Het is fantastisch. We komen terug wanneer het probleem van de propellerbewapening is opgelost.'

Mam wist tot dan toe niet eens precies wat een vliegtuig was.

Voor mij betekende de onopgeloste kwestie van de propellerbewapening dat ik werk moest zoeken om ook geld voor het gezin te verdienen. In de week na de algemene mobilisatie ging ik aan de slag op de werf waar mijn vader al veertig jaar schepen bouwt. Hij is scheepsinrichter; vooral om de ambachtelijkheid van zijn betimmering is mijn vader Emyr Blackboro in de havens aan de Usk en Severn een veelgevraagd, om niet te zeggen een beroemd man. Hij zou mijn bedompte oliegoedkast binnen één dag in een rijkversierde alkoof kunnen omtoveren. Die zou dan nog even oncomfortabel en donker zijn, maar ik weet zeker dat het hier dan net zo zou geuren als na een zomerregen in de boomgaard van onze oude magazijnmeester Simms.

In de Newportse Alexandra Docks nam ik een aantal baantjes aan: boodschappen doen, reparatie- en schilderwerk. Na de shift mengde ik me onder de zeelieden die pijprokend aan het water zaten en over de havens vertelden waar ze waren geweest. Nooit schonk een van de matrozen aandacht aan me. Ik hurkte op de berg kabeltouw die ik sinds de vroege ochtend had zitten splitsen en merkte dat ik beetje bij beetje inzakte. Ik was net zo moe als Checker, de hond die het Kanaal overzwom.

Mijn ogen vielen dicht en mijn oren, zo scheen het me toe, eveneens. Met een half oor hoorde ik nog dat ze het hadden over de huizen die ze in New York wilden bezoeken: dat Amerikaanse vrienden van hen hadden beloofd op de kade van Hoboken te staan als de schuit in Manhattan aanmeerde om hen en hun zeekisten linea recta mee te nemen naar Times Square, waar de voorname vrienden kennelijk woonden. Om de 'kikkerpoel' maakten ze zich niet druk. Het leek hen geen zier te interesseren dat ze eerst nog de Atlantische Oceaan van Newport naar New York moesten oversteken. Aan de duizenden kilometers schuimende oceaan, waarin behalve een hele hoop andere gevaren ook de onderzeevloot van de Duitse keizer op de loer lag, maakten ze geen woorden vuil.

De meeste matrozen die ik heb leren kennen, lijken zich niet druk te maken om de zee. Ze doen gewoon alsof ze er helemaal niet is. Wie kan dat nou begrijpen? Ik moet denken aan mijn vader, die dol is op alles wat van hout is. Hoe zou het zijn als hij zou doen alsof er aan een boom niets te beleven valt? Hier, mijn koude plankenwand: twee, drie handbreedtes dik, daarachter is niets dan water. Ook in het donker zou hij onmiddellijk weten van welke boom de planken afkomstig waren. Hij zou eraan ruiken, zijn hand er even over laten glijden… 'Iep, jongen, iep.'

Een paar avonden aan de pier, en ik wist al niet meer wat ik van zeelieden moest vinden. Eén ding werd me wel duidelijk: dat deze mannen, die vaak maar een paar jaar ouder waren dan ik, nooit naar zondagsschool waren geweest. Want ze vloekten en logen dat het een aard had. Inmiddels weet ik dat de enige ware liefde van deze praatjesmakers met hun gele tanden de liefde voor overdrijving is. Een paar maanden geleden wist ik dat nog niet en daarom merkte ik ook niet dat ik allang aangestoken was en alles wat ik voelde al even hopeloos overdreef.

Mijn vader stuurde me af en toe naar Skinner Street om een rekening te betalen bij de daar gevestigde scheepsbevoorrader Muldoon. Zo leerde ik haar kennen: Ennid.

Voor mijn gevoel duurde het maanden voor ik met Ennid in gesprek raakte. Want in eerste instantie onderhielden we ons, afgezien van de gebruikelijke begroetingsformules, uitsluitend over cijfers. Wanneer ik de winkel binnenkwam, groette ik zoals het hoort. Mister Muldoon keek me onderzoekend aan. Ennid beantwoordde mijn groet. Ik noemde mijn naam, mister Muldoon sloeg een boek met een rode stofomslag open en gaf het aan zijn dochter. Ennid pakte het aan, kwam ermee naar me toe gehinkt – ze was mank – en zei: '97.' Ik opende pa's beurs en telde het bedrag uit: '97.' Ennid telde de briefjes en munten na: '97!' Even later stond ik buiten voor het helemaal met groene metalen plaatjes beklede huis in Skinner Street en wist niet wat me overkomen was.

Duizelend liep ik naar de haven. Maar de schepen zag ik niet. Ik was zo gelukkig, ik had de eerste de beste matroos die me bij de pier tegemoet was gesloft op de mond willen kussen. En dan had ik net zo tegen hem geglimlacht als Ennid Muldoon tegen mij had gedaan, als ik me niet zo treurig had gevoeld.

Als het gaat om het ouder worden, aan het langzaam gewend raken aan een moeilijke levenssituatie, pleegt mijn vader te zeggen dat je altijd dezelfde bent: alles wat in de loop van je leven verandert is in de ogen van mijn ouweheer het groeiend vermogen om geluk of ongeluk als zodanig te herkennen. Aangezien ik in kwesties die met noodlot samenhangen nooit iets anders van hem heb gehoord en hij dus het levende bewijs van zijn eigen theorie is, zal hij er niet helemaal naast zitten. Maar ik schoot er weinig mee op wanneer ik me probeerde voor te stellen dat ik dezelfde was voor en na het uitbreken van de oorlog, dezelfde voor en na een dag zwoegen op een keihard zeil dat moest worden gerepareerd, voor en na Ennid Muldoon. En mijn geluk meende ik in elk geval te hebben herkend. Alleen daarom had ik immers het verwarrende gevoel dat mijn geluk me ongelukkig maakte.

Ik begreep niet wat er met me aan de hand was. De beide mensen die ik om raad had kunnen vragen, hadden andere zorgen. Mijn broer Dafydd en mijn zwager Herman bouwden een machinegeweer achter de propeller van de meestervlieger

William Bishop, en ik wilde het niet op mijn geweten hebben dat hij, in plaats van een van de broertjes Richthofen uit de lucht te schieten, zichzelf in het luchtgevecht boven Parijs zou doorzeven, alleen omdat zijn twee Welshe snelvuurgeweermonteurs niet bij de les waren geweest. Daarom besloot ik om Regyn naar Ennid Muldoon te vragen. Maar ik oogstte slechts zusterlijk onbegrip.

Mijn moeder Gwendolyn adviseerde me de zaak te vergeten en mijn vader er maar helemaal niet naar te vragen. Mijn vader beweerde later dat hij al meteen had geweten hoe laat het was geweest, en dat wil ik best geloven, hoewel hij nooit iets zei als het weekeinde begon en we langs de Usk huiswaarts naar het dorp slenterden. Ik zweeg, hij zweeg, of ik zweeg en hij floot een zelfbedacht liedje.

Maar op een ochtend zei hij op weg naar het dokkantoor: 'Kijk vandaag eens in de krant. Daar staat het allemaal in. Lees de krant en je weet wat er met je aan de hand is.'

Hij liet de zweep knallen, en onze pony Alfonso, die de maandagochtend net zo verafschuwt als ik, snoof ontstemd en zette een tandje bij.

Hij meende het serieus. Hoe moest dat gaan? Ik was verliefd op Ennid Muldoon, dat wist ik zelf ook wel. Ik was al vaker verliefd geweest, zelfs het bevroren hart van mijn zus had ik weten te ontdooien. En een vaderlijke raad is altijd goed gemeend, die moet je niet zomaar in de wind slaan.

Toen mijn werk erop zat, kocht ik de *South Wales Echo* en trok me samen met het opgerolde orakel terug in de naar lijm geurende bak van een stoomschip dat kort ervoor was gedoopt met de fraaie naam Saint-Christoly.

En ik nam snel de koppen door:

VS dringen aan op erkenning van de Londense
Zeerechtdeclaratie door de oorlogvoerende machten

Scandinavische landen willen strikte neutraliteit handhaven

Japan eist opgeven Duits-keizerlijk steunpunt Tsingtao in China

De opmars van de oorlog was het gesprek van de dag. De berichten in de avondkrant gingen alleen maar dieper in op de informatie die je in de loop van de dag overal in de haven te horen kreeg. Maar hoe meer berichten ik las, hoe meer ik het gevoel had dat ze evenzeer betrekking op mij hadden, al was dat op een manier waarmee ik geen rekening had gehouden.

Een paar artikelen las ik steeds opnieuw. En toen ik de koppen nog een keer bekeek, gebeurde er wat papa had voorspeld:

*VS dringen aan op erkenning van de Londense
Zeerechtdeclaratie door de oorlogvoerende machten*

Scandinavische landen willen strikte neutraliteit handhaven

De jonge Merce Blackboro uit Newport wil zeeman worden

In de lijmgeur van de Saint-Christoly wist ik in één klap dat alleen de zee de reden voor mijn droefenis was.

Ik hunkerde naar verre landen, was verteerd door het verlangen om weg te gaan, weg uit Pillgwenlly, weg van mijn ouders en mijn zus, ver weg van Merthyr Tydfil met zijn hangars en de oudste fabriek ter wereld. Alles leek me even oud als de sage van koning Arthur, even oud als het Gaelisch dat we spraken zodra we onder elkaar waren, even oud als de Kelten, die even oud waren als Mozes, die te vondeling werd gelegd tussen het riet aan de oever van het water, *yn yr hesg ar fin yr afon.*

Ik wilde weg, naar een plaats waar alles nieuw voor me zou zijn. Zoals de berichten in de *South Wales Echo* slechts één thema kenden – de oorlog die zich over de wereld verspreidde – zo beloofde iedere kop me een mogelijkheid om de wereld te leren kennen voordat het te laat was… voordat ik het geluk zou vinden met Ennid Muldoon en met de ambachtelijkheid van mijn eigen betimmering.

Ik neem aan dat mijn vader niet had gewild dat ik bij de marine zou gaan. Ik had alleen gewild dat hij openhartig met me had gepraat, bijvoorbeeld over zijn teleurstelling over het feit dat Dafydd, in plaats van naar zee te gaan zoals alle goede

Welshmen, de Fransen imiteerde en aan vliegmachines zat te knutselen. In papa's ogen is een aeroplaan maar voor één ding goed, namelijk om in het Kanaal neer te storten. Het is vijf jaar geleden dat de Antoinette van Calais naar Dover vloog, en nog altijd is Blériot voor mijn vader een goddeloze bedrieger. Hadden we voor de verandering eens over mijn toekomst gesproken, dan had ik hem gezegd dat pantserschepen matrozen nodig hebben die samen met ze ten onder gaan, maar dat ze geen betimmering nodig hebben, ook al zag ze er net zo fraai uit als die van Emyr Blackboro.

Maar ik had het met hem vooral over Ennid willen hebben. Met name op die middag toen we het koetsje op de binnenplaats van het kantoor lieten staan en langs de Usk naar huis liepen, langs de weiden die blauw waren van de grasklokjes, langs de zaagmolen en over het bruggetje waar de Ebbw in de Usk stroomt. Daar bleven we staan en keken naar de gouden kringen rond de kiezelstenen in het water onder ons.

'Daar! Gezien? Een hele dikke.'

Hij wees op de forel die hij had ontdekt. Onbeweeglijk stond de vis met zijn kop in de stroming in de schaduw van de braamstruiken, hij had rode en zwarte stippen met lichte randen. Aan één slag van zijn staartvin had de vis genoeg om, opgeschrikt door onze stemmen, onder een steen te verdwijnen.

Hij schreeuwde me na: 'De hinkende Ennid? Dat wicht van die Jood? Geen sprake van. Merce, blijf staan. Merce…! Merce...!!'

3

Poste restante Recalada

Elke schuit heeft zijn onmiskenbaar eigen scheepstoeter, en deze hier ken ik. Er is op de Río de la Plata maar één hoorn die zo vrolijk toetert, en daarmee is het ook meteen de laatste voordat alleen de wind nog blaast. Aan de monding in de Atlantische Oceaan ligt het lichtschip bij Recalada.

De signaalgroet betekent: 'Roei de man naar ons toe, Endurance, maar doe wel een beetje kalm aan. De anderen moeten net zoveel aan hem hebben als jullie.'

Bij Recalada gaat de loods van boord. Vanaf hier heeft doorgaans de schipper en niemand dan de schipper het voor het zeggen. Op de Endurance is het anders. Hier heeft Shackleton het laatste woord.

En dan is het stil... Plotseling houdt het gestamp op. De machines zijn uit. Als de Endurance zo soepel door het water glijdt, dan moet de zee wel glad en rustig zijn. Dadelijk ratelen de kettingen en valt het anker.

'Laat de boot zakken!'

Een schip maakt altijd dezelfde geluiden, of het nu uitvaart of binnenkomt. Dat is ook niet zo verwonderlijk, want een schip verandert immers niet, het blijft hetzelfde, zolang zijn bemanning het niet afragt. Een schip kan net zomin over zijn schaduw als uit zijn vel springen, en daarbij doet het er niet toe hoe vaak het is overgeschilderd. Alleen al in de haven van Newport ken ik een stuk of tien jongens van wie de kleren door het verven van de scheepswanden in de loop van de tijd zo bont zijn geworden als een bloemenwei. Ze zijn allemaal net zo groen achter de oren als ik vroeger was. Geen enkele jongen die op die schommels boven de waterlijn bungelt verandert een schip, alleen omdat hij het vandaag geel als de zon en morgen in camouflagekleuren schildert. Het blijft dezelfde schuit.

Wat er onder de verfkorsten en -lagen verandert is de jongen zelf. Hij verandert omdat hij op zijn schommel tijd heeft om op domme gedachten te komen. En niet alleen daar… Maakt niet uit wat je aanpakt, zolang het maar eindeloos duurt en ook nog eens heerlijk monotoon is, zolang doen de handen het werk helemaal vanzelf. Je houdt het niet voor mogelijk welke inzichten bij je opborrelen wanneer je eenmaal op een berg kabeltouw zit die moet worden gesplitst. Je wordt je reinste Boeddha. De ene na de andere waarheid overviel me. De waarheid over mijn zwager drong tot me door: Herman had de eerste de beste gelegenheid aangegrepen om aan Regyn te ontsnappen. Hij had genoeg van mijn zus. De waarheid over mister Muldoon drong tot me door: door mij met minachting te bejegenen, gaf hij tegelijkertijd blijk van zijn minachting voor mijn vader, hoewel die al veertig jaar klant bij hem is. Ennids vader verdiende een flinke aframmeling. En mijn vader? Hij was anders. Hij was niet alleen anders dan mister Muldoon, maar vooral anders dan ik. Altijd dezelfde, altijd vlijtig, altijd onverstoorbaar bezig zijn plicht te vervullen – daarom is hij voor altijd verzekerd van mijn liefde. Maar als ik één ding niet ben, is het onverstoorbaar. Ik ben geen twee dagen dezelfde. Op de John London hebben Bakewell en ik uren beleefd waarin we binnenstebuiten werden gekeerd, uitgewrongen, in mootjes gehakt en weer samengevoegd. Vragend keken we elkaar aan: 'Ben jij dat?' Iets van Bakewell is een deel van mij geworden, en omgekeerd: een stuk van mij zit sindsdien in Bakewell. Je bent voor een deel altijd ook degene die voor je staat. En er staat altijd wel weer een nieuw iemand voor je.

Het schip is alleen het schip. Het is geen deel van de zee waarop het drijft en evenmin hoort het bij het land waar het is gebouwd en weer wordt gesloopt. Het zit er zo'n beetje tussenin. Het schip verandert ook niet door de behandeling van zijn bemanning. Het vaart goed voor de wind of het ploegt over de golven als een schaaf over te zacht hout. Aan het schip zelf verandert dat niets: de volgende bemanning heeft het beter in zijn greep. Het schip blijft altijd hetzelfde, en daarom zijn de geluiden die het maakt wanneer het de haven binnenloopt en wanneer het weer in zee steekt ook altijd dezelfde.

De Endurance laat het ratelen en roffelen van de kettingen horen. Maar omdat ze door het ijs moet rammen, is de boeg gemaakt van metersdik hout, zodat het anker, zodra het wordt neergelaten, dof tegen de scheepswand bonkt voordat het bruisend in het water komt en op de bodem valt. Het ratelen van de lieren, het gesjouw over dek, het gestamp van de voeten, de commando's van Worsley en het gevloek van iemand die zichzelf alleen zo tot zware inspanningen weet aan te sporen, dat alles en nog legio andere geluiden, zoals het geknor van mijn maag – het hoort er allemaal bij wanneer de Endurance stopt en voor anker gaat.

'Trekken! Eén keer trekken, twee keer, kom op!'

Op het lichtschip bij Recalada gaat de loods uit Buenos Aires, Punta del Este of Montevideo van boord. Op de ochtend dat ze Bakewell, mij en elf anderen die het hadden overleefd uit de tegen de golfbreker kapotgeslagen resten van de USS John London trokken en met ons hierheen voeren om de loodsen voor Montevideo aan boord te nemen, was er op het kleine lichtschip een waar loodsenfestijn aan de gang.

Natuurlijk drinken de mannen niets; ze zitten in een kring op het dek, smoken hun gele virginia of snuiven de snuf die in het doosje rondgaat. Had ik aan de reling gestaan, dan had ik ze kunnen horen lachen: *Antáricanos*! We hebben Scott naar open water getrokken en Amundsen en Pilcher over de rivier geloodst. Mawson is nauwelijks van de pool terug, of daar gaat Shackleton onder stoom. Wat kan ons de Weddellzee schelen! De zee stroomt overal, ook onder het pakijs. Maar zo zilverachtig, dat heb je alleen bij de Plata, dat is Gods zilveren presenteerblad.

Wanneer het donker wordt gaan de beide torens op Kaap

Antonio branden en komen de nachtloodsen. De rest stapt samen op het laatste schip dat binnenvaart. Het is een vriendelijk schip, het vuurrode lichtschip bij Recalada.

Een zeeman die een brief naar huis heeft geschreven, kan hem hier afgeven; de loods neemt hem tegen een kleine vergoeding mee en verstuurt hem. En wanneer een zeeman een brief van thuis heeft gekregen, kan hij hem hier afhalen; de loods heeft hem tegen een kleine vergoeding uit het havenpostkantoor meegenomen en aan boord afgegeven, poste restante Recalada.

Misschien krijgt Shackleton op deze manier een laatste groet van de eerste lord van de admiraliteit Churchill, geschreven door de geurige rechterhand van zijn secretaris-generaal. Of misschien heeft koningin-moeder Alexandra een briefje gekrabbeld en herinnert ze ter stichting aan de bijbel met opdracht die ze de sir met zijn bagage heeft meegegeven. Stornoway krijgt post uit Stornoway. En Hownow ontvangt een tegelijk tedere en vermanende brief van zijn vrouw Helen, die hem over hun baby vertelt: het is een jongen en hij is naar jou genoemd, Walter. Bakewell komt er, zoals de meesten, bekaaid af. Afgezien van mij, die ten eerste nou eenmaal verhinderd en ten tweede in zijn buurt is, heeft hij niemand die hem zou kunnen schrijven.

Toen Bakewell de benen nam uit Illinois was hij elf jaar. Nu is hij zesentwintig, was boerenknecht in Missouri, koetsier in Michigan en spoorwegarbeider in Montana, voordat hij als topgast in Newport belandde, waar ik hem, vermoeid als ik was, ten slotte in de schoot viel.

Nee, geen twijfel mogelijk, en ook al lijkt het hem niet erg te deren, de matroos William Lincoln Bakewell komt er bij het Recalada-lichtschip bekaaid af.

Hetzelfde geldt voor mij. En dan te bedenken dat ik zelfs twee adressen in de aanbieding heb:

Merce Blackboro
Verstekeling
Oliegoedkast
HMS *Endurance*

en voor afzenders die geen haast hebben:

Merce Blackboro
Zeeman
USS *John London*
Poste restante zeebodem

4

Ennid en het aapje

Voordat ik in Newport aan boord ging, schonk mijn moeder me deze stormbestendige jas. Ik ben er dol op. Ik heb mijn Grego sindsdien alleen uitgedaan om hem te wassen en te drogen. Zijn capuchon houdt mijn nek en oren ook in de ijskast lekker warm, en omdat mam de lichtblauwe jopper van een tweede voering heeft voorzien, mag ik ook niet klagen over ontbrekende wattering.

Waarom zou ik treuren over ontbrekende post van thuis als ik mij af en toe kan laven aan de afscheidsbrief van mijn ouders?

Bovendien heb ik Ennid Muldoons vis. Ik heb Ennids amulet al bij me vanaf het moment dat ik tussen twee wachten door in het kluiverboomnet van de John London, toen die door een kalme zee voer, in de voering van mijn Grego een zakje heb genaaid dat met een knoop dicht kon. Daarin zit het houten visje en het heeft een briefje in zijn buik dat ik pas mag lezen als ik de moed laat zakken.

Maar zelfs als ik zou willen, zou ik in het donker niet kunnen lezen wat hij me aanraadt, Ennids witte vis, die door de stof heen als een dennenappel aanvoelt.

En ik wil het ook helemaal niet weten. Ik stond maar één keer op het punt het briefje te lezen: toen ik op het wrak van de John London Bakewell over Ennid vertelde. We dreven een volle week hulpeloos over een stormachtige zee, en toch voelde ik me niet echt moedeloos. Daarom bleef de vis in mijn zak. En ik zal hem er ook nu niet uit halen.

Even slapen? Yes, sir. Yesser, een hazenslaapje. Houd moed, Merce! Vol goede moed een bed van rubberlaarzen gemaakt. Tot het eerste echte signaal is er nog tijd. Pas als de dikke Endurance op open zee is en koers zet naar Zuid-Georgië is er voor haar geen omkeren meer aan.

Elke dag telt als je naar het ijs gaat. Zelfs Shackleton kan het zuidpoolgebied niet in de Antarctische winter doorkruisen. En toch broedt Bakewell inmiddels misschien op een gunstige gelegenheid om me uit de kast te halen en met de schipper te confronteren. Ik moet er toch een keer uit… Kan hierbeneden niet blijven wachten tot ik een ons weeg. Hoe goedgemutst kaptein Worsley ook is omdat de zeilen tot boven aan het grootbovenbramra in de wind bollen of omdat de sir, zo blij als een kind, zijn arm om Worsleys schouders heeft geslagen – de kaptein zal zich de longen uit het lijf brullen wanneer ik met mijn lichtblauwe Grego voor hem sta en in mijn ogen wrijf, verblind door zoveel licht.

De John London was een van de vrachtschoeners die voor de oorlog op Zuid-Amerika voeren. De schepen, meestal driemasters met een motor, vervoerden stukgoed: staal en ijzer, maar ook hout. Het waren gehavende schuiten, die vaak het dok in gingen. De bejaarde John London stond onder contract bij een in Swansea gevestigde handelsonderneming; ze pendelde, de buik vol bielzen, al jaren tussen Wales en Uruguay. Ze was al regelmatig bij ons in Newport geweest en daarom kende mijn vader haar; jaren geleden had hij op het voordek een nieuw voorkasteel voor de manschapsverblijven getimmerd. Toen de John London in het begin van de zomer aan de pier van de Parks-werf afmeerde, gingen wij aan boord om de toestand van het voorkasteel in ogenschouw te nemen en met de nodige reparaties te beginnen.

We werkten een aantal weken lang aan de bovenbouwen en de verblijven benedendeks, die in een erbarmelijke toestand verkeerden. Tijdens het sjouwen, zagen, passen, schuren, vijlen en verven leerde ik praktisch elke hoek van het schip kennen. Ik zag overal tekenen van verwaarlozing. Maar onze drie schrijnwerkers en ik kalefaterden de oude Amerikaanse dame nog een keer flink op. En pa schonk haar zelfs een hoed waarmee ze voor de dag kon komen, want het voorkasteel kreeg een nieuw dak van glanzend kersenhout.

We waren bijna klaar toen op een ochtend op het tot dan toe uitgestorven schip het leven weer begon te bruisen. Matrozen en stokers kwamen aan boord. Muldoons mensen leverden het nieuwe want van de fok. Een automobiel bracht de kaptein naar de werf – alvorens onder dek te verdwijnen, praatte hij nog even met mijn vader. En ten slotte verschenen er twee in pak gestoken, maar desondanks niet bijzonder elegante heren, de ene Amerikaan, de andere van de handelsmaatschappij. Het aanmonsteren begon.

Onder de eerste zeelieden die uit de bak, waar de procedure plaatsvond, weer naar buiten kwamen, was er een die bij me kwam staan en me over mijn werk begon uit te horen. We praatten een tijdje. Hij vertelde dat hij voor Montevideo en het tochtje weerom had aangemonsterd. En vervolgens wilde hij weten, zonder dat ik ook maar één suggestie in die richting had gedaan, of ik misschien ook interesse had.

Misschien, zei ik. En hij lachte, zacht en heel vriendelijk.

Zo heb ik Bakewell ontmoet. Sindsdien ging er geen dag voorbij dat we elkaar niet opzochten. Als ik erover nadenk zijn er maar drie dingen die ik in mijn kast mis: de zeelucht, het licht boven de zee, en Bakewell.

'Hier, jullie moeten wat drinken, jij en je houten vis!'

Een paar dagen later sprak ik met mijn vader en ik vertelde hem dat ik als matroos aan boord van de John London naar Uruguay wilde varen. Ik hield hem voor dat mijn gage voor drie maanden varen hoger zou zijn dan mijn verdienste voor een halfjaar werken in de haven. En ik smeekte hem ja te zeggen omdat ik mijn eigen weg moest gaan.

Als matroos ontnamen kaptein Coon en zijn bootsman me met een vermoeid lachje mijn illusies. Deze bootsman, die ze op bijna alle schepen waar Engels wordt gesproken Bos'n noemden en die mister Albert heette, was het slag zeeman dat ik tot dan toe niet kende: hij had niets van de norse opscheppers die op de pier rondhangen en het liefst tegen een vrouw over hun potentie zaten te pochen of haar pralende man een pak slaag wilden verkopen. Mister Albert, de Bos'n, vroeg me of ik wist wat de zee was.

'Yesser,' zei ik. 'Het is het water tussen de continenten.'

'Verdomd veel water.'

'Massa's water.'

'Hoe goed kun je zwemmen, Blackboro?' vroeg hij en hij keek in zijn schrift.

'Ik denk dat ik goed kan zwemmen, sir,' zei ik. 'Niet zo goed als een vis, maar goed.'

'Niet zo goed als een vis?'

'Nosser.'

'En hoe goed kun je koken?'

Enigszins perplex gaf ik toe dat ik helemaal niet kon koken… omdat ik het nog nooit had geprobeerd.

'Dan kun je dus wel een beetje hulp gebruiken. Teken hier, en je bent aangenomen als koksmaat.'

De messboy verdient maar de helft van de gage van een matroos, zodat ik wat betreft argumenten voor pa om me te laten gaan mijn hoop zag vervliegen.

Maar dat was ten onrechte.

Mijn vader verklaarde zich akkoord, en mijn moeder verklaarde me waarom hij dat met een gerust geweten deed: tijdens de keuring van het voorkasteel had hij kaptein Coon terzijde genomen en hem duidelijk gemaakt dat hij de nieuwe bovenbouwen van de John London eigenhandig en stuk voor stuk weer zou afbreken als Coon hem niet zijn erewoord gaf dat varen onder zijn commando in mijn geval betekende dat hij me onder zijn persoonlijke hoede zou nemen. Kaptein Coon had mijn vader deze toezegging gedaan.

Ik was de laatste dagen voor het uitvaren van mijn schip in een merkwaardige stemming. Aan de ene kant had ik geen kans om aan iets anders te denken: mijn zus kreeg tranen in de ogen zodra ze me aankeek, en mijn ouders waren zo opgewonden omdat het nieuws dat hun zoon naar Uruguay zou zeilen zich als een lopend vuurtje verspreidde. Ik merkte hoe de mensen over me praatten, en dat maakte me al met al zo nerveus dat ik 's nachts geen oog meer dichtdeed.

Aan de andere kant begonnen onlustgevoelens aan me te knagen. Als ik erover nadacht, en dat deed ik onafgebroken, dan vond ik mijn besluit om naar zee te gaan pijnlijk en dom. Wat had ik me er eigenlijk van voorgesteld? Niets! Het was alleen een gevoel geweest, en nu was er een hele armada aan gevoelens die elkaar de hand boven het hoofd hielden en versterkten om elke verstandige gedachte ter plekke om zeep te helpen. De ene keer vond ik mezelf belachelijk, dan weer barstte ik los in gejubel en klapte ik mijn handen stuk om mijn grenzeloze moed. Ik ging in de boekenkasten van mijn ouders, broer en zus op zoek naar beschrijvingen van schipbreuken. De rillingen liepen me over de rug toen ik ontdekte dat Jack London eigenlijk John London heette – net als mijn schip! En als ik de eerste zinnen las, kwam het me voor alsof ik ver het water op roeide.

Alleen dankzij deze boeken ben ik in de dagen voor mijn vertrek nog een beetje toerekeningsvatbaar gebleven. In een doorwaakte nacht las ik *Robinson Crusoe* in één keer uit. In een andere nacht schreef ik Ennid een liefdesbrief die culmineerde in een hymne op haar hinken. Gelukkig las ik hem 's ochtends nog een keer door.

Zo gemakkelijk als ik de brief kon weggooien, zo gemakkelijk kon mijn handtekening op de monsterrol niet ongedaan worden gemaakt. En toen me duidelijk werd dat er geen ontkomen aan was, werd ik ziek van angst. Ik weet nog dat ik op de terugweg van een bezorging voor vader door Dock Street kwam. Aan het eind van de steeg zag ik de schepen aan de pier liggen. De John London was er niet bij, en toch kreeg ik bij de aanblik knikkende knieën. Ik kon niet verder. Afgaand op de starende blikken van de mensen moet ik er angstaanjagend hebben uitgezien. Met een gloeiend hoofd en wilde blikken drukte ik me tegen een muur aan. Ik voelde me in het nauw gedreven, verschrikkelijk alleen. Ja, dat was het ergste moment. Erger werd het niet meer. Ik rende weg en daarna ging het langzaam beter met me.

Op de laatste dag voor we zouden uitvaren liep ik Muldoons winkel binnen om afscheid van Ennid te nemen. Maar ze was er niet. Ze was ziek, zei mister Muldoon. Hij vroeg of hij een boodschap kon overbrengen, en ik verzon snel iets over Ennid en Regyn.

'Tot ziens, sir!' Ik stak mijn hand uit.

Hij pakte hem, maar keek me niet aan.

'Ik heb een vraag,' zei ik. Toen sloeg hij zijn ogen op en zag me, leek het, voor het eerst duidelijk en onmiskenbaar voor zich staan.

'Ik hou van uw winkel, sir. Alles…' Ik wees naar een aantal dingen in de bedompte, donkere zaak waar Ennid verkommerde tot de hinkende Ennid die ze was. 'Ik hou van alles hier, dat, dat, alles. Ik zou graag… Ik bedoel, als ik weer terug ben, sir, kunt u dan misschien een assistent gebruiken?'

Mister Muldoon sloeg zijn boek open en keek erin alsof daar het antwoord stond.

Daar is de bel. Vier gongs.

Op een kleine schoenerbark als de Endurance hoor je de scheepsbel in elk berghok onder dek, al is dat nog zo weggestopt. Zo weet ook de verstekeling hoe laat het is: vier glazen. Boven de zee tussen Patagonië en de Falklandeilanden zal het vermoedelijk net zo licht of donker zijn als in mijn alkoof.

Ik wil niet op Shackletons beslissing vooruitlopen, maar mijzelf meegerekend zullen op dit moment niet meer dan zes van de achtentwintig bemanningsleden wakker zijn: een roerganger, drie man op wacht aan dek, een uitkijk en de man in de oliegoedkast. De rest heeft wasbolletjes in de oren en sluimert. Als ik mijn ogen dichtdoe zie ik de grote kastanje op het plein voor Muldoons winkel en hoe ik door de straten bij de haven liep om afscheid te nemen van de dingen waar ik zoveel van hield, zoals de bomen aan de hand waarvan mijn vader me de typische eigenschappen van elke houtsoort uitlegde. De angst en alle gevoelens die me hadden beklemd, waren verdwenen. Op de laatste dag in Newport was er alleen nog weemoed. Ik voelde hoe mijn armen en benen bewogen, en de lucht was mild en stroomde om me heen, zodat ik dacht dat ik erin zwom, dat ik door Rodney Street naar kantoor liep, maar er tegelijkertijd staande naartoe zwom.

Van onze oude magazijnmeester Simms hoorde ik dat de John London beladen, uitgerust en van proviand voorzien was.

Hij plaagde me: 'Bemanning voltallig zodra koksmaat Blackboro gezond en wel aan boord is.' En hij vertelde me hoe laat het schip vertrok: 'Begin rattenwacht.'

Dat zei me niets.

'Middernacht, Merce.'

We keuvelden over de tijdsindeling aan boord in glazen en in wachten, en Simms, die jarenlang stuurman was geweest, adviseerde me om op mijn hoede te zijn, wilde ik niet de kans lopen om bakszeuntje te worden.

Terwijl hij doorging met rekeningen sorteren, legde hij me uit dat elk schip zijn zeuntje heeft.

'Het bakszeuntje is een soortement zwart schaap. De boeman aan boord, dat is het zeuntje. Hij krijgt altijd de schuld. Komt er een ra naar beneden gelazerd – het zeuntje heeft het gedaan. En breekt er brand uit in de kolenbunker – schuld van het zeuntje. Elke schipper heeft wel eens een kwaaie dag; dan kaffert hij de stuurman uit. De stuurman gaat naar de Bos'n en scheldt die verrot. Het pesterijtje daalt af langs de rangen, tot iedereen het erover eens is: daarvoor moet het zeuntje boeten. Er zijn schepen met meerdere zeuntjes, dan moet je oppassen dat je niet het zeuntje der zeuntjes wordt. En er zijn schepen waarop iedereen…'

Verder kwam hij niet. Voor het glazen hok waarin Simms zijn best deed me te behoeden voor het lot van het zeuntje, stond Ennid. Ze glimlachte vluchtig toen ze ons ontdekte en hief weifelend haar hand.

'De kleine Muldoon,' zei Simms.

Ik nam haar mee naar vaders lege kantoor. Voor het eerst waren we alleen. Ze zag er fantastisch uit met de regenjas en de paraplu die aan haar arm bungelde. Ze was helemaal niet ziek, Ennid stond voor me, en ik begon te tellen – dwangmatig, een teldwang. Ik telde de ramen in mijn vaders kantoor en de knopen aan Ennids jas. Ik becijferde dat ik haar vijf keer in de winkel van haar vader en één keer buiten had gezien: in de Alexandra Docks, halverwege Pillgwenlly. Maar ook toen waren we niet alleen geweest. Onze vaders hadden gepraat, terwijl wij elkaar blikken toewierpen die niet diep genoeg konden zijn. Ze ging bij een van de ramen staan. Het zijn er vier, dacht ik, vier ja. En ik ging op een hoek van het bureau zitten, daarvan waren er ook vier.

Het tegenoverliggende, pas geopende handelskantoor had daarentegen zo veel ramen dat ik hun aantal alleen maar kon schatten. Het was een enorme kast.

'De kwestie is…' begon ze. 'Ik wil niet dat je op die manier met mijn vader praat. Misschien kun je je indenken dat hij je sinds vandaag volslagen getikt vindt. Wat dacht je daarmee te bereiken, Merce Blackboro, hm?'

Ze kreeg een lelijke mond, dat was een familietrekje. Nou goed dan, dacht ik, laten we ruziemaken. Daar zul je spijt van krijgen, om middernacht ben ik weg. Begin rattenwacht. Aan de wand boven de wachtstoel in de hoek zag ik in een vergulde lijst de reproductie hangen die ik al vanaf de dag dat ik er voor het eerst als jongen naar had gekeken geheimzinnig vond en die me belangrijk leek. Te zien is keizer Napoleon – hij staat eenzaam op het strand en kijkt uit over zee. Mijn vader beweert dat het de kust van Zuid-Engeland is waarop Bonaparte ooit per abuis aan land was gekomen.

Ook Ennid zweeg. Ruzie kregen we dus niet. Ennid zocht iets in haar handtasje en doorboorde me met haar blik toen ze het gevonden had.

'Ik heb iets voor je.' Ze reikte het me aan. Het was kleurig, kleurig beschilderd. Ik pakte het aan en zag dat het een visje van hout was.

'Het is een amulet.' Ze liep naar me toe en nam de vis uit mijn hand. Ze draaide hem om en klapte hem aan de buikzijde open. Er lag een briefje in.

'Als je het een keertje niet meer ziet zitten, lees dit dan.'

Ze gaf me de vis terug. Ze stond op nog geen armlengte bij me vandaan. Ik trok haar naar me toe, begroef mijn gezicht in

34

de holte van haar hals en kuste me een weg omhoog naar haar mond.

'Ik moet gaan,' hijgde ze en ze maakte zich los, en ik had het idee dat ze me onder haar lippen zou verkruimelen.

'Blijf nog even!'

'Waarom?'

Op de stoel onder de hopeloze Napoleon liet mijn vader arbeiders net zo lang wachten tot ze in een mummie waren veranderd. Daar had ik ooit met kiespijn gezeten tot ik bijna van mijn stokje ging. Ennid ging op mijn schoot zitten. Ik kuste haar, en ze zei voor het eerst: 'Jij aapje.' Telkens opnieuw, in elke pauze tussen onze kussen, sprak ze die twee woorden. Ze maakte mijn riem los, greep onder haar jurk en hijgde: 'Jij aapje. Aapje!'

Toen ze weer opstond en haar kleren schikte, had ik de vis nog in mijn hand. Mijn pols raasde toen ik haar over de mislukte hymne op haar hinken vertelde en ook dat ik de liefdesbrief in de Usk had gegooid.

'Wees maar blij!' zei ze alleen. 'Wees maar blij, aapje van me.'

Natuurlijk vraag ik me af wat er op het briefje zou kunnen staan. Dat vraag ik me elke keer af zodra ik mijn armen over elkaar sla en de vis op mijn borst voel.

Een, twee, drie, vier gongs. Vijf glazen.

Bakewell denkt dat er vanwege de beperkte ruimte alleen een verwijzing naar een Bijbelgedeelte op het briefje kan staan, een spreuk als 'Denk aan mij!' of een enkel woord, zoals in het telegram van koning George. En hij vindt dat ik hem het briefje moet laten lezen, zodat hij me in elk geval kan zeggen wat erop stond, mocht ik Ennids vis verliezen.

Slim bedacht, Bakewell. Maar niet slim genoeg.

5

Schipbreuk

Als ik op mijn zij ga liggen en mijn benen optrek tegen mijn buik aan, kan ik misschien toch nog een beetje slapen. Ik pak een jack van de haak als deken. Want of het nu komt doordat ik zo moe ben of omdat het nacht is, ik krijg het steeds kouder. De bodem van de kast ligt bezaaid met lappen en opgevouwen doeken die naar olie en teer ruiken. Ik stop ze hier en daar onder mijn kleren, en zo gaat het wel, ik lig tenminste. Als ik mijn benen nou maar kon strekken.

Elke wacht duurt vier uur. Apenwacht van 's middags vier tot 's avonds acht uur, berenwacht van acht uur tot middernacht, dan de rattenwacht tot vier uur 's morgens, en daarna de hondenwacht. Apenwacht omdat op dat moment bijna iedereen in het want hangt. Berenwacht omdat het schip gereed wordt gemaakt voor de nacht, wat altijd een heel gedoe is. Rattenwacht aan de ene kant vanwege de ratten, die je, als je pech hebt, 's nachts aan dek vaker tegen het lijf loopt dan mannen, en aan de andere kant begin je tijdens de rattenwacht al snel zelf op een rat te lijken: het ene moment loop je in de duisternis te snuffelen omdat je voortdurend op je hoede bent, het andere moment stuif je bij het minste geluid de hoek om. En waarom de hondenwacht zo heet: na een karige vier uur slaap moet je het schip gereedmaken voor de dag, het kraaiennest bemannen, de dagwachten voorbereiden en, wat nog het ergste is, de mannen van de dagwachten wekken zonder dat ze je naar de strot vliegen. Aan het einde van de hondenwacht vraag je je af wie er nou vermoeider is: jij of de man die je wekt. Iedereen is honds-moe. Iedereen zou gekust, geaaid en in bad gestopt moeten worden bij de overgang naar de hondenwacht. Maar iedereen heeft het gevoel dat hij een pak slaag krijgt.

Zes gongs.

Dat was exact het tijdstip dat de John London uitvoer: zes glazen. We verlieten Newport met drie uur vertraging, waarvoor niemand een verklaring had en waarover ook niemand werd ingelicht. Vanaf het begin zorgt zoiets voor een slechte stemming. De wachten lopen in het honderd, en inmiddels zijn er al delen van de bemanning die er danig de schurft in hebben.

Kansloos, ik kan zo niet slapen. Waar is de fles?

Bijna leeg.

Wanneer was Bakewell hier? Waarschijnlijk na de aflossing van de wacht, even na middernacht. Zal ik gewoon naar buiten gaan en zelf water halen?

Liever niet. Ook al komen die beelden nu terug en zie ik alle gezichten weer voor me. Hoe de mannen aan dek stonden te wachten tot het begon: tweeëndertig man boven ruim achthonderd ton bielzen in het vrachtruim voor de spooraanleg in Uruguay. En twee van die maar half uitgeslapen kerels, Bakewell en ik.

Mister Albert had ondanks alles de kankeraars nog aardig in zijn greep, en in het begin leek de discipline aan boord niet het probleem te zijn. Want dat de John London een probleem had, dat had zelfs ik snel door. Het begon ermee dat het gerucht zich verspreidde dat de gebunkerde kolen van matige kwaliteit waren. Ik had me er al over verbaasd dat er in de buurt van de schoorsteen een regen van roet op je neerdaalde, en nu had ik dus een verklaring. Bakewells gezicht werd in tweeërlei opzicht van dag tot dag duisterder. Toen we een keer tussen twee wachten door in onze kooien lagen, vertelde hij me dat de sleep van vuil die het schip achter zich aan trok er onmiskenbaar op wees dat de ketels te weinig vermogen leverden. De John London zou haar uiterste best moeten doen om haar voor deze omstandigheden veel te zware vracht veilig door een flinke storm te loodsen.

Maar ik weet ook nog hoe gelukkig ik was. Er waren uren dat ik alle angst vergat en me bewust werd van de vrijheid die ik genoot. Omringd door slechts een goeie dertig man suisde ik onder volle zeilen voort, en kilometers ver, honderden kilometers ver om ons heen was niets dan water. Het is fantastisch dat je het stijgen en dalen van de golven niet alleen waarneemt, maar dat je op hetzelfde moment ook aan je eigen lichaam voelt dat het één groot inademen en uitademen van de oceaan is. Soms, als het werk in de keuken erop zat en ze me bovendeks niet nodig hadden, stond ik alleen of met Bakewell aan de verschansing en kon niet genoeg krijgen van de weidsheid en de rust van de groene zee.

Het mooiste is hoe die rust op jezelf overgaat. Ik begon de wind te missen als ik benedendeks was. Ik voelde me sterk, vrij en gezond. Op zulke momenten was er niets wat ik zo hevig wenste dan dat dit geluk nog even aanhield en dat iedereen veel vaker de kans kreeg om net zo gelukkig te zijn. Er zijn maar weinig van zulke momenten. Door de nimmer aflatende arbeid en de steeds opnieuw te bevechten pikorde onder de bemanning raak je snel afgestompt. Je merkt het niet eens. Wanneer de zee zich dan ook nog tegen het schip keert, blijft er van het geluk geen jota over. De zee heeft geen taal, daarom kent ze ook geen diplomatie. Haar brekers komen aan dek en slaan met koude ketenen om zich heen.

Na een reis van negen weken kruisten we enkele honderden zeemijlen voor de Zuid-Amerikaanse kust de eerste voorboden van een machtige orkaan en begonnen we te vermoeden wat er op ons afkwam. Omdat de storm zich richting land leek te bewegen, beval kaptein Coon ter hoogte van Porte Alegre om koers naar open zee te zetten. Zo hoopte hij het zware weer te kunnen omzeilen. We hadden de territoriale wateren van Uruguay nauwelijks bereikt, of we kwamen opnieuw in de storm terecht. En wat voor een storm. Ere zij God in den hoge! Wat daar op ons af raasde was geen orkaan meer. Het schip beklom een golfberg en hield op de kruin elke keer praktisch halt, om vervolgens in een waanzinnig tempo naar rechts en links weg te rollen; daarna kwam het tot rust, en een moment lang trad er een pauze in, alsof het voor de afgrond terugdeinsde. Maar als een locomotief schoot het naar beneden zodra de zee er van achteren vol tegenaan beukte. De boeg werd tot aan de kraanbalken gehuld in het melkachtige schuim dat van alle kanten door de spuigaten en over de reling gutste. De zwaarste van deze stortzeeën tilden de John London zo ver uit het water dat haar boeg vrij in de lucht zweefde.

Het is slechts een kwestie van tijd voor de verpletterende kracht van een dergelijke zee zich in één enkele golf samenbalt.

Toen die golf kwam, trof hij de veel te diep liggende midscheeps en smeet de romp opzij. Bielzen schoten door de vrachtluiken naar buiten en verpletterden alles wat er zich in hun baan bevond, voordat ze in zee stortten. Het schip raasde, hevig slagzij makend, het golvendal in. De lijreling dook helemaal onder, tot het water de kapotgetrokken kozijnen van de luiken bereikte en de vrachtruimen binnenstroomde, terwijl de ene golf na de andere zich over de verschansing stortte en er ijzige stromen over het dek spoelden. De kleinste beweging was levensgevaarlijk. Wie geen tijd had gehad om zich vast te binden, klemde zich met handen en voeten aan een reling of een spil vast en hoopte maar dat die hield en dat hij niet overboord zou worden geslagen.

We waren allemaal volslagen hulpeloos, maar de meeste mannen maakten ook nog eens een totaal verwarde en verlamde indruk. Slechts op één punt leken ze het eens te zijn, namelijk dat ze niet van plan waren te luisteren. De meesten jammerden alleen maar. Slechts een paar van hen braakten nog altijd hun vloeken uit, maar daarmee dwongen ze bij mij geen respect meer af. Toen noch mister Albert, naar wie ze anders wel luisterden, al mopperden ze nog zo, noch de kaptein, voor wie ze niets dan spot konden opbrengen, hen ertoe kon brengen naar de pompen te gaan en de zeilen te hijsen om het schip naar de wind te draaien, kapseisden we binnen een uur, en alle sukkels, snoevers en luiaards klommen langs de touwen omhoog en wisten niet hoe snel ze in het want moesten komen. Ten slotte kroop ik er ook naartoe, het was de enige nog enigszins veilige plek. Toen de romp slagzij maakte, kon mister Albert het voorkasteel niet meer uit en verdronk. Ik zag mijn kok als een kurk de zee in ploffen voordat hij van de ene op de andere seconde kopje-onder ging en daarmee al diegenen volgde die er zelfs niet in geslaagd waren om naar buiten te komen.

Zonder mister Albert was de kaptein net zo hulpeloos als wij. Hij bleef aan één stuk door de meest absurde verwensingen brullen, want wij deugden voor geen meter. Bakewell en de scheepstimmerman, een ongelikte beer uit Liverpool die Rutherford heette, moesten de voormast en de grote mast kappen. Ze sloegen twee uur lang in op de mastbomen, terwijl het wrak op en neer stuiterde en zichzelf in stukken reet. Van zijn masten bevrijd, richtte de John London zich nog één keer op, en het was een geluk dat we hout hadden geladen; elke niet-drijvende vracht zou ons mee de diepte in hebben getrokken. Pas ergens in de nacht was de grote mast helemaal los van het want. Net als de bijl waarmee Bakie op hem in had gehakt, sloeg de gevelde mast nog lang tegen het schip aan.

De volgende ochtend was het enige wat uit het water stak de achtersteven, een verbrijzelde mast en een ongelijke serie staanders waar zich eens de reling van het achterdek had bevonden. Ik was kletsnat en halfdood van de kou. Er was geen plek om uit te rusten. Elke golf sloeg over het wrak. In Coons kajuit klotste het water ons om de knieën, maar daar werden we tenminste nog tegen de wind beschermd. De kaptein kon een groep mannen die zich rond Rutherford vormde ervan overtuigen dat we met ons allen alleen konden overleven wanneer we beurtelings een uitkijkpost bemanden. 's Middags riep Bakewell naar beneden dat er een schip in zicht was. Iedereen stormde naar boven, klemde zich aan de reling vast of klom in wat van het want restte om de kruiser in het vizier te kunnen houden. Maar zijn koers leidde hem niet onze kant op. Daarna wilde niemand de man op de mast nog aflossen. En na de tweede dag hadden ook Coon, Bakewell en ik het wel gezien. Vanaf dat moment dreef het wrak zonder uitkijk in de storm.

Van de tweeëndertig man waren er nog dertien in leven. We waren stijf van de kou, hadden niets te eten en slechts een paar flessen wijn om te delen. Alles wat er aan proviand en drinkwater was, lag beneden bij de vissen. Aan minuscule rantsoenen vers water kwamen we door een ronddobberend deksel naar ons toe te hengelen. Maar het regende niet veel. Als het regende vingen we de druppels met ons hemd op en wrongen het water direct uit in onze mond of eerst in het deksel voordat we het dronken. Toen de zee iets kalmer was geworden, kon ik water opvegen op plaatsen op het dek waar het zoute water niet kwam. Maar te eten hadden we niets, en we konden nog niet het kleinste hapje versieren, hoewel het in de lucht wemelde van de vogels.

6

In het gewemel van de kanonloopmatrozen

Zeven glazen voorbij. Nog één keer moet de man die boven op het donkere dek staat de scheepsbel luiden voordat hij in zijn kooi kan kruipen om te slapen. Dan begint de hondenwacht, en vier eindeloze uren lang wordt het schip geregeerd door het gedraal en gebrom van de mannen die maar aan één ding kunnen denken: koffie.

Ja, dat zou wat zijn! Nu een bak koffie, zwart als drop en net zo vettig en naar rook stinkend als de smeerboel die aan alle lappen zit vastgeplakt.

Het zullen op z'n minst tien paar rubberlaarzen zijn die ik aan het andere eind heb opgestapeld om toch nog wat ruimte te hebben. Telkens opnieuw glijdt een van de zware trappers op mijn benen of zit opeens klem tussen plankenwand en rug. Een massa voorwerpen zit hier samen met mij opeengepakt. Een armlengte boven de laarzen bungelen de jacks en anoraks, leren handschoenen, rubberhandschoenen, bonthandschoenen, allemaal kriskras door elkaar, en overal slingeren lappen en doeken, die een geur verspreiden als in de machinekamer van een dodenschip.

Zo erg is het nog net niet. Maar stel dat de Endurance op een rif zou lopen en zichzelf binnenstebuiten zou keren, net als de John London op de golfbreker voor Montevideo, waar ons wrak uiteindelijk negentig kilometer voor de kust heel onspectaculair op een zandbank liep en geen kik meer gaf, dan zou iedereen die er nog de gelegenheid voor heeft verbaasd staan te kijken wat er allemaal uit Blackboro's alkoof naar buiten komt gespoeld. De ene handschoen na de andere. En zo veel lappen, lapjes en lapkes dat je de hele weg over het witte continent met kleine, smerige zwarte vlaggetjes zou kunnen draperen. Op de dag dat de John London vastliep, was de zee rustig, scheen de zon, zaten we als een stel uitgehongerde katten aan dek en wachtten we op het moment dat ze ons in de gaten kregen. Overal in het water tussen de rotsen dreven onze bezittingen. En het wrak gaf ook nog vijf lijken vrij. Mister Albert was er niet bij. Hij bleef in het voorkasteel dat mijn vader had gebouwd en ging er samen mee ten onder.

Ik zou er nooit meer van boord, nooit in Montevideo, daarna in Buenos Aires en ten slotte op de Endurance zijn gekomen, wanneer de scheepstimmerman Rutherford tot geluk van ons allen niet weer bij zinnen was gekomen. Zonder Rutherfords matigende invloed hadden in elk geval een paar van zijn mannen niet lang getreuzeld en ons, de mannen die kaptein Coon trouw waren gebleven, zonder pardon overboord gekieperd.

Zeven dagen na onze averij pikte een kustvisser ons op en nam ons mee naar de haven van Montevideo. In een klein hospitaal brachten ze ons er binnen een paar dagen weer bovenop, toen op een vroege morgen de militie op de binnenplaats stond en Rutherford en zijn vijf warhoofden arresteerde. Ik weet nog hoe ik in het populierenbosje bij het ziekenhuis kaptein Coon tegen het lijf liep, die er in zijn eentje liep te wandelen, en hoe graag ik hem op de gebeurtenissen aan boord en de arrestaties had aangesproken. Maar voor een scheepsjongen is dat godsonmogelijk.

'Zo, Merce, ook onderweg? Gaan is beter dan staan,' zei Coon, en weg was hij. Ik had niet eens tijd om mijn 'Yesser' uit te spreken. Ik liep verder. Toen riep hij me, en ik merkte dat hij achter me aan kwam.

Hij had, zei hij, mijn pa beloofd dat hij op me zou letten. Aan een kapitein die zijn schip verliest hoef ik weliswaar geen rekenschap af te leggen, maar hij vroeg toch beleefd wat mijn plannen behelsden.

Ik zei hem de waarheid: ik had geen plannen.

Plotseling zei Coon: 'De mannen moeten zich voor de rechtbank verantwoorden voor hun wangedrag waardoor de bootsman en alle anderen om het leven zijn gekomen. Dat zal wel een paar maanden duren. Maar als je het ermee eens bent, zal ik je familie schrijven dat het goed met je gaat.'

Ik vroeg om bedenktijd. De volgende dag kregen wij, de zes overgeblevenen, onze gage, en toen we het hospitaal verlieten verzocht ik kaptein Coon om mijn ouders niet te schrijven. Mijn besluit verraste hem niet, hij vroeg niet eens naar mijn beweegredenen. Misschien heeft hij, toen hij me in de stromende regen een hand gaf, vermoed dat ik hem er ook geen had kunnen noemen.

Mijn eerste schip is meteen al vergaan. Een echte zeeman zou zeggen: die schaduw blijft je achtervolgen. Het is mooi geweest! Maar ik ben geen zeeman, net zomin als ik een timmerman ben en naar mijn vader aard. En stel dat mijn vader me zo zag, gehurkt in mijn kast, mijn lippen onder de chocola, dan zou hij me met de handschoenen en rubberlaarzen om de oren slaan.

En gelijk heeft hij. Waarom ben ik niet bij de marine gegaan om op de Invincible of de Inflexible aan te monsteren, pantserkruisers met een slaapzaal op het tussendek voor achthonderd matrozen die daar hangmat aan hangmat liggen te bungelen? Daar krijg je geen last van eenzaamheid, daar zal niemand domme dingen doen. Je hebt je kanonloop waar je eenmaal daags in kruipt om hem schoon te maken, je hebt je verlof om aan land te gaan, je zeegevecht, je zeemansgraf en je eigen berichtje in de *South Wales Echo*:

Zeeslag met Duits-keizerlijke vlooteenheden
voor de kust van Argentinië

Tot onze op zee gebleven
helden behoort Merce Blackboro,
zoon van het aloude
scheepstimmerbedrijf

De achtste gong geeft aan: de rattenwacht is voorbij. Nu rennen ze naar beneden en schudden de honden wakker.

In de havens aan de Río de la Plata heb ik niet veel van de oorlog gemerkt. Als je de kranten mag geloven, is het een kwestie van tijd of Argentinië en Uruguay laten zich door de om zich heen grijpende waanzin aansteken. De mensen die ik heb leren kennen is onze euforische vijandigheid vreemd. Dat je haat voelt jegens een tsaar, een paar oude koningen of twee zonderlinge keizers die er niet alleen hetzelfde uitzien maar zelfs dezelfde taal spreken, vinden ze onbegrijpelijk en storend. En daarom noemden ze ons dan ook *perturbadores*, rustverstoorders.

In La Boca stellen ze de dagelijkse bezigheden uit tot de koelere avonduren; overdag is het zo heet dat je barstende koppijn krijgt als je maar een paar stappen in de door vogellijm wit geworden steegjes zet. Op onze pensionkamer onder de hanenbalken sliepen Bakewell en ik van zes uur 's ochtends tot zes uur 's avonds, en wanneer ik uit het raam keek, zag ik een plataan die geen bladeren had, maar wel vol zat met groene vogeltjes: bij rumoer op straat verhief de gehele kruin van de boom zich in de lucht, om even later weer op de kale takken neer te strijken. Door dat soort dingen hebben we de oorlog gewoon vergeten. We hadden wel iets beters te doen. Want ook al leek het niet zo, we hadden het razend druk.

We lagen op de loer. Bakewell had een plan bedacht hoe het met ons verder kon. Op zijn route van Londen naar Buenos Aires had het schip van de zuidpoolexpeditie van sir Ernest Shackleton in Montevideo een tussenstop gemaakt, vermoedelijk om brandstof in te slaan. In de haven deed het gerucht de ronde dat de ware reden voor de stop was dat zonder de sir, die zich pas in Argentinië bij de bemanning zou voegen, de discipline aan boord sterk zou hebben geleden. Hoe snel dat gaat en dat daarvoor maar een paar man nodig zijn, wist ik uit eigen ervaring, en inderdaad hoorde Bakewell van twee matrozen van de Endurance, Hownow en Stornoway, dat er voor de kust van Madeira aan boord was gevochten en dat dat voor de betrokke-

Carte blanche: vandaag doet u iets waar u écht zin in hebt.

Wacht zonder u ertegen te verzetten, in de supermarkt, op het station...

Probeer vandaag een uur *eerder in bed* te liggen.

Houd vandaag een *nieuwsdieet:* laat krant en journaal achterwege.

nen niet zonder gevolgen kon blijven. Een paar dagen lang leek het erop dat de vier verantwoordelijken voor de knokpartij in Montevideo moesten afmonsteren. We besloten de zuidpoolgangers niet meer uit het oog te verliezen.

Onze teleurstelling was daarom groot toen we op de ochtend van het afscheid door kaptein Coon bij de pier kwamen en zagen dat Shackletons schip was uitgevaren zonder dat McLeod en How ons iets hadden verteld. De Invincible en de Inflexible waren 's nachts de Plata opgevaren en lagen in het midden van de rivier voor anker; telkens opnieuw werden boten neergelaten die vol mannen naar de kant roeiden, zodat het in de steegjes weldra wemelde van de kanonloopmatrozen en zeemansgrafkandidaten. We namen de eerstvolgende veerboot naar Buenos Aires. Twee dagen later struikelden we in een hol met de naam De Groene Aap min of meer toevallig over een troep mannen van de Endurance. How en McLeod waren zo blij ons weer te zien dat ze er geen been in zagen om de Bos'n naar ons tafeltje te roepen.

Deze John Vincent heeft de reputatie allesbehalve een gangmaker te zijn. Met een boosaardige fonkeling in zijn ogen liet hij doorschemeren dat Shackletons plaatsvervanger Frank Wild de vier relschoppers van de monsterrol had geschrapt, maar dat de sir als enige over hun vervanging zou beslissen. Toen deed hij er verder het zwijgen toe en begon het tafelblad te hypnotiseren.

Wanneer Shackleton dan zou komen, wilde Bakewell weten.

Vincent keek hem niet eens aan, maar zei in plaats daarvan tegen McLeod: 'De baas is er wanneer hij er is. Of niet soms?'

McLeod knikte. 'Duidelijk. Maar het zijn allebei goeie kerels. Zaten op een drijvende doodskist en hebben zich voorbeeldig gedragen toen die het voor gezien hield. Je zou een goed woordje voor ze kunnen doen.'

Vincent keek me aan, en voor het eerst was zijn brede, akelig gladde gezicht vlak voor me.

'Deze hier is veel te jong, daarmee begint het al.' Hij stond op. 'Jullie zijn allebei voorbeeldige zeelui, dus gedraag je voorbeeldig tot de baas er is en jullie al dan niet aanneemt.'

Bakewell kon er enerzijds van uitgaan dat hij een baan op de Endurance min of meer op zak had, anderzijds viel te vrezen dat hij mij zou moeten achterlaten. Kort na dit eerste gesprek met Vincent vertelde hij me openhartig dat hij verliefd was geworden op het idee naar de Zuidpool te varen, en hij verzweeg niet dat hij er ook zonder mij heen wilde.

Intussen werd de laatste hand aan het schip gelegd. De Endurance werd zwart geverfd en van nieuwe proviand voorzien. En opeens was het een kabaal vanjewelste. De sledehonden kwamen. Een Canadees vrachtschip, zo onder de derrie dat je je onwillekeurig afvroeg of het door een zee van modder aan was komen zeilen, legde langszij aan en schoof de kraan uit. Met telkens één paar tegelijk in een kooi zweefden de dieren aan boord en werden in de hokken opgesloten, negenenzestig bastaarden uit het noordpoolgebied, geen twee gelijk, afgezien van het feit dat ze allemaal flink aan de maat en zo goed als ongetemd waren. De sterkste waren half hond, half wolf, en de beide roedelleiders heetten Shakespeare en Bos'n, wat in elk geval in de haven van Buenos Aires niet tot verwarring leidde.

Vincent zal vermoedelijk snel hebben ingezien dat hij met Bakewell een prima vangst had gedaan, zoals hij overal aanpakte en altijd present was. Toen Frank Hurley aan boord kwam, de Australische expeditiefotograaf, was de bemanning, afgezien van Shackleton, voltallig en installeerde deze zich op het schip. Eerste officier Greenstreet haalde me op van de pier en vroeg me of het klopte dat ik als messboy had gevaren, en toen ik dat beaamde bood hij me aan om tot nader order hulpje van de kok te worden. Maar een kooi aan boord zat er voor mij niet in, en hoewel ze er wel een voor Bakewell in orde hadden gemaakt, bleef hij in ons pension slapen. Hij deed dat echt niet om mij, zei hij. Hij kon nu eenmaal niet buiten zijn dagelijkse portie vogelstrontstinkerij.

Wat me eraan herinnert dat ik zo stilaan wel een keer naar het gemak moest. Voor het water heb ik de oude fles, maar ook de chocola wil er zo langzaamaan wel uit, zoals díé in mijn darmen tekeergaat. In de loop van de nacht is de zee mijn ingewanden binnengesijpeld, heeft zich vermengd met de geur van rubber en het besef dat ik op volle zee ben, en me opgezadeld met een lauwe, flauwe misselijkheid. Mijn gezicht heeft intussen misschien al een zweem van groen aangenomen, net als dat van Green als hij in de hitte van de kombuis aan het fornuis staat en, met een laagje zweet bedekt, in echte Gillards schildpaddensoep staat te roeren.

Wegdrukken, niet aan denken.

Desnoods schijt ik in een laars en prop hem daarna vol met doeken.

De schildpad wordt in het Ritz geserveerd. Het Ritz is het voormalige vrachtruim en de huidige mess. Het is de grootste ruimte op de Endurance, haar hart op het tussendek. Het Ritz zou gewoon voor een gang kunnen doorgaan, ware het niet dat er tafels en stoelen voor dertig man staan. De Union Jack en alle vlaggen van het Empire hangen aan de muren, en dat is prima zo, want de betimmering van het Ritz is van een ongelooflijke armzaligheid. Na een paar dagen pannen sjouwen kende ik elke verdikking, elke uit het plankwerk stekende schroefkop op de route van de kombuis via de *galley* naar het Ritz. Daar werd ons schildpadvoorafje bejubeld, en het was kaptein Worsley die de vraag opwierp wat Shackleton zou zeggen wanneer hij zou ontdekken hoezeer Green en Black de mannen verwenden.

Zoals iedereen een paar dagen geleden op Shackleton had gewacht, zo wacht ik nog altijd op hem. Ik ben de enige die hem nog niet heeft gezien, en zolang ik in mijn kast zit zal daar vast niet veel aan veranderen. Onwaarschijnlijk dat de sir tijdens de hondenwacht het dek afdaalt om een oliejas of een stuk chocola te halen.

Rubberlaarzen? Neem deze, sir, die zijn nog lekker warm.

En dan te bedenken dat ik hier helemaal niet zou zitten en de ijshelden niet met me opgescheept zouden zitten als Shackleton zich niet te goed had gevoeld om het me recht in mijn gezicht te zeggen: 'Jongen, ik kan je niet meenemen! Je bent nog niet volwassen!'

Iedereen wist dat als Shackleton eenmaal aan boord was, het een kwestie van uren zou zijn voor we zouden vertrekken. Toch heeft niemand zo op Shackleton gewacht als ik. Ik probeerde niets te laten merken, maar dat lukte niet altijd. Tijdens het afruimen van de tafels had ik het regelmatig met mezelf te doen. Dan was het meestal de bioloog Bob Clark die een hand op mijn schouder legde: 'Komt wel goed!' Of Green die schreeuwde: 'Schiet op jongens, jullie hebben genoeg gehad. Opduvelen nu. Laat Blackie de troep opruimen, of voelt een van jullie zich geroepen?'

Eén keer heb ik me met Hownow zitten bezatten; hij deed me daarbij zijn halve leven uit de doeken en sleepte me vervolgens mee naar een bordeel, dat gelukkig net vol zat. Anderen namen me in de maling als we elkaar in La Boca tegen het lijf liepen, en kregen er daarvoor flink vanlangs van de schipper.

Ik had me alles voor kunnen stellen, want ik had met alles rekening gehouden, maar niet dat er opeens werd verteld dat Shackleton allang aan boord was. Ik hoorde het van Green, die ervan uitging dat ik het net als iedereen wist, en het eerste wat ik deed was het aan Bakewell vertellen, die van zijn stoel viel van verbazing.

Gistermorgen vroeg is hij aan boord gekomen. Hij zou nog proviand en uitrusting hebben geïnspecteerd, de honden en motorsleden in ogenschouw hebben genomen en vervolgens in zijn kajuit zijn verdwenen om uit te rusten. Vanaf 's middags ontving hij daar de mannen een voor een.

En bijna iedereen was al langs geweest, Green, How, McLeod, de onderzoekers en de artsen, net als de stokers. Wie nog moest, werd dat met een kreet of knikje te verstaan gegeven, dan zette de man zijn glas neer en verliet zonder iets te zeggen het Ritz. Ik was klaar met mijn werk en ging aan de tafel zitten. Mrs Chippy, de kat van scheepstimmerman Chippy McNeish, liep zoals elke avond rondjes over het tafelblad en liet zich aaien. Frank Hurley schroefde een camera uit elkaar en maakte de onderdelen schoon. Drie mannen waren aan het kaarten. De reus Tom Crean, sinds Scotts laatste expeditie drager van de onderscheiding voor bewezen moed, het idool van mijn broer, díé Tom Crean knipoogde naar me. Deze kerels, die overal ter wereld zijn geweest, die zelfs Amundsen persoonlijk kennen en die, al was er maar een handvol van hen aan boord geweest, wel voorkomen zouden hebben dat de John London was vergaan, deden er alles aan om me het gevoel te geven dat ik binnenkort een van hen zou zijn.

Desondanks dacht ik maar aan één ding: ik dacht aan de oude Simms en zijn waarschuwing. Nu ben ik het dan toch, dacht ik: ik ben het zeuntje!

Toen Bakewell aan de beurt was en in het Ritz terugkeerde zag ik aan zijn gezicht hoe de vlag erbij hing. We gingen aan dek. Hij zei dat hij had getekend. En dat de sir geen verantwoording voor mij wilde nemen. Het speet Shackleton, maar met mijn zeventien jaar was ik domweg te jong.

'Goed,' zei ik zo koelbloedig mogelijk. 'Wanneer vertrekken jullie?'

We stonden in een donkere hoek aan de verschansing. In de duisternis kon ik alleen Bakewells silhouet zien. Hij keek naar de rivier en zei niets, en in de stilte hoorde je dat voor ons de honden zich in hun hokken zaten te krabben voordat ze zich oprolden om te slapen.

Plotseling zei hij ernstig: 'Luister, Merce. Luister naar me en hou je smoel, want ik heb je wat te zeggen! Morgenmiddag gaan we buitengaats, en als ik zeg "we", dan bedoel ik ook "we". Ik heb met McLeod en How gepraat – die doen ook mee. Je zoekt je boeltje bij elkaar en bent om drie uur op de pier. McLeod haalt je op. How en ik doen de wacht van vier uur. Jullie tweeën gaan onder dek, en McLeod laat je de oliegoedkast zien. Daar blijf je tot we op zee zijn en ik je aan dek haal.'

Veel tijd om na te denken had ik niet. Ik had aan boord niets meer te zoeken, en binnenkort begon de nachtwacht.

'Oké, dat je het weet,' zei hij. ''t Is een hachelijk karwei, dat besef ik. Let op: ik moet naar beneden, anders wordt de Bos'n sikkeneurig. We doen het als volgt: je telt tot honderd en denkt erover na. Dan kom je naar beneden en neem je fatsoenlijk afscheid van je ouwe vriend Bakie, die zielsveel van je houdt, wat je hopelijk niet bent vergeten, of… of je haalt je opklapbare houten vis en de rest van je troep op en meld je klokslag drie op de pier.'

'De vis heb ik bij me,' zei ik stuurs.

51

'Mooi zo. Hoef je nog maar over de helft na te denken.'
Toen veegde hij over mijn kruin en weg was-ie.
En ik begon te tellen.
Maar… je kunt helemaal niet nadenken als je telt. De getallen dansen maar voor je geestesoog. Daar komt nog bij dat ik bij getallen aan het rode boek van mister Muldoon denk. En voor ik er erg in heb denk ik aan Ennid en word ik weer heel treurig. En ik wilde niet treurig zijn en al helemaal niet meelijwekkend. Echt niet!

Daarom liet ik het tellen voor wat het was en stelde mezelf in plaats daarvan de vraag wat er moest gebeuren, wilde ik tevreden en misschien zelfs gelukkig zijn.

Ik moest aan twee dingen denken: samen met Bakewell naar een plaats zeilen waar geen oorlog is. En de man leren kennen over wie iedereen alleen op fluistertoon sprak: Shackleton.

7

Stokershanden

Nu moet ik toch in slaap zijn gevallen. Wat was dat? Iemand zit aan de kasten te morrelen.

Wat heeft hij gezegd...? De bunkerlatten?

Bunkerlatten... Dat moet een van de stokers zijn, of nee, ze zijn het allebei – naar de stemmen te oordelen zijn het Holness en Stevenson. Wanneer ze met hun beiden bij de kasten zijn, betekent dat dat ze de ketels hebben gedoofd en het schip onder zeil is.

We zijn ver op zee, geen land te bekennen.

'Of wil je graag dat die berg kolen bij de eerste de beste golf in je soep belandt? Ik verzeker je dat als zo'n ton briketten vindt dat hij de bunker uit moet om zijn benen voor de ketels te strekken, dat je dan maar één ding kunt doen.'

'En dat is?' Holness is de jongste van de twee, en omdat Stevenson zich eerste stoker mag noemen, komt Holness tegen wil en dank de rang van tweede stoker toe.

'Kom, geef me advies, Stevie. Je weet, zonder je adviezen ben ik nergens.'

'Lach me maar uit, rat die je bent. Moet je nou kijken... M'n broek! Spiksplinternieuw en nu al een scheur, en wat voor een. Wat een godvergeten ellende!'

'Dus wat doe je als de kolen op je afkomen? Rennen, of...? Blijven staan is nogal lastig.'

'Is nogal lastig!' Stevensons lach klinkt als het gemekker van een geit.

Hij staat precies voor mijn kast. Ik moet me verstoppen. Maar waar? Het beste is om achter de jassen te gaan staan.

'Dus je gaat echt voor een ton kolen op de loop? Die is toch moe van het lange liggen, of niet, Holie? Weet je wat ik doe terwijl jij wegrent?'

'Neu, zeg 's.'

'Ik denk na met welke schop ik je straks van de wand zal schrapen.'

'Aha. En waar ben je zelf, denk je?'

'Dat zou je wel willen weten, hè? Vertel me liever wat ik met m'n broek aan moet. Moet je kijken. Is vast ergens achter blijven haken.'

Stevenson slaakt een vloek die mijn moeder het schaamrood op de kaken zou hebben gejaagd.

En Holness mompelt: 'Naaien. Lap erop en naaien.'

'Zo slim ben ik ook nog wel. En waar haal ik die lap vandaan?'

'Kijk bij het oliegoed. Daar heb je schone doeken.'

En daarmee is mijn lot bezegeld. Zo meteen gaat de deur open. En dat terwijl er hier helemaal geen schone doeken zijn. Allemaal onder de teer!

'Wat ga je nu doen?' wil Holness weten. Van voren heet hij Ernest, net als Shackleton. Hij is maar een paar jaar ouder dan ik en heeft me een keer verteld dat hij twaalf broers en zussen heeft. Van Holie heb ik niets te vrezen. Met Stevenson daarentegen moet je uitkijken, en niet alleen omdat hij tot de kliek van de Bos'n hoort.

'Ik trek mijn broek uit, zie je dat niet?'

'Wat je doet als de bunker breekt, bedoel ik. Als je niet rent, wat ga je dan doen?'

'Springen, Holie. Spring tegen de zoldering en hou je ergens aan vast, dat is de enige kans die je hebt. Die rotkolen razen door de hele ruimte en bedelven alles, zeg ik je. Maar die zitten dan beneden je. Bekijk de zoldering als je voor het eerst bij de ketels komt, en onthoud waar de leidingen lopen die je kunt vastpakken zonder dat je handen verbranden. Als je dat al niet meteen de eerste keer doet – zeg... wat is de oliegoedkast?'

'Die daar.'

De deur gaat open. Opeens is het zo helder als de dag. Het wordt zo licht dat er tranen in mijn ogen schieten, ook al houd ik ze dicht. Toch zou ik graag willen zien hoe de plek eruitziet waar ik heb gelegen.

'Wanneer je dat dus niet meteen de eerste keer doet, zul je er misschien nooit meer de gelegenheid voor hebben, omdat... Moet je toch eens kijken. Hier ligt alleen maar rotzooi. En wat is dat?'

''n Fles water,' zegt Holness. 'En alles besmeurd. Dat zal toch niet... Nee, is het niet, zou je ruiken. Ziet eruit als teer. Of chocola.'

'Chocola,' herhaalt Stevenson. 'In de kast met slechtweerkleding. Hier vreet toch niet iemand stiekem onze... Wacht eens. Ik geloof dat ik ze zie vliegen. Daar is toch iemand!'

'Hoezo? Waar is iemand?'

'Nou, daar! Zijn dat voeten of zijn dat geen voeten?'

Ze betasten mijn voeten, dan worden de jassen opzijgeschoven en doe ik mijn ogen open.

Holness en Stevenson staren me aan. Holness kijkt opgelucht, alsof hij iets anders had verwacht, bijvoorbeeld een in de kast verborgen lijk. Stevenson daarentegen is allesbehalve blij, want hij kijkt me dreigend aan en pakt me stevig bij mijn bovenarm vast.

'Au! Jau!'

'Blackboro!' is het enige wat Holness zegt voordat hij me onder mijn oksels grijpt en me de kast uit helpt. Mijn knieën knikken, ik voel me hondsberoerd, en Stevenson knijpt mijn arm af.

'Man, hoe lang zat je daar al? Je bent zo groen als een den.'

'Wacht maar hoe hij eruitziet als Vincent hem onder handen neemt.'

Eindelijk laat Stevenson los. Hij gaat voor me staan en kijkt toe hoe Holness me op de bank voor de kast neerzet. Hij geeft me liefkozende tikjes in de nek en glimlacht, deze Holness uit Hull, Holie de kolensjouwer, die nu niet langer de benjamin aan boord is.

'Waar zijn we?' vraag ik Stevenson terwijl ik naar hem opkijk, maar hij geeft geen antwoord.

'Acht dagen voor Zuid-Georgië,' zegt Holness ten slotte, terwijl hij doet alsof hij Stevenson voor de schenen schopt. Hij schudt zijn hoofd en moet lachen. Dat gevoel voor het absurde ontgaat Stevenson volledig. Hij staat maar met grote ogen te kijken.

'Je hebt niets gemist,' zegt Holie. 'Behalve misschien dat een motorslede van Orde-Lees overboord is gevallen en…'

Stevenson valt hem in de rede: 'Hou op. Dat gaat hem geen snars aan. Sluipt hier aan boord. Je zou hem op zijn bek timmeren.' Terwijl hij zijn kapotte broek weer aantrekt, buigt hij zich voorover naar me. 'Waar heb je die vreterij vandaan, hm? Weet je niet dat alles hier op rantsoen is, klootzak?'

'Maak je niet druk,' zeg ik. 'Dat was mijn eigen proviand.'

'Mijn eigen proviand, mijn eigen proviand!' aapt hij me na en hij laat zijn geitenlach horen. 'Zit hier in de kast als een klein kind chocola te vreten, terwijl wij beneden dag en nacht kolen scheppen. Walgelijk! Ik haal de Bos'n.'

'Kom Stevenson, wees redelijk,' zeg ik tegen hem. 'Ik heb je niets gedaan. Haal Bakewell.'

Hij peinst er niet over. Maar voordat Stevenson naar adem kan happen om me de mantel uit te vegen, zegt Holness: 'Dat zal niet gaan, Blackboro. We zijn redelijk, maar op een uitbrander zit ik niet te wachten. Wanneer Stevenson het ermee eens is, kun je kiezen tussen Bos'n en schipper. Wat denk je, Stevie?'

Stevenson bromt wat, maar hij maakt geen bezwaar. Dus mag ik het zeggen.

'Haal de kaptein,' zeg ik.

Wanneer Stevenson weg is, probeer ik op te staan. Maar mijn benen slapen.

Terwijl we op Worsley wachten vertelt Holness dat het schip een paar uur geleden de Argentijnse territoriale wateren heeft verlaten; we bevinden ons op zo'n twaalfhonderd kilometer ten noordwesten van de Falklandeilanden. Shackleton maakt zich nogal zorgen, zegt Holness, omdat het weer voor deze breedten ongewoon vochtig is, een teken dat de zomer in het zuidpool-gebied nog niet is begonnen. De Weddellzee zou wel eens hele-maal dicht kunnen zitten. Uitgesloten dat je erdoorheen komt.

'Er wordt gefluisterd,' zegt Holness, terwijl hij nu aan één stuk door aan mijn benen trekt en mijn bovenbenen masseert, 'dat we ten minste vier weken in Zuid-Georgië zullen blijven han-gen voordat we er ook maar aan kunnen denken verder naar het zuiden af te zakken. En zelfs dan kan het wel eens aardig hobbelig worden.'

Daarmee doelt hij op het pakijs. In de loop van de Antarc-tische zomer, die in december begint, trekt de pakijsgrens zich ver achter de poolcirkel terug. Hoe later de zomer valt, hoe lang-zamer de ijsmassa's smelten en wijken.

Ook Holness is door de ijskoorts bevangen. Ik heb het zelf meegemaakt toen mijn broer Scotts dagboeken las, en ik heb Bakewell geobserveerd terwijl hij door Crean, Cheetham en de verhalen van de andere zuidpoolveteranen werd aangestoken en al snel over niets anders praatte dan gletsjers, depottenten en zeeluipaarden. Op een nacht zat hij rechtop in bed en riep luid, alsof het met volle zeilen door onze zolderkamer voer, de naam van Shackletons vroegere schip: 'De Nimrod!'

'Hoe gaat het?' vraagt Holness en hij doelt op mijn benen.

'Goed,' zeg ik en ik bedoel daarmee: heerlijk. Hou nooit meer op.

Ik vraag hem naar Bakewell. Met Bakewell gaat het uitste-kend. Stornoway, Hownow en Bakewell hadden, zegt hij, de afgelopen dagen vaak de indruk gewekt dat ze iets aan het bekokstoven waren.

'Wel, nu is me duidelijk wat dat was.'

Voor mij zijn de Weddellzee, het pakijs en de zeeluipaarden even ver weg als Wales. Een krabbeneter is voor mij even reëel als koning Arthur of meestervlieger William Bishop. In die zin heeft Stevenson gelijk om me te behandelen alsof ik niet bij hen zou passen en dus ook niet bij hen zou horen. Het zuidpoolge-bied betekent niets voor me vergeleken met wat Ennid Muldoon voor me betekent. Ik zou het er onmiddellijk mee eens zijn om het in Ennid Muldoonland om te dopen. Maar ik begin te vermoeden dat dat verandert zodra ik voor Shackleton sta.

Of hij wel eens een ijsberg heeft gezien, vraag ik Holness.

'Kom, we doen een paar stapjes,' zegt hij, en ik sta op. Natuurlijk heeft hij ijsbergen gezien, maar dan wel in de Noordelijke IJszee, en daar zijn ze, zegt hij, kleiner, anders van kleur.

Tijdens mijn eerste stapjes na twee dagen van hurken en zitten versterkt het voortdurende lichte rollen aan bakboordzijde van de Endurance mijn gevoel dat ik op ballen stap en in plaats van kniegewrichten scharnieren halverwege mijn benen heb. Dat veel ijsbergen niet wit zijn maar blauw, blauw als de zomerhemel, of groen, groen als flessenglas, en ook rood, rood als zonverbrande huid, heeft Tom Crean me 's avonds een keer in het Ritz verteld. Holness laat me weer zitten. Ik zeg 'oef!' en hij lacht.

'Dat komt wel goed. Over een paar uur klauter je tegen het want op. En je eerste ijsberg zie je nog vroeg genoeg. Dat wens ik je tenminste toe. Ik zou het leuk vinden als je aan boord bleef.'

'Daar heb ik helaas niets over te zeggen. Maar toch bedankt, Holness.'

Omdat hij niets meer te doen heeft masseert hij intussen zijn eigen handen.

'Je hebt namelijk niet alleen in het water een hoop ijsbergen,' zegt hij. 'Het schip barst ervan. Als je begrijpt wat ik bedoel.'

8

'Hoe gaat het met je, mister Blackboro?'

Ik begrijp wat de zachtmoedige stoker Holie bedoelt. Hoe weinig ik ook weet over de oorzaak van de verschillende kleurschakeringen van het ijs (tot Tom Crean me uitlegde dat het bij groen en rood ijs om twee soorten minuscuul kleine algen gaat, terwijl blauw ijs zuiver gletsjerijs is, dus bijna helemaal uit water bestaat, en gewoon ijs wit is omdat het een hoop lucht bevat), ik weet wél precies, zonder dat een ijsreus als Tom Crean het me hoeft uit te leggen, wat voor drie types ijsberg ik voor me heb wanneer Stevenson, Vincent en kaptein Worsley in de deuropening staan.

De stoker is groen door de giftige kolenstof, de Bos'n rood door te hoge bloeddruk, en al even blauw als zijn jas is de hele houding van kaptein Worsley: hij is een koele man. Zijn vriendelijkheid is even koel als zijn beslistheid. Gedurende de weinige keren dat ik gelegenheid had om de schipper van de Endurance te observeren, had ik altijd de behoefte om hem daar een keer op aan te spreken. Hoe graag had ik hem niet aangemoedigd om toch eens notie van me te nemen, in plaats van me alleen in het voorbijgaan te monsteren. Mijn wens is in vervulling gegaan, maar echt blij ben ik er niet mee dat Worsleys ogen alleen op mij rusten.

'Dank je, Holness,' zegt hij zonder de blik van me af te wenden, en hij komt dichterbij. Holness geeft me een klopje op mijn rug voordat hij zich tussen Stevenson en Vincent door wurmt en zich uit de voeten maakt.

'Hoe gaat het met je, mister Blackboro?'

'Dank u, sir, het gaat.'

'Je moet zowat uitgehongerd zijn. En het is hierbeneden aardig koud.' Hij loopt naar de kast. 'Hier zat je in.'

Dat is geen vraag maar een vaststelling.

Hij bukt en laat zijn blikken door de kast dwalen. 'Oké. En nu ben je hier.'

Ik heb er weinig op te zeggen. Ik zeg: 'Ja, sir.'

Vincent, die me geen blik waardig keurt, meent de schipper op weg te moeten helpen: 'Wie moet die smeertroep in de kast opruimen?'

Worsley trekt zijn hoofd terug uit de kast en zegt: 'Stevenson,' zodat die hem verkeerd begrijpt en ter plekke protesteert: hij heeft, zegt hij, mij alleen maar ontdekt. Wie mij aan boord heeft gesmokkeld weet hij niet. Waarom is hij dan verantwoordelijk voor de rotzooi die ik heb gemaakt?

'Stevenson,' herhaalt Worsley bedaard, 'je bent vrijgesteld van wacht. Benut die tijd om te slapen. Ik moet met de bootsman en met mister Blackboro praten. Heb je je bericht over de kapotte kolenbunker aan de timmerman doorgegeven?'

'Jawel, sir. McNeish gaat ermee aan de slag.'

'Ga nou maar slapen.'

Dat heeft hij zich anders voorgesteld. Mijn wens negerend heeft hij Vincent toch op de hoogte gesteld, en nu mag hij er niet eens getuige van zijn dat die me op mijn donder geeft. Uit een fonkelend oog kijkt Stevenson me nog een keer venijnig aan, dan gaat hij naar buiten.

'John, herhaal alsjeblieft je vraag,' zegt de schipper, en Vincent herhaalt zijn boosaardige vraag. Nu hij alleen is met de zondaar en de hoeder van de wet – dat is de kapitein op volle zee namelijk – stijgt het bloed hem naar het hoofd uit woede dat ik het heb gewaagd om Shackletons weigering om me mee te nemen in de wind te slaan.

Maar dat is niet de ware reden voor de woede van de Bos'n, die even doorzichtig als voorspelbaar is, waardoor een eenvoudige geest als Stevenson ermee kan speculeren. In werkelijkheid springt John Vincent uit zijn vel omdat zijn terechtwijzing in de havenkroeg niet heeft geholpen. Wat slaat hij voor modderfiguur? Shackleton doet hier niet ter zake, al in het hol kwam die voor Vincent op de tweede plaats.

'Daar gaat het ook helemaal niet om,' zegt hij. 'Zo nodig sop ik die kast zelf uit en zorg dat de oliekleding pico bello is. Weet je wat je daarmee kunt aanrichten,' brult hij tegen me, 'wanneer op deze breedten de slechtweerkleding niet in orde is, hè, of heeft een uilskuiken als jij daar geen idee van? Waarom grijns je zo onnozel? Als ik je een pak slaag geef, knaap, dan sta je in de kast, dan sta je recht als een schrobber.'

Bij deze uitgelezen vergelijking moet de kaptein, die heen en weer loopt tussen Vincent en mij, lachen – even maar, het klinkt bijna als een kuchje, maar het is een lachje.

'John, John,' zegt hij, 'je bent me er een!'

Worsley blijft staan en kijkt me aan. 'Natuurlijk maakt niemand anders dan jij de kast in orde, Blackboro, dat spreekt toch vanzelf?'

'Ja, sir.'

'De meeste tijd ligt het oliegoed er maar te liggen, maar dat betekent niet dat het soms niet van levensbelang is. Wanneer een van de artsen een blik op je heeft geworpen, wanneer je gegeten en geslapen hebt, zal onze Bos'n je de schrobber wijzen waarover hij heeft verteld, en dan maak jij de kast schoon en breng je alles op orde. Zullen we het zo doen, John?'

'In orde, Frank, sir. Wil dat zeggen dat hij bij mijn mannen komt?'

Bij die gedachte lopen de rillingen me over de rug, en ik sta op het punt om nu van mijn kant te protesteren.

Worsley zegt: 'John, die beslissing is niet aan mij.'

Hij loopt naar de deur en doet hem open.

'Kom eens hier!' roept hij me bijna goedgeluimd toe en hij wenkt me zelfs dichterbij. Ik moet, of ik kan of niet, opstaan en op mijn wielvoeten om Vincent, die me de weg verspert, heen rijden.

'Ga nou even aan de kant, stijfkop die je bent!' roept de schipper tegen de Bos'n, en wanneer hij zijn mond open wil doen, zegt Worsley op ernstige toon: 'Wat wil je eigenlijk? Dat ik hem zweepslagen laat geven?'

En Vincent: 'Ik... Nee, sir.'

En Worsley tegen mij, al even ernstig: 'Ben je Engelsman, Blackboro?'

'Welshman, sir.'

'Welshman! Ook dat nog. Weet je waar ik vandaan kom?'

'Nieuw-Zeeland, sir?'

'Akaroa Christchurch, klopt. Omdat we allebei Britten zijn, Merce, kan ik je niet als krijgsgevangene behandelen. Tot het moment dat we voor de deur van de sir staan ga ik bij mezelf na of ik dat jammer vind. Man, man! En nu iedereen ingerukt. En dat allemaal om een uilskuiken. Een stelletje uilskuikens bij elkaar!'

9

Kaptein Scotts wollen deken

Ik volg de kaptein door de smalle gang die het benedendek van de Endurance overlangs in twee helften verdeelt. We lopen naar de boeg en passeren achtereenvolgens de ingangen van de verschillende magazijnen en bergruimten. In het middelste scheepsruim bevinden zich de droge goederen – rijst, meel, suiker en zout, verpakt in vaten en kisten – en de stouwplaats voor brood, die met metaal is bekleed zodat er geen muizen en ratten bij kunnen. Pal daarnaast staat de zoetwaterketel te borrelen, waar ook bier, wijn en sterkedrank zijn opgeslagen. We komen langs de zeilkooi, waar, zoals in de hemdenkast de opgevouwen hemden, de grote reservemarszeilen en de veel kleinere reservebramzeilen liggen opgetast. Ertegenover, in de berging voor schildersbenodigdheden, staan potten met verf en lak op de planken, eronder liggen de trossen, touwen en kettingen die aan dek niet nodig zijn.

Deze ruimten zijn stuk voor stuk piepklein, je kunt je er nauwelijks in omdraaien. Omdat Green ze allemaal aan me heeft laten zien, weet ik waar Vincents werkplaats is, bovendien staat de deur naar de bootsmansruimte open. In het zwakke schijnsel van een lantaarn die aan het plafond hangt, herken je de schappen vol marlijnen, bindsels, schiemansgaren en andere op dikte gesorteerde takelgarens. Vincent, die vlak achter me loopt, geeft me een stomp in mijn rug voordat hij in zijn schemerige kot verdwijnt.

Ook al krijg ik door de por even geen adem meer en moet ik

tegen de muur steunen om niet tegen de kaptein op te botsen, geen haar op mijn hoofd die eraan denkt om het te melden.

Worsley heeft niets gemerkt. 'Kom je?' vraagt hij wanneer hij op de trap naar het tussendek staat.

Of heeft hij de duw wel gezien? Want boven aangekomen zegt hij: 'De Bos'n en jij zullen nog veel plezier aan elkaar beleven.'

De trap leidt tussen de galley en het Ritz naar het tussendek, zodat ik, nauwelijks aan de onderwereld ontstegen, als eerste mijn chef-kok tegen het lijf loop. Wanneer Green ziet voor wie de schipper glimlachend de deur openhoudt, spert hij zijn ogen open en blijft staan.

'Ik dacht dat je wel wat hulp kon gebruiken, Charlie,' zegt Worsley, die zich steeds meer lijkt te amuseren. 'Die *stew* van gisteravond smaakte namelijk naar gehakt van hondenvlees.'

'Het wás gehakt van hondenvlees,' pareert Green, die elke kritiek op zijn kookkunst persoonlijk opvat. Maar mij aan boord te zien doet hem zelfs de onvriendelijkste opmerking over zijn gebraden gehakt met kool vergeten.

'Eiii! Waar komt die opeens vandaan?'

Terwijl hij Green bijpraat doet de kaptein de klapdeur naar het Ritz open. Ik zie de geoloog Wordie en de bioloog Clark, die de tegelvloer aan het boenen waren, maar nu roerloos met borstels in hun handen op een tapijt van zeepschuim knielen, want ook zij hebben met hun tweeën voor niets anders oog dan voor mij in de deuropening.

'Jonge, jonge,' fluistert Green met een hoog stemmetje, voordat hij de mannen toeroept: 'Zo doe je dat dus! Schijt aan de monsterrol. Wie aan boord wil komen, komt aan boord. Waar hebben jullie je hulpje verstopt?'

Clark en Wordie kijken elkaar aan.

'We hebben hem niet verstopt,' mompelt Clark. 'Zouden we hier anders zitten te schrobben?'

En Wordie grijnst: 'Maar Merce mag het met alle plezier van ons overnemen.'

'Komt niks van in. Mannen, laat ons erdoor.' Worsley wijst naar de uitgang en laat mij voorgaan. 'Ik merk het al wel, Blackboro is mateloos populair. Ik ben bang dat er niet veel van hem over zal zijn nadat de sir hem onder handen heeft genomen. Charlie, jij zet een pot koffie die de doden weer tot leven wekt en je brengt twee koppen naar de chef. En wij tweeën zullen kijken hoe het weer is. Nou, hupsakee, mister Blackboro! Ik heb nog wel wat anders te doen dan verstekelingen over het schip rond te leiden. Uit Wales!'

Daar heb je het licht. Daar zie je de lucht. Ik ben nog niet eens helemaal boven of de wind blaast me in mijn gezicht, alsof hij me wil begroeten, en ik sluit mijn ogen en laat hem door mijn haar waaien… O, wat is dat mooi. Een lucht als water, koud, helder en fris. Ik open mijn lippen, inhaleer een mondvol en stap het dek op. Wat een zaligheid. Regen klettert op de planken, ik ben meteen doorweekt en heb het gevoel dat ik nooit iets mooiers heb beleefd.

Waar is de kaptein? Hij staat onder het afdak van het achterdekhuis en overlegt met Greenstreet, de eerste officier, maar hij houdt zijn gezicht in de plooi. Over mijn schouder ligt de zee, door de westenwind gerimpeld en diepgrijs, zover het oog reikt. De Endurance is op volle snelheid en stuift door de regen. Alle zeilen zijn gehesen, bovenbramzeil, klapmuts, zelfs de stormmarszeilen bollen in de wind en ogen als grote albatrossen die boven in de masten zitten en hun vleugels uitslaan.

McLeod heeft me opgemerkt, maar doet alsof hij de honden nog steeds aan het voeren is. En pas nu zie ik dat een handjevol mannen bij de boeg met iets bezig is.

Hé ho! zou ik willen roepen. Bakewell, kijk nou! Ik ben er! Kijk nou toch, Amerikaanse idioot die je bent!

En ik zou hem willen horen zeggen: Heilige Maria, geschandaliseerde Gabriël, zwijnenkloten en bokkenpoten. Donder en bliksem, mijn Blackboro is terug en vloekt als vanouds. En ik zou hem willen zien, mijn vriend, terwijl hij drijfnat door de rijen van de naar hem happende honden op me af komt gestiefeld, breed grijnzend, maar met vragende ogen of ik hem misschien heb verlinkt… Ach jij, jij… Jij, mijn beste!

'Bras rond de ra's!' brult Greenstreet intussen twee stappen achter mij, zodat ik van schrik ineenkrimp.

En ik zie nog hoe de meute op de boeg uiteenspringt om in

het want te klimmen, op dat moment heeft Bakewell me gezien, strekt zijn arm en zwaait ter begroeting met zijn hand.

Maar Greenstreet zegt nu zachtjes, zodat alleen ik hem versta: 'Ga naar de schipper, Merce.'

Worsley wacht me op bij de ingang van het achterdekhuis en slaat een wollen deken om me heen, niet zonder te vermelden dat het een van de dekens is die de familie van kapitein Scott aan de expeditie heeft geschonken. Het is dus een bijzondere deken, niet omdat hij bijzonder warm zou zijn, maar omdat Scott doodgevroren is.

We gaan naar binnen. Het dekhuis wordt door een smalle gang in tweeën gedeeld, aan de boegzijde bevindt zich de kajuit van de kapitein, aan de kant van de achtersteven die van Shackleton. De ingangen van beide ruimten liggen tegenover elkaar. Worsley wil dat ik in zijn kajuit wacht terwijl hij met de sir praat. Hij sluit de deur en ik hoor hem even verderop aan-kloppen.

Op de smalle plank boven de kooi staan vijf blauwe boeken, allemaal van Dickens. Regen klettert tegen de patrijspoorten. Buiten ligt de opgeruwde vlakte van de zee en daarboven de reusachtige melkwitte hemel. Naast de deur hangt de enige in de ruimte aanwezige afbeelding. De kleine tekening geeft het moment weer dat een ruiter zich op zijn steigerend paard omdraait en ver vooroverbuigt om een kind naar zich toe te trekken.

Worsley komt binnen; hij sluit de deur, trekt zijn jas uit en hangt hem over de stoel bij de schrijftafel.

'Ga zitten,' zegt hij terwijl hij zijn stoel omdraait. 'We wachten hier. Hij zal het laten weten als je naar hem toe moet.'

Hij lijkt niet goed te weten wat hij met me aan moet. Een gesprek over wat er komen gaat is overbodig; dat heeft Shackleton straks met me. Worsley bestudeert de chocolade-vlekken op mijn kleding en een tijdlang kijkt hij hoe het water van mijn haar op Scotts wollen deken drupt. Dan geeft hij me een handdoek.

Op hetzelfde ogenblik zegt hij: 'Er heeft in de krant een advertentie gestaan die de sir heeft geplaatst. Heb je erover gehoord?'

Crean heeft Bakewell erover verteld, maar aangezien ik het verstandiger acht om in mijn positie Bakewells naam niet te noemen, lieg ik dat ik er niets van weet.

Worsley pakt een leren map van de schrijftafel en trekt tussen de papieren een krantenknipsel vandaan dat hij voor mijn neus houdt:

Bekendmaking:
mannen voor gevaarlijke expeditie gezocht.
Lage lonen. Bittere kou.
Lange maanden in volledige duisternis.
Voortdurend gevaar. Veilige terugkeer twijfelachtig.
Eer en erkenning bij succes.
– Ernest Shackleton –

'Vervolgens hebben zich ruim vijfduizend mensen bij hem gemeld,' zegt Worsley en hij legt de map weer aan de kant. 'Afgezien van een paar mensen die hij er beslist bij wilde hebben – Frank Wild, Thomas Crean, Alfred Cheetham en de matroos McLeod, die allemaal al in het zuiden zijn geweest en veel ervaring hebben opgedaan, en daarnaast George Marston en Frank Hurley, die hij zeer waardeert om hun schilderijen en foto's – afgezien van hen hebben de mannen zich stuk voor stuk naar aanleiding van de advertentie bij sir Shackleton gemeld en zijn door hem persoonlijk aangenomen.'

Daarmee laat hij me merken dat zelfs hij, de commandant, door de molen van een sollicitatiegesprek met Shackleton moest. Wil hij me daarmee laten blijken hoe uitzichtloos mijn situatie is? Of wil hij me juist moed inspreken door duidelijk te maken dat Shackleton iedereen, dekmatroos en kapitein, gelijk behandelt?

'Sir, als ik iets mag zeggen.'

'Ga je gang. Zou je zo goed willen zijn om je eindelijk af te drogen? Ik zal het niet voor je doen.'

'Nee, doe ik. Dank u, sir.'

Ik wrijf mijn haar, hals en gezicht droog.

'Ik heb de advertentie toen niet gelezen, en als ik het wel had gedaan, had ik me niet gemeld. Dan had ik van mezelf gedacht wat u met z'n allen van me denkt, namelijk dat ik veel te jong en onervaren ben. Nog los van het feit dat mijn vader me nooit had laten gaan als hij dat had gelezen: "Veilige terugkeer twijfelachtig." De handdoek, sir, waar laat ik die?'

Hij hangt hem over de deurknop. Worsleys gezicht is ernstig geworden en hij kijkt me vol verwachting aan.

'Maar nu is het anders,' zeg ik.

'De gevaren, Blackboro, zijn dezelfde gebleven, en je bent niet volwassen. Iemand moet de verantwoordelijkheid voor je nemen. Hoewel dat in mijn ogen niet de doorslag kan geven. Ik ben op mijn vijftiende naar zee gegaan.' Bij deze herinnering klaart zijn gezicht weer op.

'Ik ken de mannen, ik ken het schip, ik ken het project en wil het graag helpen verwezenlijken,' zeg ik en ik besef op hetzelfde moment dat het veel te pathetisch klinkt.

Worsley beseft dat ook; hij schudt zijn hoofd. 'Geloof ik niet.'

'Ik vond het niet eerlijk dat ik de enige was met wie de sir niet wilde praten. Dat is de echte reden waarom ik aan boord ben geslopen, en ik ben niet bang om het de sir ook persoonlijk te zeggen. Bovendien is het ook zo: ik wil hem echt helpen.'

'Je moet je temperament intomen, dat raad ik je aan. Met sir Ernst moet je niet zo praten.'

'Hij is de held,' zeg ik en ik heb direct spijt dat ik het gezegd heb.

Maar gelukkig laat Worsley zich ook daardoor niet uit zijn tent lokken. Hij vraagt alleen of ik er soms aan twijfel dat Shackleton een held is.

'Nee.'

'Nee, sir,' verbetert hij me.

Ik vrees dat ik hem boos heb gemaakt; hij zegt niets meer. En dan wordt er geklopt. Op de drempel staat de druipnatte Green met de koffie en hij zegt met zijn piepstem dat ik mee moet komen. Achter hem staat de deur van Shackletons kajuit open.

Ik trek de deken van mijn schouders en krijg het meteen koud. Worsley pakt de deken van me aan, maar ontwijkt mijn blik. Zijn gezicht lijkt bevroren, alsof het de top van de ijsberg is waarin hij weer is veranderd. De ruiter op de tekening, vraag ik me af voordat ik de deur uit loop, van welk onheil redt hij het kind? Op beide gezichten zie je dezelfde panische ontzetting.

'Draag dat maar mooi zelf,' zegt Green en hij duwt het dienblad tegen mijn buik. In de tochtige gang slaat de regen van beide kanten tegen de deuren van het dekhuis.

10

Shackleton

Met het dienblad in mijn handen zet ik drie stappen in de kamer. Ik wil niets morsen, dat zou een ramp zijn. Maar uitgerekend nu helt het schip enkele keren sterk over naar bakboordzijde en moet ik me schrap zetten om de kan en de kopjes recht te houden.

Ik ben Green nauwelijks voorbij, of hij snuift achter me: 'Hier is hij, sir!'

Ik hoor dat de deur wordt gesloten en ben alleen met Shackleton.

Wanden, bed, tafel, stoel en planken aan de muur zijn wit. Door een grote patrijspoort boven de kooi stroomt helder licht naar binnen. Shackleton staat aan zijn lessenaar en leest een boek. Hij draagt zware rijglaarzen, een leren broek met bretels boven een dikke groene trui, en hij is ouder dan ik me hem had voorgesteld, ook veel kleiner, zodat ik, zonder dat ik me hoef uit te rekken, op zijn hoofd de door zijn dunne haar schemerende huid kan zien. Ik had gedacht dat hij een rijzige, ranke kerel met veel energie en elan zou zijn, een jong gebleven, evenwichtige man wiens levenservaring op elk moment uit zijn houding spreekt. Niets van dat alles. Opeens wordt me duidelijk dat ik altijd als ik me Shackleton voorstelde aan mister Albert dacht, de Bos'n van de John London. Shackleton is totaal anders, sterk, gedrongen, een beetje papperig bijna. Voor me staat een rijpe man van middelbare leeftijd, een heer net als mijn vader, en ook die lijkt op het eerste gezicht nors en traag, zonder dat

71

ook maar in de verste verte te zijn... Integendeel! Allesbehalve traag draait Shackleton zich om – ik heb nauwelijks diep adem kunnen halen – en nog voordat ik me helemaal heb kunnen oprichten om hem te groeten, haalt hij uit en slingert het boek in mijn richting. De pil suist langs mijn hoofd en slaat met veel geraas achter me tegen de wand.

'Zet dat neer!' brult hij en hij stormt met lichtgroen fonkelende, wijd opengesperde ogen op me af. In eerste instantie begrijp ik niet wat hij daarmee bedoelt. Ik ben helemaal vergeten dat ik het dienblad nog altijd in mijn handen houd.

'Zet dat neer of ik sla het uit je handen!'

'Jawel, sir! Waar, sir?'

Hij blijft maar schreeuwen. Het dienblad met de dampend hete kan erop maakt hem nog woedender. Hij scheldt me uit, en ook de kan, de kok, de regen, mij opnieuw, mijn kloffie, mijn leeftijd en schaamteloze vrijpostigheid, de knapen die het wagen hem te bedriegen, de kok, de kan, mij, mijn lange haar, het afgrijselijke weer, mijn onnozele gezicht, de idioten van matrozen die het lef hebben, zijn cabine, waarin niet eens ruimte, een kan, mijn ouders, de beide stokers, de ongehoorde brutaliteit en het weer dat het onmogelijk maakt, het schip, mij en de kan...

'Sir, met uw welnemen zet ik...'

'Onderbreek me niet!' brult hij en hij zwijgt dan.

Een paar keer loopt hij in de kleine witte ruimte heen en weer. Ik deins achteruit naar de deur en kan mijn ogen niet van hem afhouden. Wat een vertoning. Sir Ernest Shackleton laat zich voor mijn ogen helemaal gaan, een van de beroemdste mannen van Engeland, in werkelijkheid Scotts enige rivaal, en in het schommelende, geheel door water omgeven kamertje waarin hij en ik elkaar ontmoeten, bevindt zich ergens de bijbel met opdracht van de koningin-moeder, koningin over de helft van de wereld, en we zijn allemaal, de mannen, de bijbel van koningin-moeder Alexandra en ik, onderweg naar de Zuidpool. Al tiert hij nog zo en al smijt hij me alle delen van de *Encyclopædia Britannica*, die her en der op de vloer en op de boekenplanken liggen opgestapeld, naar mijn hoofd: wat een geluk. Ik kan het niet geloven.

'Wat sta je stom te kijken?' schreeuwt hij. 'Ben je een halvegare? Je moet wel een halvegare zijn! Wie ben ik dat ik me met een… Hoe oud ben je?!'

'Zeventien, sir.'

'Wat voor vak heb je geleerd?'

'Ik was bij mijn vader in de leer, sir. Hij is scheepsinrichter in Newport, Wales.'

'Zat je op zee?'

'Op de USS John London, sir. Ze ging in een storm voor…'

'Als wat?'

'Als wat, sir?'

Shackleton antwoordt in het Gaelisch. Want dat spreken we allebei. Alleen spreekt hij Iers en ik Welsh, Cumbrisch. Ik weet daarom niet of hem goed begrijp wanneer hij vraagt: 'Nach dtig leat na ceisteanna is simplí a fhreagairt, a amadáin?'

Het klinkt alsof hij vraagt: kun je de simpelste vragen nog niet beantwoorden, domkop?

'Elke, sir.'

'Elke wat?'

'Ik beantwoord elke vraag, sir.'

'Maar niet elke vraag goed!'

'Nee, dat niet. Maar ik doe mijn best!'

'Want wie elke vraag goed kan beantwoorden, moet wel alwetend zijn!' brult hij opnieuw. 'Ben jij alwetend?'

'Nee, sir.'

'Als wat heb je dus gevaren? Als domkop? A amadáin?'

'Misschien, sir. Waarschijnlijk, sir. En als koksmaat.'

Het laatste waar hij op zit te wachten is een koksmaat die zijn bevelen in de wind slaat. Hij heeft behoefte aan mannen met hersens en ervaring, mannen die verantwoording nemen, verantwoording voor hun eigen leven en voor dat van hun kameraden, sterke, moedige mannen met hart en hersens, mannen voor wie solidariteit geen loze kreet is, die bereid zijn zich in dienst te stellen van een inspanning, een inspanning die zich op niets minder richt dan op het uitpeilen van de hoop.

'Hoop. Ik begrijp het, sir.'

Hij vraagt of ik zijn lijfspreuk ken.

73

Ik ken hem niet.

'Nooit de vlag strijken! Of, om met Tennyson te spreken: streven, zoeken, vinden, nimmer wijken!'

Zodat ik met enig geluk na wat gepuzzel de vraag kan beantwoorden waarom hij het schip waar ik stiekem op ben geglipt, heeft omgedoopt van Polaris in Endurance, volharding.

Ik zeg: 'Ja, ik kan het me voorstellen, sir,' maar denk intussen: dat zijn gewoon namen, woorden, wat zit hij te zwetsen? En opnieuw raakt hij buiten zinnen.

Je mag niet opgeven, niets, niet het minste of geringste. Jezelf niet en geen enkel ander mens, niemand! Dat is het doel, en het doel is onaantastbaar, onvervreemdbaar! Je kunt zonder armen leven, zonder benen, zonder ogen, zonder geloof en zonder één penny op zak, zolang je maar aan een doel vasthoudt dat, eenmaal bereikt, recht doet aan jezelf en alle anderen. Ha! Een doel hoeft niet groot te zijn, niet iedereen kan een Wright of Pasteur zijn, en per slot van rekening is de oversteek van het bevroren uiteinde van onze planeet net zo'n nietig doel als miljoenen andere, als je bijvoorbeeld bedenkt met hoeveel gemak een albatros die afstand aflegt. Of ik een meisje heb, wil hij weten.

Ik aarzel, maar knik.

'Het arme wicht!' hoont hij. 'Hoe heet ze?'

Ik vertel het hem.

Wat zoek ik hier eigenlijk? Elke liefde is een eenmalig avontuur. Want ik zit er mooi naast als ik denk dat hij het hersenloze hoofd van een meute avonturiers is. Het laatste waarop hij zit te wachten zijn egocentrische, van roem bezeten renegaten, maar dat is precies wat ik ben: een renegaat. En een vreselijke domkop bovendien!

Wat is er met me aan de hand? Er roert zich geen enkel verzet in me. Ik voel alleen dat ik bijna moet huilen.

Nog even mijn kalmte bewaren. Red je dat, Merce? Lukt je dat niet?

'Sir, als u het goedvindt zet ik het blad op uw kooi. Zal ik u inschenken en u alleen laten?'

Shackleton staat bij de patrijspoort en kijkt naar buiten. Een tevreden indruk maakt hij niet: hij heeft zo goed als niets van mijn geluk heel gelaten.

Tegen mijn vader zou ik zeggen: jammer, pap, jammer dat je zo'n stijfkop bent.

Jammer, sir Ernest, we zouden veel plezier aan elkaar hebben gehad.

'De grootste problemen in het ijs,' zegt hij stil, 'hangen allemaal samen met de kou. Als we pech hebben wordt het misschien wel zeventig graden onder nul. Onze tenten en kleding zijn van het beste materiaal dat er is, zodat de kou ons niet veel zal kunnen deren. Maar dat geldt alleen zolang we in staat zijn onszelf warm te houden en zolang we maar genoeg te eten hebben. Begrijp je wat ik tegen je zeg?'

'Ik weet waar honger toe leidt, sir. Niet in het ijs, maar op een wrak. Na acht dagen stonden een paar mannen op het punt de anderen te lijf te gaan.'

Daarop antwoordt hij niets. Ineens komt hij in beweging en is na twee stappen bij me. Ik kan niet verder terugwijken. Een zacht trillen van kan en kopjes verraadt me: ik bibber niet alleen van de kou en uitputting.

'Ben je bang?' vraagt hij en hij kijkt me even in de ogen voordat hij bukt en het boek opraapt.

'In de kast, sir, was ik bang,' zeg ik wanneer hij weer is gaan staan en kijkt of het boek schade heeft opgelopen; hij loopt naar de lessenaar en legt het naast de in het licht van de patrijspoort fonkelende schrijfmachine.

'Je hebt alle reden om bang te zijn.' Hij loopt terug, neemt het dienblad uit mijn handen en zet het op zijn kooi.

'Je kunt er gif op innemen, beste vriend, dat je de eerste zult zijn die we afmaken en in plakjes snijden als er geen eten meer is. Is dat een nastrevenswaardig doel voor je?'

'Nee, sir. Maar ik neem het op de koop toe.'

'Je meldt je bij kaptein Worsley.'

'Jawel, sir.'

'En je houdt onmiddellijk op met dat gegrijns.'

'Ik zal nooit meer grijnzen, sir.'

'En nu wegwezen.'

Een glimlach glijdt over zijn lippen. Shackleton glimlacht, en op hetzelfde moment, zo schijnt het me toe, houdt de regen op, alsof er voor niets en niemand nog een reden is om te huilen.

11

Kennismakingsgesprekken

De regen boven de zee gaat over in sneeuw. Met de afnemende oostenwind komen dikke vlokken aangedwarreld, maar omdat het niet koud genoeg is, blijft de sneeuw niet op dek liggen maar smelt al na enkele ogenblikken en bedekt alles en iedereen met een vochtig en koel glazuur. Een gewijde stilte als met kerst ligt boven het donkere kalme water waarin de vlokken geruisloos doven, en kijk je omhoog naar de masten, dan kun je de indruk hebben dat je werkelijk de kruinen ziet van drie sparren waar de sneeuw omheen dwarrelt. Het schip houdt rustig koers op deze – in elk geval voor mij – sprookjesachtige zee, en ik geloof dat ik me niet vergis dat ook de mannen bedachtzamer lijken dan een paar dagen geleden en dat ieder van hen op zijn eigen wijze de hem opgedragen werkzaamheden in een plechtige stemming verricht. Degenen onder hen die dekwacht hebben en de honden verzorgen en natuurlijk onze wantheiligen, die al na een paar meter in de touwen uit het zicht zijn verdwenen omdat de sneeuwjacht ze heeft opgeslokt, dragen inmiddels allemaal het oliegoed uit mijn voormalige onderkomen. Ach, mijn schuilplaats, dat lijkt al eeuwen geleden... hoewel ik op menige gele jas met capuchon die langs me heen het dek op stuift, een donkere vlek zie, een restant van Bakewells chocola dat tijdens mijn schoonmaakactie aan mijn aandacht moet zijn ontsnapt.

Kaptein Worsley heeft me een slaapplaats in de kooiruimte van Bakewell, How en Holness toegewezen. Na het onderzoek door dokter McIlroy, die concludeerde dat ik 'kerngezond en praktisch uitgeput' was en 'voor de rest blijkbaar aan grootheidswaan leed', heb ik een hele dag geslapen voordat ik 's avonds mijn keukendienst aan Greens zijde begon. Green is nog altijd niet over me te spreken, maar hij ontdooit steeds meer, want hij moet telkens weer verrast constateren dat bijna iedereen aan boord me verheugd begroet. Sommigen komen zogenaamd toevallig in de kombuis langs, staren me aan alsof ik een smakelijke stooflap ben en zouden misschien niet aarzelen om met een vork in me te prikken als Green meer gevoel voor humor had gehad en niet iedereen terug naar het Ritz had gejaagd.

Wanneer ik met mijn eerste officiële terrine in de deuropening sta, barst een daverend gejuich los. Behalve Shackleton en Worsley, die het glimlachend aanhoren, en afgezien van Vincent en zijn vazallen, die alleen maar hun handen wringen, doet iedereen mee met het geblèr. Er daalt een regen van klappen en stompen op me neer, en ik moet mijn best doen om niets te morsen wanneer delen van de meute hossend 'God save our Merce!' scanderen. Tot Worsley een einde maakt aan de jolijt en roept: 'Gentlemen, het is mooi zo! Laten we eens proeven wat Green en Black op tafel hebben getoverd.'

Uiteindelijk verschijnt Green zelf in de deuropening en werpt me over Shackletons tafelronde een strenge blik toe, die mij, valse Merlijn, weer de kombuis in dwingt.

'Smaakt het, sir?' vraagt hij de sir met een ondubbelzinnige ondertoon. Alleen omdat hij zo rancuneus is, kun je het maar beter niet met moeder Green aan de stok krijgen.

'Voortreffelijk, Charlie. Wat is het? Gehakt van hondenvlees kan het niet zijn.'

'Nee, sir. Het is ragout van mannetjeswolf, de roedelleider.'

De stekeligheden vliegen nog een paar keer heen en weer tussen kok en kaptein, tot Shackleton het machtswoord spreekt en om stilte verzoekt.

Hij gaat staan. Licht voorovergebogen en in de rondte kijkend houdt hij een korte toespraak, die slechts één keer door dokter McIlroy en een tweede keer door Mrs Chippy wordt onderbroken: 'Je hoort er vanaf nu bij! Gentlemen, ik dank u dat u Blackboro in uw midden hebt opgenomen. Het is een prima kerel, denk ik zo, en hij heeft me beloofd flink mee aan te pakken, waar hij ook nodig is. Dat zal, beste mister Green, in eerste instantie in de kombuis zijn. Maar omdat ik een oude man ben...'

'U bent veertig, sir. Geen jonkie meer,' zegt McIlroy, en ik denk: veertig! Hij ziet er minstens tien jaar ouder uit.

'Als u eens wist!' zegt Shackleton. 'Maar hoe het ook zij: naast zijn keukendienst zal Blackboro ook klusjes voor mij doen. Behandel hem fatsoenlijk. U met z'n allen! Weest u er zich alstublieft van bewust dat we vanaf nu met ons achtentwintigen zijn, een bemanning als de maand februari, en de sneeuw hebben we zelfs al! Wees zo vriendelijk, mister Hurley, en maak een foto van dit illustere gezelschap, dat nu dient te gaan staan.'

We staan allemaal tegelijk op van onze stoel, wat voor zo'n kabaal zorgt dat de kat blaast en in één beweging van de tafel in de galleygang springt. Met het glas geheven kijkt Shackleton haar na.

We zingen ter ere van de koning, drinken ieder een glas port en druipen daarna af naar onze kooien, naar het dek voor de wacht of, zoals Green en ik, naar de afwas in de kombuis.

Vanaf die tijd is ze er, de plechtige stemming aan boord. En bij wie was dat gevoel nadrukkelijker aanwezig dan bij mij? Shackleton heeft het gezegd: pas met mij is de bemanning compleet, en dat ik niet de laatste ben maar degene door wie we voltallig zijn, die hint zal zelfs de bootsman wel hebben begrepen, hoewel ook op dat moment geen plooi in zijn gezicht verried dat hij de oren spitste of zelfs maar belangstelling toonde.

Ik ben de achtentwintigste man, de achtentwintigste februari. Afhankelijk van hoe je de zaak bekijkt, Antarctisch of niet-Antarctisch, ben ik een zomer- of winterdag, een warme bries of snijdend koude tegenwind.

De sneeuw doet stug zijn best om het schip wit te laten worden. Elke dag blijft er een iets dikkere laag op dek liggen en glijdt er, als je niet uitkijkt, een flinke bak sneeuw uit het bramzeil in je nek. Met de dag wordt het zekerder, de kaarten zeggen het, de lucht zegt het en onze stemming zegt het al helemaal: we zijn in sub-Antarctische wateren. Nog drie dagen, en we zullen Grytviken op Zuid-Georgië bereiken.

Intussen heeft zeker een dozijn witbepoederde pikbroeken me op een moment dat ze zich onbespied waanden terzijde genomen om me uit te horen. Stuk voor stuk willen ze maar al te graag weten hoe ik het voor elkaar heb gekregen de sir om te praten en hem zo te kalmeren dat hij me al meteen tot zijn persoonlijke steward heeft benoemd.

Ik zeg tegen ieder van hen dat ik het niet weet: Shackleton en ik hebben gewoon een beetje met elkaar gebabbeld. Ik haal mijn schouders op en trek een onverschillig gezicht. En dat is niet eens gespeeld.

'Ik heb geen idee wat ik voor hem moet doen,' herhaal ik wel tienmaal, 'misschien zijn kajuit schoonhouden. Meer kan ik je ook niet vertellen.'

Jock Wordie, onze geoloog, is bezig een vakkenkast voor gesteentemonsters die McNeish voor hem heeft getimmerd van opschriften te voorzien. Hij heeft zijn nikkelen bril op zijn kale hoofd gezet en laat het puntje van zijn tong rondjes draaien door zijn baard en snor wanneer hij met petieterige lettertjes beschreven strookjes papier op de houten constructie plakt en ze met zijn nagels aandrukt. Soms laat hij een instemmend gebrom horen als ik het over Shackleton heb.

De wanden van de cabine die Wordie deelt met Clark, de bioloog, en die ze allebei 'Auld Reekie' noemen, hangen vol met plaatjes en ansichtkaarten met foto's van staartvinnen van walvissen, bergtoppen, stillevens en spaarzaam geklede, veel te weelderige dames. Honderden raadselachtige voorwerpen, vaak nauwelijks groter dan een duim, verdringen zich op de planken boven de beide kooien. Zijn het stenen of botten? Misschien wel allebei. Ze zien eruit als de splinters in die onaanzienlijke glazen kistjes die in de Newportse St. Woolo's kathedraal bij de achteringang aan Gurney Road in de in de muur verzonken vitrine staan.

Jock Wordie is de eerste die me vertelt hoe hij zelf lid werd van Shackletons bemanning, namelijk op aanraden van zijn pleegvader op Cambridge College, Raymond Priestley, die tijdens de zuidpoolexpeditie met de Nimrod in 1907 Shackletons geoloog was. Langzaam begint het me te dagen dat er zoiets als een erfopvolging van zuidpoolgangers bestaat.

'Waarschijnlijk weet hij zelf nog niet wat hij met je van plan is,' zegt Wordie laconiek en hij kantelt de kast, zodat hij de achterzijde met een paar boeken kan verzwaren. 'Maar je mag ervan uitgaan dat er een moment komt dat hij het wel heel precies weet. Zo, ik ben klaar hier en moet naar de honden. Wil je een boek lenen?'

Aan boord wordt gefluisterd dat Wordie Shackleton geld heeft voorgeschoten, zodat hij in Buenos Aires brandstof heeft kunnen inslaan.

Er wordt toch al veel over geld gepraat, het meest over het geld dat ogenschijnlijk ontbreekt. Ergens onder dek zou een radio-ontvanger liggen, maar dat is, als het gerucht klopt, net zo'n soort kast als voor Wordies stenen omdat er voor een zendinstallatie niet genoeg geld was. Een plausibele verklaring waarom we geen marconist hebben: er is geen zendontvangapparaat.

Zou er wel een zijn, dan zou James, onze natuurkundige, waarschijnlijk óók marconist zijn. Jimmy Jones is een hulpvaardig, beminnelijk man die je dertig keer iets uitlegt zonder je het gevoel te geven dat je, in sommige gevallen, misschien toch, nou ja, laten we zeggen: te onnozel bent om het allemaal goed te snappen. Onder het voorwendsel me de nieuwe windmeter te laten zien die hij heeft gebouwd, troont hij me mee naar de 'broeikas', de werkruimte onder het voordek die hij met Hussey deelt.

Ik heb nauwelijks de sneeuw uit mijn gezicht geveegd, of ze nemen me in de tang en ik moet vertellen hoe het gesprek met Shackleton is verlopen. James knikt instemmend, perst de lippen op elkaar en laat zijn ogen vrolijk heen en weer flitsen. Hij toont me de windmeter, die associaties oproept met het frame van een veel te klein uitgevallen papaplu, maar dat komt misschien omdat ik bij Jimmy James wel vaker aan paraplu's moet denken, want hij heeft me verteld dat zijn vader paraplumaker is.

'Mooi!' zeg ik tegen het fonkelende ding.

En James zegt: 'Blaas maar even!'

Ik blaas, en het kleine windrad begint onmiddellijk te draaien, volkomen geruisloos en zo licht dat het lijkt alsof het niet van metaal is gemaakt.

'Kom hier op het dak,' zegt Hussey, die voor een apparaat zit dat op een fornuis lijkt waarop verschillende kastjes met wijzers zijn gemonteerd. Hij knipoogt naar me en zegt: 'Jimmy, vertel eens waarom Shack je heeft aangenomen. Hoe ging dat ook alweer, nou?'

Eerst doet James een beetje afwerend, maar dan vertelt hij dat het vanaf het begin allemaal één grote grap was geweest. Hij was in Cambridge bijna klaar met zijn studie toen een buurman, die hij nauwelijks kende, hem op een middag vanuit een open raam aansprak en vroeg of hij geen zin had om als expeditiefysicus naar de Zuidpool te varen.

'Ik zei zonder aarzelen: nee. Een paar dagen later liet mijn hoogleraar me bij zich komen en vertelde me dat Shackleton, de zuidpoolreiziger, dringend op zoek was naar wetenschappelijk medewerkers voor de eerste te voet af te leggen oversteek van het continent. Of ik belangstelling had. Ik zei nee, maar vroeg wel hoe lang de expeditie erover zou doen. Professor Shipley wist het niet. Maar ik was toch natuurkundige, zei hij, ik kon toch uitrekenen hoeveel tijd je te voet voor die ongeveer drieduizend kilometer nodig zou hebben?'

Hussey lacht zachtjes terwijl hij met een nagel tegen het glas van een wijzerkast tikt.

'En dat is nog maar het begin,' zegt hij.

James vertelt verder. 'Drie weken later kwam een telegram van Shackleton zelf. Hij verzocht me naar zijn kantoor in Londen te komen. Shipley had me ondertussen weten te vermurwen en me met van alles en nog wat verleid. Dus reisde ik erheen. Het gesprek duurde nog geen vijf minuten. Shackleton informeerde naar de staat van mijn gebit, wilde weten of ik spataderen had, of ik goedmoedig was en of ik kon zingen. De laatste vraag verbaasde me toch enigszins, daarom vroeg ik hem zich nader te verklaren, en hij zei: "O, ik bedoel niet zoals Caruso. Het is al mooi als u met de anderen kunt meeblèren."'

We maken grapjes en zitten wat te grinniken, en Hussey heft zelfs een liedje aan, zodat ik het geblèr van James leer kennen. Dan is hij aan de beurt. Hij vertelt dat hij als antropoloog deel uitmaakte van de Wellcome-expeditie in Soedan toen hij in een oude krant Shackletons oproep las. Hij solliciteerde en werd uitgenodigd voor een kennismakingsgesprek. Het verliep op exact dezelfde wijze. Shackleton monsterde hem een paar keer, liep een paar keer heen en weer en zei ten slotte: 'Ik neem u aan. U ziet er grappig uit.' Dat Hussey nauwelijks enig benul van meteorologie had, deed niet ter zake. Hij zou een intensieve cursus moeten volgen, wat hij ook deed.

'Ik denk,' zegt Hussey, 'dat hij op zoek is naar veelzijdigheid. Hij hoefde geen specialisten, maar mannen die talent voor zoveel mogelijk dingen hebben. Hij heeft een duidelijk idee over de balans binnen de ploeg, neem dat van mij aan. Die moet op elke situatie zijn voorbereid.'

'Nog los van het feit dat hij gelijk heeft,' zegt James, 'je zíét er ook grappig uit, Uzbird!'

Klopt. Alles aan Hussey is kleiner dan je verwacht. Hij ziet eruit als de aandoenlijke representant van een soort waarvan er maar één exemplaar is, namelijk hijzelf. Maar hij is niet alleen de kleinste aan boord, maar ook de snelste, zowel met het hoofd als met zijn mond. Bovendien speelt hij banjo, waar weliswaar niet iedereen van gecharmeerd is, maar wat ook niemand wil missen, want Uzbird kent louter droevig-mooie melodieën. Hij begeleidt me nog een stuk over het besneeuwde dek en legt me dan uit dat we het ergste voorlopig hebben gehad: de Endurance bevindt zich nu aan het eind van de *roaring forties*, de breedtegraadzone waarmee de onstuimigste zee van de aarde wordt aangeduid. Tussen Vuurland en Zuid-Georgië raast de zee, niet gehinderd door land, aan één stuk rond de zuidelijke kap van de aardbol.

'We hebben geluk!' schreeuwt Uzbird wanneer we even aan de reling uitblazen. 'Hebben het goed getroffen. Tot nu toe, tenminste!' Zoals hij naast me staat komt hij net tot mijn borst.

Een paar uur later komen we terecht in een hagelbui die de meeste mannen het dek op drijft: in het geraas van de uit de hemel kletterende stenen reven Bakewell en de andere dekmatrozen de marszeilen voordat die stijf bevriezen en scheuren of zelfs worden doorboord. Greenstreet brult door de storm en geeft het commando om alle honden, niet één uitgezonderd, in de hokken op te sluiten, ook de beesten die vrij op het voordek mogen rondscharrelen omdat ze inmiddels niet schuw meer zijn. De Bos'n komt voorbijgestoven, botst opzettelijk tegen me op en gromt nog: 'Opzij, stommeling!'

Hij draait zich even om en laat zijn tanden zien.

Maar net zo snel als de hagel is begonnen, houdt hij ook weer op. Van de ene op de andere seconde nemen de windvlagen, daarnet nog sterk genoeg om het ijs als projectielen alle kanten op te jagen, af tot een koude bries waarin, net als daarvoor, alsof er helemaal niets gebeurd is, stil en gestaag sneeuw valt. Plotseling is ook Shackleton aan dek. In een zwarte oliejas, een wollen muts op zijn hoofd, staat hij in zijn eentje aan de achterdekreling en slaat het schouwspel gade. De woelige zee is kobaltblauw. Van de hemel is geen spoor te zien, een deken van sneeuwwolken hangt boven het schip, hangt boven de zee, zover het oog reikt.

De sir loopt naar Greenstreet, en die geeft het bevel de marszeilen weer te hijsen. Zonder morren en met een onverstoorbare blik klauteren Bakewell en de anderen opnieuw in het enkeldik bevroren want.

'Man in kraaiennest!' buldert Greenstreet, en het volgende moment meen ik McCarthy te herkennen, een jonge Ier op wie iedereen erg gesteld is om zijn kostelijke, niets en niemand ontziende humor; hij klimt vanaf de marsra naar de bram en nog verder omhoog, tot ik hem in de sneeuw niet meer zie. En dan heeft McCarthy er nog maar twee derde van de klim naar de uitkijkpost boven in de mast op zitten.

'Erg gelukkig ziet hij er niet uit,' zegt Holness en hij knikt in de richting van de sir, die zijn oude positie aan de reling heeft ingenomen. Holness steekt alleen zijn hoofd uit de kajuitdeur die toegang geeft tot het benedendek; hij is op zoek naar mij, zegt hij, dokter Macklin wil me spreken.

'Wat is er aan de hand?' vraag ik en ik bedoel daarmee of hij weet wat Mack van me wil.

Holie begrijpt me verkeerd: 'IJsbergen. Dat is er aan de hand. Bij dit weer kun je gemakkelijk op deze breedten verdwalen. Zit er een man in de ton?'

Het kraaiennest van de Endurance lijkt op een smalle witte regenton.

'Ja, ik geloof dat McCarthy boven is.'

'IJsbergen,' herhaalt Holness. 'Die zie je bij sneeuwjachten vanaf daarboven pas als ze al bijna naar je zwaaien, en dan moeten ze al huizenhoog boven het water uitsteken. Geen wonder dat de baas zich zorgen maakt. Kom je nog mee naar beneden?'

Ik volg hem onder dek. We zijn amper in de kajuitgang of Holie houdt me staande en zegt: 'Hé, ik wilde je er al de hele tijd naar vragen: hoe ging het eigenlijk bij Shackleton?'

12

'Aalscholvers, hé ho!'

Mick en Mack vullen elkaar uitstekend aan, en niet alleen in hun hoedanigheid als scheepsartsen. Dokter McIlroy is groot, slank, knap en een rascynicus; dokter Macklin daarentegen is niet groot, niet slank, hij is geen schoonheid, maar wel ontzettend hartelijk. Mick en Mack zijn ongeveer even oud, eind twintig vermoedelijk, en allebei genieten ze een even groot aanzien onder de mannen, want ze houden allebei van hun kunst en oefenen die uit zonder poeha. En Mick en Mack hebben nog een gemeenschappelijke liefde: India. Macklin omdat hij er is geboren en McIlroy omdat hij er lang heeft gewoond.

Met thee en sigaretten zitten ze aan de tafel van het Ritz, dat voor de rest helemaal leeg is. Alleen in de galley zie je Green soms heen en weer lopen, maar die is druk bezig of doet alsof.

'Daar heb je de man uit de kast,' roept McIlroy verheugd als ik aan kom lopen, 'de luis op de chocola!'

Er is niets waarover Mick niet een paar snedige woorden te binnen schieten, niets brengt hem tot zwijgen, en zijn vergelijkingen zijn altijd hatelijk bedoeld.

Er volgt een kort gesprek over mijn toestand, en alle drie, Mick, Mack en Merce, zijn het erover eens dat ik er weer helemaal bovenop ben.

Dan heeft de baas me dus kennelijk niet van mijn stuk gebracht. À propos... Hoe was het eigenlijk gegaan, mijn tête-à-tête?

Zo langzamerhand krijg ik al wat routine in het verslag uitbrengen van mijn gedenkwaardige sollicitatiegesprek. En dat blijkbaar iedereen die ik desgevraagd mijn kleine relaas vertel ook zijn eigen verhaal ten beste geeft, zonder dat ik ernaar gevraagd heb, verbaast me allang niet meer.

McIlroy keerde met malaria uit India in Londen terug en kwam bij Shackleton op gesprek. Die verbaasde zich erover dat de jonge dokter die voor hem stond maar bleef rillen, en het enige wat hij ten slotte meende te kunnen doen was er een dokter bij halen.

De jonge dokter die McIlroy te hulp schoot was Macklin. Waarschijnlijk nam hij Shackleton voor zich in toen hij op diens vraag waarom hij een bril droeg antwoordde: 'Veel knappe gezichten zouden er zonder bril ontzettend dom uitzien.'

Toen dokter McIlroy was genezen, bood Shackleton hem een contract aan onder voorwaarde dat hij dokter Macklin zou overhalen om ook mee te gaan. En Mick overreedde Mack door te beloven dat ze samen naar India zouden reizen wanneer ze terug zouden zijn van de pool.

Op dezelfde plaats knoopt Wild een paar uur later een gesprek met me aan. Ik dek in het Ritz de tafel voor de mannen die geen wacht hebben, en Shackletons plaatsvervanger zit gebogen over een zeekaart waarop hij, zoals hij me uitlegt, weersbewegingen en dieptemetingen invult.

'Nee, geen ijs in zicht,' antwoordt hij op mijn vraag; toch is voorzichtigheid geboden omdat sneeuwjachten en mistbanken een regelmatige positiebepaling bemoeilijken. Wild wil weten of ik iets van lengtegraadbepaling weet.

'Nee, sir, helaas niet. Maar van Wordie heb ik een boek over navigatie geleend, *Log, lood en lengte*.'

'Zo zo, *Log, lood en lengte*,' mompelt hij en hij lacht fijntjes. 'Een goed boek, eerlijk waar. Mocht je iets niet helemaal begrijpen, dan kun je het me gerust komen vragen. Hier…' Met de passer wijst hij op een paar dicht bij elkaar gelegen, donkere speldenknoppen op de kaart. 'Dat zijn de Shagrotsen die we binnenkort willen passeren. Zes klippen midden op zee, de hoogste zeventig meter. Doen denken aan een groep zwarte ijsbergen. Wanneer die achter ons liggen, kunnen we allemaal wat rustiger slapen.'

Niet iedereen vindt die altijd nogal verbeten, misschien zelfs wel sluwe samenballing van energie die Frank Wild is sympathiek. Sommigen menen dat Wild eronder lijdt dat hij slechts Shackletons plaatsvervanger is, vooral omdat hijzelf wel weet dat het hem, anders dan Shackleton, die per slot van rekening ook maar Scotts derde man was geweest, aan moed ontbreekt voor eigen plannen, om nog maar te zwijgen van het nodige doorzettingsvermogen. Zelfs bij Bakewell, die anders zo tolerant is tot hij blauw ziet, kan Wild weinig goed doen, want hij vindt diens gedrag tegelijk kruiperig en autoritair. Ook omdat hij amper groter is dan de kleine Uzbird noemen de matrozen hem onder elkaar 'dwerg baas'. Een grap die de ronde deed voordat hij Worsley ter ore kwam en vervolgens door de Bos'n op de index werd geplaatst, luidt: 'Weet je waarom je Wild wel hoort, maar niet ziet wanneer de sir in de ton klimt? Omdat hij ook boven is. Hij zit in Shackletons kontzak en roept "Ik ben de grootste!"'

Waarbij 'kontzak' nog de onschuldigste variant van de grap is.

Ik vind Frank Wild sympathiek. Niet alleen omdat hij me door zijn soms droefgeestige getob aan mijn broer doet denken, maar vooral ook omdat hij, afgezien van Tom Crean, de enige is die geen praatjes verkoopt wanneer hij het over Shackleton heeft.

En zelfs Crean waagt het niet om een mening van Shackleton in twijfel te trekken; Wild doet dat wel, en hij doet dat ondanks het feit dat dat als afgunst wordt uitgelegd. Niemand kent Shackleton beter. Niemand houdt zoveel van hem. Niemand van de mannen – bijna allemaal goeie kerels, die echter in spotters en nijdassen veranderen wanneer het om de tweede man aan boord gaat – niemand schijnt zich af te vragen waarom Shackleton uitgerekend de in zichzelf gekeerde, fantasieloze en verbeten Wild als zijn plaatsvervanger heeft aangewezen.

Een tijdlang sta ik vlak bij hem en heb de zweetgeur in mijn neus die Wild uitwasemt. Hij laat de passer over de zeekaart dwalen. Op de kaart is een groot wit monster met een langgerekte, spits toelopende hoorn ingetekend; Antarctica en zijn schiereiland dat in een ruime boog naar het noordwesten verloopt. De uitronding tussen de rug van de hoorn en het voorhoofd van het monster is op de kaart in honderden petieterige scherf- en splintervormige velden verdeeld; ze bestaat uit een met ijsschotsen bezaaide watervlakte, 'net zo groot als Frankrijk,' zegt Wild en hij legt de passer neer.

'De eerste die erin slaagde de zee binnen te varen,' met een bruine nagel raakt hij de baai even aan, 'was Weddell, en dat pas in 1823. Daar willen we naartoe, naar de Weddellzee.'

'Merce, de glazen, de flessen! Schiet op!' roept Green vanuit de galley.

Wild praat onverstoorbaar verder: 'Kijk: aan de zuidkust heb je een kleine baai, hier. Dat is de Vahselbaai. Bij ijsvrije zee komen we daar bij het ijsplateau en kunnen het schip aan de barrière vastmaken. We zetten de hele boel direct op het ijs. Wat zeg je ervan?'

Ik ben onder de indruk, maar kan het me niet voorstellen en zeg in plaats van iets doms liever niets. Bovendien komt Hudson, de navigator, net binnen en hij deelt mee dat het resultaat van de laatste dieptemeting tachtig vadem was; het lood heeft, zegt hij, zwart zand en grind naar boven gehaald.

Wild richt zijn aandacht weer op passer en kaart.

'De Shagrotsen,' mompelt hij, 'zie je wel.'

En ik druip af naar Green, die me met een geïrriteerde piepstem een schop voor mijn achterste dreigt te verkopen.

Nadat het zootje mannen die vrij zijn van de wacht hun honger hebben gestild en de rust in Greens rijk is teruggekeerd, zoek ik een stil plekje onder een patrijspoort en kijk beurtelings naar de sneeuwjacht buiten en in Wordies boek over log, lood en lengte. Grijs, zwart en wit, een perfect gevlekte chaos op vier pootjes: de kat komt onder de tafel vandaan en draait met een luid snorrende motor rond mijn benen. Ik neem haar op schoot, Mrs Chippy maakt het zich gemakkelijk en kijkt een tijdje net zo niet-begrijpend en gefascineerd als ik naar de bladzijden van het boek voordat ze in slaap valt.

Want wat de schrijver, commodore Robert FitzRoy, kapitein

van Charles Darwins Beagle, daarin aan toonaangevende nautische kennis heeft verzameld, is net zo droog als zaagsel in de zomer. Op bladzijde 7 ben ik bij mijn ijsbarrière aanbeland en smijt ik het hele zootje kwadranten, sextanten, chronometers en maantabellen overboord.

Mijn hartstocht voor getallen heeft zijn grenzen. Als je de afstand tussen de vingertoppen van de zijwaarts gestrekte armen van een man van een gemiddelde lengte meet, heb je, aldus FitzRoy, een vadem: zes voet oftewel 1,829 meter. Wilds vadem is misschien een beetje korter.

Tachtig vadem diep is de zee waarin de sneeuw valt, onophoudelijk, onstuitbaar. Honderdzesenveertig meter, waarachtig niet diep wanneer je bedenkt dat we op volle zee zijn.

Ik sla het boek zachtjes dicht om Mrs Chippy niet wakker te maken en kijk naar buiten. Je kunt alles met getallen verduidelijken: diepte van de zee, grootte van het schip, hoeveelheid neerslag. Vier beschuiten, een paar gram gedroogde vruchten en een hap ponyvlees, tot zover was het dagelijks rantsoen van de mannen geslonken waarmee Shackleton vijf jaar geleden de Zuidpool probeerde te bereiken. Honderd kilometer voor de bestemming maakten ze rechtsomkeert om op de terugweg niet te verhongeren. En toen Wild aan het einde van zijn krachten was, stopte Shackleton hem een van zijn laatste beschuiten toe.

Nadat ook de mannen van de tweede wacht hebben gegeten, laat de kaptein me nog een keer bij zich komen. Boven de zee wordt het donker, maar wanneer ik over dek stap is het minder gaan sneeuwen. In beide achterhuiskajuiten brandt licht. Worsley wil weten of ik al een beetje ben gewend en of ik tevreden ben met kooi, werktijden enzovoort.

Dat ben ik.

'Mooi! En zoals we allemaal hebben kunnen horen is de sir ook tevreden over jou. Zijn we dus allemaal tevreden.'

Een moment lang kijkt hij me stralend aan.

Ik neem de gelegenheid te baat: 'Sir! Ik wil mijn excuses aanbieden. Ik had die opmerking niet mogen maken, zelfs niet als ik echt van mening was geweest dat...'

'Je verdoet je tijd,' onderbreekt hij me. 'Het is goed zo, Blackboro. Ze heeft zeker iets heldhaftigs, die kleine opmerking van je.'

'Nee, het was dwaas.'

'Het zijn geen tegenstellingen. We hebben allemaal op de een of andere manier met de baas te maken gehad. Intussen is iets daarvan je misschien ter ore gekomen. Of niet soms?'

'Ja, sir.'

'Heb je het met Crean over Shackleton gehad?'

'Nee, sir.'

'Doe dat dan. Maar zorg er wel voor dat je tegenover Crean als het even kan je ideeën over helden voor je houdt. Hij is namelijk óók een held. Spijt me dat ik je dat moet zeggen, Merce, maar je ben omsingeld door helden. Denk je dat dat lukt?'

'Ik doe mijn best, sir.'

'Prima. Weet je hoe ik de sir heb leren kennen? Ik heb over hem gedroomd. Of beter gezegd, ik heb gedroomd dat ik een schip door de met blokken ijs gebarricadeerde Burlington Street moest loodsen. Ken je Burlington Street? Die ligt in het Londense West End. Een chique straat, pakijs heb je er niet. De volgende ochtend ging ik ernaartoe en zag op nummer 4 een bord: IMPERIAL TRANS-ANTARCTIC EXPEDITION. Ik heb Shackleton gehypnotiseerd, zodat hij geen keuze had en me als schipper heeft aangenomen. Zo is het gegaan, of tenminste, zo ongeveer. Je moet niet alles geloven wat die zeelui je vertellen, Merce!'

Ik beloof het. En ik loop al weg wanneer er geroepen wordt dat er land in zicht is, land stuurboord vooruit. Door het schip davert het getrappel van de mannen die het dek op stormen en zich aan de reling posteren, net als Shackleton, Wild, Worsley, Greenstreet en alle anderen. Van boeg tot achtersteven zindert de besneeuwde, als het wit van de sterren flonkerende Endurance van opwinding, en zelfs de honden janken, alsof ze vieren dat we langs de zes tanden van de Shagrotsen suizen, die zwart en volkomen stil op veilige afstand uit het water oprijzen.

'Hé ho!' brult een van de mannen op de midscheeps bij wie ik ben gaan staan. 'Aalscholvers, hé ho!'

De anderen kijken zwijgend, op een kluitje aan de reling, naar de reeks klippen waar een wolk van vogels door het donkerblauwe zwerk vliegt – Kaapse duiven, stormvogeltjes, aalscholvers, die de oude zeevaarders *shags* noemden en die daarom hun naam leenden aan het rif dat van hen is.

Ik zie Bakewell. Met fonkelende ogen kijkt hij uit over het water en verbaast zich over de groep rotsen waarop nog nooit iemand een voet heeft gezet. Wat zou je er ook moeten? Ik druk me tegen de rug van mijn vriend aan en houd hem stevig vast zodat hij niet overboord springt en mij hier laat staan. Probeer ons maar eens te scheiden! Er past nog geen vel papier tussen ons, al had de koning het persoonlijk getekend. Er is maar één ding dat zich tussen ons bevindt, en dat is een amulet.

Tweede deel

DE OVERGESLAGEN KUST

1

Grytviken

De zwarte bergen, het witte land en het glasheldere water van de fjord waar we doorheen zijn gevaren herinneren me aan een droom. Die had ik enkele jaren geleden een aantal nachten achter elkaar, waarschijnlijk omdat mijn zus toen bij mij in bed sliep.

Ik herinner me dat het hartje winter was. In de oude visfabriek van Pillgwenlly vond een ongeluk plaats waarbij voorman Alec Garrard zijn beide handen verloor. Een jongeman uit Cardiff kwam hem opzoeken. En omdat ze bevriend zijn met de familie van de gewonde voorman stelden mijn ouders de jonge heer tijdelijk Regyns kamer ter beschikking. Zo kwam op een middag, warm ingepakt in jas, muts en sjaal, met ijspegeltjes in wenkbrauwen en baard, Herman door de tuin aangestapt en nam zijn intrek, zonder het te vermoeden, in de kamer van zijn latere vrouw.

Ik had al lang niet meer met Regyn onder één deken geslapen, de laatste keer was toen we nog kinderen waren en we er niets achter zochten als we bij Mynyddislwyn in ons blootje in de Usk zwommen om naar kreeften te duiken. Ik lag daar in het donker, mijn ledematen opgevouwen als een vampier, en voelde en schuwde de warmte die Regyns lichaam verspreidde. Mijn zus ademde rustig en regelmatig, en ik vroeg me lange tijd af of ze alleen maar deed alsof ze sliep. Ik hoorde namelijk elke stap en elk geluid van de vreemde man die achter de wand liep te ijsberen, en ik kon me niet voorstellen dat het Regyn anders verging.

Het merkwaardige aan de droom die ik die nacht voor het eerst had, was dat hij niet alleen uit beelden en geluiden bestond, maar dat de beelden en geluiden me deden denken aan de met elkaar verbonden delen van een orgelachtig mechanisme dat ik met minimale bewegingen van mijn lichaam zelf bediende. Zo weet ik nog dat ik onder de luide galm van mijn stappen een witte stenen trap oprende en dat ik, boven aangekomen, waar alleen een lege wand was, wakker werd en me gekromd om Regyns rug terugvond, gekromd als de trap in mijn droom.

Herman bivakkeerde een hele week in Regyns kamer, en in elk van de zes of zeven nachten dat zij en ik mijn bed deelden, had ik dezelfde droom van mijzelf als het lichaamsorgel. De droom heeft niet echt een verhaal. Er komt een groep dwergen in voor, een twaalftal gezichtloze, volkomen eender uitziende, in jassen met capuchons gehulde mannetjes, die ik gadesloeg terwijl ze achter elkaar langs een rivier over een sneeuwwit, door zwarte en boomloze bergtoppen omringd landschap stapten. En toch is er verder niets dan de dwergen en mijzelf: het land is zo wit, de bergen zo zwart dat ze op letters lijken die je niet kunt lezen en waarvan de betekenis zich niet openbaart. In de rivier stroomt geen water. Hij staat droog en dat is het. Ik ben onlosmakelijk met de dwergen verbonden. Hun groep beweegt wanneer ik beweeg. Ze blijven staan wanneer ik me niet verroer. Met de ene keer schelle, de andere keer doffe tonen, een zacht maar doordringend gegil en een allesoverstemmend gebrom stuur ik de mannetjes aan, loods ze, zoals ik langzaam ga beseffen, mijn kant op. Ik kan me niet herinneren dat ik het me destijds bewust was, maar inmiddels weet ik zeker dat iedere dwerg voor een van mijn ledematen stond: een voor een arm, een andere voor een been, een voet of een vinger.

Het landschap bleef altijd gelijk, het was altijd alleen maar leeg, de bergen met de witte toppen en de zwarte, kale hellingen liepen eindeloos langs de lege, grenzeloze oevers. Pas toen de dwergen in een wijde boog op me waren af gemarcheerd en vlak voor me stonden, rende ik weg en haastte me de trap op, en telkens werd ik wakker aan het kale einde ervan. Dan schoof ik weg van Regyn, keerde me naar de wand en luisterde. Soms hoorde ik Herman snurken. En in de laatste nacht met Regyn werd ik wakker en lag weer alleen in mijn bed. Net als mijn zus was de droom verdwenen en hij kwam niet terug.

Ik had het nooit voor mogelijk gehouden dat ik een land als uit mijn droom nog eens in het echt zou leren kennen.

Sinds de Shagrotsen hebben we er anderhalve dag varen op zitten. Het weer is nog altijd wispelturig, maar het is wel steeds kouder geworden. 's Ochtends heeft de uitkijk land gemeld. We zijn de eilandjes Willis en Bird gepasseerd en op gepaste afstand met gestreken marszeilen langs de steeds weer in sneeuwvlagen verdwijnende noordkust afgezakt.

De zwarte bergen, het witte land en het glasheldere water van de fjord waar we doorheen zijn gevaren... Het land dat ik meen te herkennen is het eiland Zuid-Georgië.

In volledige windstilte werpen we in de Cumberlandbaai voor Grytviken het anker uit. Een machtige oude walvisvaarder, met een stars-and-stripesbanier die Bakewells hart sneller doet slaan, ligt op gehoorsafstand, en de huisjes en barakken van de speksnijders op de oever zien eruit alsof ze van de zwarte berghellingen zijn afgerold en in de sneeuw zijn blijven liggen. Cheetham en Hurley, die hier al eerder waren, vertellen met weidse gebaren over de bezienswaardigheden van Grytviken: daar worden de walvissen aan land getrokken, daar onder de kranen, die eruitzien als kapelletjes waaruit een hengel steekt, snijdt men ze in stukken, en direct daarvoor staat ook het echte godshuis, de plaats waar dominee Gunvald, met wie het volgens Cheetham kwaad kersen eten is, de ziel van de walvisjager in stukken snijdt en op basis van Gods gezichtspunten weer samenvoegt. De vuilgele toren van Grytvikens kerkje is zelfs minder hoog dan de mast waaraan dezelfde vlag in de windstilte hangt die al drie jaar op de pool staat: het Noorse kruis.

Twee van de drie sloepen zijn in gereedheid gebracht. Als de sir heeft bepaald wie aan boord de wacht houdt en de honden verzorgt, gaan we op weg. Ik barst van de spanning, want het hoofd van het walvisstation is naar verluidt Roald Amundsens zwager.

Wild en Greenstreet blijven met zes man achter, onder wie gelukkig de Bos'n en stoker Stevenson, maar helaas ook Holness, op wie ik intussen zeer gesteld ben geraakt. Wij anderen, met ons tienen in een van de twee sloepen, leggen af en halen en duwen joelend en grijnzend aan acht riemen, want meer hebben de boten niet. In de mijne staat Shackleton voorop, terwijl kaptein Worsley stuurt. In de andere boot mogen de jonge honden zich van de veteranen uitleven. Terwijl hun boot voortsuist en een lengte voorsprong neemt, stopt Crean met één hand zijn pijp. Eén keer kijkt hij naar ons, en ik meen, als een vertraagde schicht, een glimlach rond zijn mondhoeken te zien, maar zeker weten doe ik het niet.

De bergen op het eiland lijken bij de aarde noch bij de hemel te horen. De hemel is helemaal wit, en al even wit zijn de handen en vingers van de gletsjers die langs de hellingen tot in het water van de baai grijpen. Het lijkt alsof de zwarte rotsrichels met daarbovenuit de bergtoppen in de lucht staan, en de lucht is zo snijdend koud dat je best wilt geloven dat er een berg in zweeft, al was het maar omdat je niet lang omhoog kunt kijken. Je knippert aan één stuk door met je ogen van de kou.

Wanneer onze boot de helft van het traject tot de aanlegsteiger heeft afgelegd, ben ik langzaam aan de kou gewend geraakt en krijg ik een duidelijker beeld van het eiland: langs de grillige kustlijn van de baai ontmoeten land en ijszee elkaar overal in een wirwar van blauw beschaduwde drukplooien en gletsjerspleten. De rotswanden die het fjord omgeven reflecteren het witte sneeuwlicht, en als een glinsterend waas ligt een blauw schijnsel over het water waar we doorheen varen. Het ruikt er als in een besneeuwd sparrenbos.

Maar niet voor lang.

'Twee streken bakboord, kaptein!' roept Shackleton, niet opgewonden maar wel beslist. Ik roei en kan niet zien wat in mijn rug hem daartoe noopt. Tot ik het ruik. En tot ik zie dat het water eerst violet en daarna rood kleurt, bloedrood.

Een walgelijke geur van bederf hangt boven het midden van de baai.

'God, wat afgrijselijk,' zegt Hussey naast me en hij tilt de riemen uit het water. Terwijl we de riembladen op ooghoogte houden glijdt onze boot geruisloos door het rode water, en nu rekken we onze hals richting boeg. De walvissen drijven zij aan zij, vijf of zes aan elkaar gesjorde en door een dwars daarop liggende plank verbonden kadavers, hun kop onder water; alleen hun bek steekt er een stuk boven uit, kaken met tanden die stuk voor stuk even dik en lang zijn als een mannendij.

'Roeien!' roept Shackleton. 'Dat houdt geen mens uit. Roeien!'

We passeren een tweede groep kadavers, dan wordt de stank allengs minder. Creans boot meert reeds aan, en de Noren helpen de mannen de ladder op en begroeten hen.

'Een grote eer, sir Ernest!' zegt een van de lange en magere walvisjagers tegen Crean, die onmiddellijk begint te blozen en de vergissing probeert recht te zetten door te bukken om de sir op de steiger te helpen.

'Mag ik voorstellen: Tom Crean,' zegt Shackleton zodra hij boven staat en nog voor hij zich bekendmaakt.

Het water dat tegen de steiger kabbelt is nog altijd even rood.

We zitten tot diep in de nacht samen met een twaalftal stevig innemende Noren in de zaal van hun hoofdwoning. De vloer ligt, net als de werkplaats van mijn vader, bezaaid met zaagsel. Aan de muren hangen walviskaken, harpoenen en foto's van de koning van Noorwegen die bij een harpoenkanon poseert. Een diepe bromtoon, dan een knal en een lang aanhoudend gegons... Op Zuid-Georgië hoor ik weer een paar geluiden uit mijn droom. Het plotselinge lawaai, dat angstaanjagend dichtbij klinkt en door merg en been gaat, is afkomstig van een gletsjer waarvan al dagenlang ijs afbreekt en in zee valt. Elke knal betekent een nieuwe ijsberg. Hoe harder de knal, des te groter de berg.

'Niet bang zijn!' roept Fridtjof Jacobsen lachend in mijn oor en hij slaat met zijn kolenschoppen op mijn schouder. Nee, hij is niet Amundsens zwager. 'Dat hoor je als er stukken van een gletsjer afbreken! En dat...' – we horen weer het langdurige gonzen, het klinkt als een tweedekker die van grote hoogte afglijdt, een Sopwith Camel – 'dat is nou de lawine die van de Nordenskjöldgletsjer naar beneden komt om de nieuwe ijsberg uitgeleide te doen.'

Kapitein Jacobsen, die er op zijn paasbest uitziet, tikt me zachtjes op mijn oren en geeft me een kus op mijn achterhoofd. Nee, Amundsens zwager heet Sørlle, Thoralf Sørlle, en hij is het hoofd van het Stromness-walvisstation, vijfentwintig kilometer verder naar het noorden.

Het voortdurende gebrom heeft niets met afkalvende gletsjers of met in de fjord neerstortende lawines te maken; het is afkomstig van de generator die Grytviken van elektriciteit voorziet. Zelfs de varkensstallen en kippenhokken, zo vertelt men ons, zijn verlicht. En inderdaad: wanneer we naar buiten stappen wijst een lint van geel en rood brandende guirlandes ons de weg door de duisternis naar de haven. Het generatorhuisje stond oorspronkelijk in Strømmen, het dorp in Noorwegen waaruit de meeste van Jacobsens mannen komen. Ook de kerk uit Strømmen werd gedemonteerd, hierheen gebracht en weer in elkaar gezet. Op dit moment is hij niet in gebruik. Dominee Gunvald verblijft op de Falklandeilanden, maar zal op tijd terug zijn om voor ons vertrek naar het ijs een kerkdienst te kunnen houden.

Voor kapitein Jacobsens huis blijft onze groep in gesloten formatie staan – ook al kost dat enkelen van ons moeite, zo onvast staan ze op de benen. Zo dronken als van het zware Noorse bier heb ik Bakewell niet eerder meegemaakt. Wordie en Hussey giechelen onophoudelijk, trekken elkaars muts van het hoofd en maken elkaars haar in de war. Het huis is helder verlicht. In de nachtelijke hemel erboven staan geen sterren en in de verte hoor je de gletsjer weer.

Kapitein Jacobsen stelt zijn jonge vrouw voor, de enige vrouw op het eiland, ach wat, de enige in de hele Zuidelijke IJszee, zoals hij trots verkondigt. Mevrouw Jacobsen geeft ieder van ons een hand, stelt zich aan ieder van ons afzonderlijk met haar voornaam voor, zodat ze twintigmaal achter elkaar dezelfde twee woorden zegt: 'Stina. Hallo!', 'Stina. Hallo!'…

En omdat hij een feilloos gevoel voor curieuze dingen lijkt te hebben, maakt Jacobsen ons attent op nog iets merkwaardigs: voor de ramen in de erkers van zijn huis hangen bloembakken en daarin bloeien geraniums. Het zijn de enige bloemen op het eiland, de enige bloemen in de hele Zuidelijke IJszee…

…'Stina. Hallo!', 'Stina. Hallo!' De knappe maar al enigszins verwelkte Stina Jacobsen heeft ieder van ons afzonderlijk begroet. Nu moeten we afscheid nemen.

De Jacobsens en een groepje walvisjagers dat nog niet is gaan slapen, brengen ons naar de steiger. Alle Noren willen ieder van ons afzonderlijk omarmen. Maar daarvoor ontbreekt de tijd: jongens, het is gewoon te koud.

'U zult nog wat langer onze gasten moeten zijn,' zegt kapitein Jacobsen tegen Shackleton en Worsley. 'Maar we zullen er wel voor zorgen dat we de tijd voor u verkorten!'

Hij lacht als een gletsjer en geeft de sir met zijn vlakke hand een klap op de arm.

Shackleton bedankt hem op zijn eigen wijze en zegt: 'Ik zal uw gulheid en gastvrijheid nooit vergeten, Fridtjof Jacobsen!'

Er zit in Shackletons woorden niets plechtigs, alleen zo'n overweldigende openheid en zo'n verrassende ernst dat Jacobsen zichtbaar ontroerd maar tegelijk nogal geïrriteerd is. Wanneer hij Tom Crean ten afscheid de hand drukt, buigt de besnorde legende van de walvisvaart als voor een graalridder.

We leggen af en roeien langzaam door de koude baai. Ergens onderweg zie ik over de schouder van de man voor mij dat de guirlandes en het licht van het huis van de Jacobsens doven. Op Zuid-Georgië wordt het donker. Zonder dat iemand in de boten iets hoeft te zeggen, verhogen we het aantal slagen en jagen de sloepen door de stank. En omdat ik mijn neus niet kan dichthouden, probeer ik aan zaagsel te denken, aan de zaagsel-lucht in vaders werkplaats: Pillgwenlly in de winter!

2

'Waar komt dat varken vandaan?'

We moeten ons opsplitsen. Jacobsen heeft de sir er nadrukkelijk voor gewaarschuwd vóór december het ijs op te zoeken en Shackleton heeft hem daarin uiteindelijk gelijk gegeven. Omdat we zoals het zich laat aanzien een hele maand op het eiland zullen blijven, moeten de honden van boord worden gehaald. Twaalf man onder Wilds leiding krijgen opdracht om aan de rand van de nederzetting een reeks hokken te bouwen, en omdat je de honden geen moment uit het oog mag verliezen en de wilde beesten bovendien eindelijk moeten worden getraind, zullen de mannen die Shackleton als hondengeleiders en assistent-hondengeleiders heeft aangesteld eveneens op het land worden gehuisvest. Er gaat een mistige dag heen met het timmeren van hokken en omheiningen, het inladen en overvaren van de dieren en het uitmesten en schoonmaken van de hokken aan dek. In de tussentijd hebben de Noren razendsnel het brandspuithuisje ontruimd en met veldbedden voor hun expeditiegasten ingericht. 'God shave the King!' heeft iemand met krijt boven de ingang gekrabbeld. Door de mist hoor je hen zingen: Bakewell vertelt dat ze wijdbeens, met riemen gezekerd, op de in de baai drijvende, opgezwollen walvissen staan en met messen waarvan de lemmeten langer zijn dan zijzelf stukken uit de kadavers snijden.

Voor ons, de zestien aan boord gebleven zuidpoolgangers, breken er nu min of meer ontspannen weken aan. De sir en de schipper hebben zich in hun kajuiten teruggetrokken om zeeen weerkaarten te bestuderen. De onderzoekers en de kunstenaars verlaten het schip al vroeg in de ochtend om het land te verkennen. Ze meten de snelheid van de valwinden en de temperatuur van de hete bronnen, ze verzamelen gesteentemonsters, mossen en korstmossen. Marston tekent zeeolifanten, boendergras en gletsjers. En Hurley sleept zijn camera, die als een manshoge spin met drie poten op zijn rug zit, de bergen op die de baai omringen. Motorslede-expert Orde-Lees, die om zijn geestigheid en zijn hoogdravende manier van doen 'tante Thomas' wordt genoemd, heeft Shackleton zover gekregen dat hij de drie voertuigen, die in Wales zijn gebouwd en nog nooit in actie zijn geweest, aan land laat brengen. Op een sneeuwveld boven Grytviken wil Orde-Lees de sleden testen. Wanneer hij ze uit hun houten kratten begint te pellen, ga ik bij hem staan, en zonder dat ik een woord heb gezegd, vertelt tante Thomas me over het wonder dat zich voor mijn ogen ontvouwt.

'De grootste is bijna vijf meter lang en één meter breed. Ze hebben 60pk-motoren en vliegtuigpropellers, Anzani-motoren overigens. Zegt je dat wat?'

'Blériot vliegt met motoren van Anzani.'

'Slim ventje. Deze hier haalt vijftig kilometer per uur en kan een ton vervoeren.' Hij wijst me op een rechthoekige opbouw in het midden van de slee. 'Hier stromen de uitlaatgassen naar binnen, in een soort hete kast,' zegt hij. 'Als het moet, kun je er slaapzakken en kleding in drogen.'

Orde-Lees is ervan overtuigd dat zijn Welshe motorsleden voor een revolutie in het poolonderzoek zullen zorgen. En hij staat met deze opvatting niet alleen. Ik heb Shackleton meerdere keren horen zeggen dat hondenspannen op het ijs binnenkort tot het verleden zullen behoren, net als de ponysleden die Scott noodlottig werden.

'In 1907,' zegt Orde-Lees, 'was sir Ernest trouwens de eerste die een automobiel naar de Zuidpool meenam.'

Ik durf hem niet te vragen of hij weet wat er van de wagen is geworden, maar ik weet zeker dat het vehikel al bij het begin van de hongertocht over de Beardmoregletsjer ergens werd achtergelaten en dat het daar, weggezakt in drie meter sneeuw en ijs, nog altijd staat te wachten om er eindelijk vandoor te knetteren. Tante Thomas glimlacht trots.

Ik zeg: 'Zou er graag eens met eentje willen rijden.'

En hij: 'Geen probleem! Help even aanpakken, dan heb ik ze sneller in de boot.'

'Tja, het eten, ik moet de anderen voor het eten roepen.' En ik maak dat ik wegkom.

Ook Chippy McNeish, de scheepstimmerman die in de takelage een extra bunker voor kolen in elkaar zet, en onze machinist Rickenson, die beneden in de buik van de Endurance bezig is met het afbikken en doorblazen van de ingewanden van de stoommachine, moet ik gaan vertellen dat Green en Black hebben getoverd. Die twee zijn, afgezien van mijzelf – ik hol van hot naar her en van boven naar beneden door het schip – momenteel zo'n beetje de enigen aan boord die de hele dag werken. Geen wonder dat ze willen weten wat er op het menu staat. Op verzoek van Shackleton is er *Irish brawn*. McNeish noch Rickenson kan zich daar iets bij voorstellen.

Naar waarheid zeg ik dat het op brood lijkt, dat het varkenskop in gelei is.

'Waar komt dat varken vandaan?' wil de kaptein aan tafel weten. En aangezien niemand iets zegt, moet Shackleton er wel zelf mee voor de dag komen.

'Bos'n, Songster en twee andere honden zijn vanmorgen uit hun kooi ontsnapt en hebben een van Jacobsens varkens te grazen genomen. Eet smakelijk, gentlemen.'

Er zijn dagen dat Green en ik amper meer dan tien hongerige monden hoeven te voeden omdat de andere mannen allemaal onderweg zijn. We benutten de tijd om oude voorraden te schiften en nieuwe aan te leggen. Pinguïn- en zeehondenvlees wordt ingepekeld, ik breng nieuw heldenbeschuit met meters tegelijk naar de broodkamer. Ondertussen nemen Bos'n, Songster, Sue en Roy nog eens drie Noorse varkens te grazen. Nog geen drie uur later zijn ze ingepekeld. In Mrs Chippy's muizenjachtgebied, de magazijnen op het benedendek, is het net zo koud als vroeger om zeven uur op winterochtenden in de woonkamer van mijn ouders wanneer ik de trap afkwam om te ontbijten en naar school te gaan. En dan staat er op een kist met Belmont-stearine-kaarsen ook nog 'Speciaal voor heet klimaat'; op de verpakking prijkt de afbeelding van een stamhoofd dat boven een vuur op een palmenstrand een heerlijk maal bereidt. Bij de aanblik van de conserven en kisten op de schappen krijg ik heimwee. Ik ben opgegroeid met de oranje-blauwe Huntley & Palmer-koektrommels, groen-gouden blikken siroop van Lyles en de etiketvorm op de ketchupflessen van Heinz. Van de gist met de zon erop weet mijn moeder: 'Die rijst altijd.'

Dat weet ook Green, die echter niet de onverklaarbare inwendige klok van Gwendolyn Blackboro bezit. Maar hij weet zich op een andere manier te behelpen. Ook Green is op zijn gebied ongelooflijk vindingrijk. Hij legt een metalen plaatje op de gist. Wanneer deze tot de juiste hoogte is gerezen, komt het schijfje in contact met een ander stuk metaal, waarna een elektrisch circuit sluit en een in de galley aangebrachte belletje klingelt. Daar zit Green, doet een dutje of leest de *Illustrated London News* van het voorjaar:

Er komt geen oorlog...

luidt de kopregel van een advertentie, met een afbeelding waaronder in kleine letters staat:

En mocht er toch oorlog komen, sla dan tijdig
een flinke voorraad meel van Stinger's in!

De mannen vinden eten zo'n beetje het belangrijkste wat er is. Uzbird denkt dat het komt omdat eten het enige is wat seks nog enigszins kan vervangen. Daar moet ik over nadenken. Feit is dat de kok door zijn inventiviteit verzekerd is van waardering. Zo vereren de mannen Green bijna omdat hij erin slaagt om erwten een lichte muntsmaak mee te geven. Ik weet ondertussen dat hij een kledder tandpasta door de pan met erwten roert.

'Je zult zien,' zegt hij tegen me, 'straks spelen ze weer "En-van-wie-is-deze-portie?"'

Als gedurende de lange weken in het ijs eten wordt uitgedeeld, moeten de mannen om beurten hun ogen dichtdoen en krijgen ze een gevuld bord in de hand gedrukt. Zonder te weten hoeveel er op het bord ligt, moeten ze dan zeggen wie de portie mag opeten.

'Zo zullen ze mij of jou niet van oneerlijkheid kunnen betichten, snap je? Eh! Moet je 's oppletten als de rantsoenen krapper worden. Dan gaan ze over eten dromen. Dan begint het gejammer en klagen ze zelfs dat ze ooit, al is het tien jaar geleden, een extra portie hebben afgeslagen.'

Nog afgezien van het feit dat ik me dat van mannen als Tom Crean en Alfred Cheetham niet kan voorstellen, vind ik het merkwaardig dat Green het de hele tijd over 'ze' heeft. Waarom sluit hij zichzelf uit? En ik? Ik tel niet mee. Ook dat heeft Green met mam gemeen: 'Wacht maar tot je een keer alleen maar lucht uit je bord oplepelt,' zou ze hebben gezegd.

'De deftige heertjes,' piept Green boos. 'Nu besproeien ze zichzelf nog met eau de cologne en verstoppen ze hun chocola om niet te vet te worden.'

Zal wel iets in zitten, Green, jij gebochelde broodpad. Niet voor niets wordt gezegd dat op een schip elke gebeurtenis van belang zich in de kombuis aankondigt.

Daar ben ik 's morgens bezig om de zult uit de pan in de vuilnisbak te kieperen, wanneer Greenstreet opeens in de deuropening staat en me met de onnavolgbare zakelijkheid van het vleesgeworden boordreglement verzoekt om binnen twintig minuten aan dek te verschijnen, en wel gekamd, gewassen en zonder etensresten op de trui. Ik moet Shackleton naar Grytviken roeien.

'Sir? Ik, sir? Waarom dat?'

'Stel geen vragen, mister Blackboro, doe het gewoon. Het zal geen pijn doen.'

'Echt waar, sir?'

Onmogelijk dat je de eerste officier van de Endurance ook maar een zweem van een glimlach kunt ontlokken. Hij kijkt je strak aan, net zo lang tot je je blik op iets anders richt. Doe je dat niet, dan krijg je het gevoel dat je je eigen spookverschijning bent die het geraamte van een reeds gestorvene bewoont, en nog wederrechtelijk ook.

De ontbijttafel in het Ritz lijkt deze ochtend op een tafel op de vlooienmarkt. Wordie heeft stukken steen naast de grijsgroene flinters van mossen en korstmossen uitgespreid, die Clark met een loep onderzoekt terwijl hij genoeglijk aan een broodje met jam knabbelt. De grimmige Marston brengt zijn tekenblok in orde en maakt schetsen, en Hurley, niet voor niets 'de prins' genoemd en geurend naar eau de cologne, poetst ook vandaag weer een of twee of zelfs drie van zijn gedemonteerde camera's. Frank Hurley is in een uitstekend humeur. De Noren willen hem meenemen op vinvisjacht. Ik zet koffie neer voor de vier mannen.

Ineens komt er beweging in het gezelschap. Clark heeft iets ontdekt op een van Wordies donkergrijze stenen, die op niets anders lijken dan op steen.

'Waar heb je die vandaan?' vraagt hij onschuldig, alsof het om een stropdas gaat. Maar de opwinding valt hem duidelijk aan te zien. Mos of korstmos, dat waar Clark al dagenlang naar heeft gezocht in de zwarte rolstenen van Zuid-Georgië, zit op dit ene brokstuk dat in Wordies bezit is.

Hij gaat recht op zijn doel af. 'In deze steen,' zegt hij langzaam, 'vind je de hele geschiedenis van het zuidpoolgebied in een notendop. Zijn micro-organismen snijden er laagje voor laagje van af, net als bij een salami. Het duurt tienduizend jaar om er één plakje af te snijden. Hier kun je mooi zien hoe biologische en geologische tijdvakken elkaar overlappen. Fantastisch. Mag ik hem hebben?'

'Nee,' zegt Wordie zonder op te kijken. 'Je mag ernaar kijken.'

Clark legt de steen terug op tafel, Marston en Hurley lachen.

'Sla er met de hamer op, dan heeft iedereen een stuk,' zegt er een.

'Nee, nee, is al goed.'

Bob Clark is gekwetst. Hij zet zijn bril af. Blind en weerloos staat hij erbij, ademt op de glazen en poetst ze met zo veel overgave dat het lijkt alsof hij blij is dat hij ons even niet hoeft te zien. Dan zoekt hij voorzichtig zijn korstmossenboeltje bij elkaar.

'Waarschijnlijk vergis ik me zelfs,' zegt hij. 'Maar daarmee kan ik leven. Moet wetenschap altijd optimistisch zijn? Ik vind absoluut van niet. Welbegrepen onderzoek is gebaseerd op fouten.'

'Hoor hem,' hoont Marston. 'Eén stap verder en je valt voor je het weet in de afgrond van de kunst, Bobby. Dan ben je een van ons, de twijfelaars!'

'Hij moet niet zo overdrijven,' komt Wordie ertussen, die alle stenen in zijn kistje heeft opgeborgen, behalve die ene waarop Clark zijn oog heeft laten vallen. 'Hier, pak aan, Bob. Ik heb er nog meer van.'

'Twijfel is geen teken van kunst, George,' zegt Hurley kalm in Marstons richting. In een verbazingwekkend tempo heeft hij alle onderdelen die voor hem op tafel liggen weer samengevoegd. Er liggen drie complete camera's. 'Je moet alleen maar heel listig doen of je twijfelt, nietwaar? Net als de eskimo's: dat zijn kunstenaars van de omgekeerde overdrijving. Hoe meer zeehonden ze hebben gevangen en op hun slee hebben liggen, hoe meer ze – zo lijkt het – hun hoofd laten hangen.'

'Maar ik ben geen eskimo,' pruilt Marston.

Clark pakt de steen, knijpt even in Wordies schouder en zegt tegen Marston: 'Nee, maar je ziet er wel uit als een eskimo.'

Het ragfijne kruim van Clarks korstmossen ligt op het tafelblad als groen zand wanneer ik het vaatwerk afruim. Een devies van mijn vader luidt: doe er altijd twintig procent af. 'Veertig,' pleegt mam daarop te zeggen, 'veertig is beter.'

Het is tijd om me te wassen en om te kleden.

3

Het uitstapje

Wanneer ik het dek op spring, staat de zon boven de Cumberlandbaai. Het ijs van de gletsjer, die er al dagen zwijgend bij ligt, fonkelt en in de verte schittert het zelfs als onder een sluier van hitte. Het water is een zee van zilveren golfjes waarin stukken ijs met piepkleine bobbeltjes klotsen.

Het is zo stil dat ik het bloed door mijn hoofd hoor ruisen en net als onder het duiken het gevoel heb dat ik een andere wereld binnenglijd. Maar wat is dat voor wereld? Ik stamp een paar keer op de planken om het gevoel kwijt te raken dat ik er helemaal niet in voorkom. Veel meer dan Clarks micro-organisme komt deze stilte op me over als een samenvatting van de geschiedenis van het zuidpoolgebied, een geschiedenis waarin de ene eeuw eenzaamheid op de andere is gevolgd. Boven de hellingen van de Duce Fell cirkelt een albatros, veel te ver weg om hem te horen roepen. En rond de masttoppen van de drijvende walvisverwerkende fabriek die aan Jacobsens steiger heeft aangemeerd, jaagt een meute sterns al even vervaarlijk en geruisloos als de vleermuizen bij nacht door de lindelaan langs de Usk. Op de valreep staat Frank Hurley met de cameraspin op zijn rug en maant me met handgebaren tot spoed.

'Een beetje tempo, mijnheer de chef-steward!'

Beneden in het water liggen twee boten. In de ene zitten de Vikingen krulletjes in hun baard te draaien, in de andere wacht Shackleton. Ik maak dat ik de knoopladder af kom. Nauwelijks heb ik op de roeibank voor hem plaatsgenomen of hij steekt zonder iets te zeggen zijn vinger in de lucht en laat hem in de richting van Grytviken vallen.

'Naar het zuiden, ho!'

Ik roei. Roeien is niet echt iets voor mij. Er zijn roeiers die jou kapotroeien en er zijn roeiers die zichzelf kapotroeien. Daar ben ik er een van. Als ik roei, wint altijd het water.

Even verderop roeien de Noren Hurley naar de steiger. Er zitten slechts twee man voor de prins aan de riemen te trekken, maar ze zijn ruim twee keer zo snel als ik met mijn jol.

Tussen hen en onze boot komt het flensplatform in zicht. Een handvol speksnijders met tot op de enkels reikende leren voorschoten snijdt twee exemplaren van een kleine walvissoort in stukken en groet wanneer we hen passeren.

'Niet kijken,' zegt Shackleton kalm.

Maar zijn waarschuwing komt te laat. Er bestaan geen narwals van maar anderhalve meter die ook nog eens wit als sneeuw zijn. Wat de mannen op het platform uitsplitsen zijn volgroeide foetussen, twee narwalbaby's, en hoewel ik mijn ogen snel afwend en Shackleton aankijk, die me bezorgd opneemt, voel ik me opeens wee in mijn maag.

'Gaat het weer?'

'Het gaat, sir.'

'Kijk, Merce. De Sir James Clark Ross legt een bezoek af aan het oude Grytviken. Wat de mannen hier in een maand verwerken, doe je met het schip in een dag. Maar dat is de vooruitgang... Anders was het immers geen vooruitgang.'

Shackleton monstert het wanstaltige fabrieksschip van boeg tot achtersteven; hij lijkt op een jongen die voor het eerst met verbazing het reilen en zeilen in een grote haven gadeslaat.

'Merkwaardig dat we de nieuwe monsters altijd de namen van onze pioniers geven. Als Ross zou weten dat zo'n schuit naar hem is vernoemd... Zegt jullie de naam Ross iets?'

Ik ken sir James Clark Ross niet, maar spreek mijn vermoeden uit dat het dezelfde Ross zou kunnen zijn naar wie de Rosszee en het Ross-ijsplateau zijn genoemd.

'Bravo,' zegt Shackleton, 'een domkop ben je zeker niet. Je kunt me vast ook vertellen hoe de twee hoogste bergen aan de Rosszee heten.'

'Dan moet ik passen, sir.'

'Mount Erebus en Mount Terror. En waarom heten ze zo?'

'Vermoedelijk omdat iemand ze zo gedoopt heeft. Ross zelf misschien, sir?'

'Bliksems, Merce, dat is goed! Erebus en Terror, dat waren Ross' schepen.' Hij fronst het voorhoofd: 'Wat is dat?'

We varen onder de achtersteven door. Daarin is een enorme stalen plaat aangebracht die een kier vrijlaat. Af en toe verschijnt het hoofd van een matroos in de opening. Afval vliegt naar buiten en kletst vlak naast onze boot in het weerzinwekkende water van de baai.

'Hé!' schreeuwt Shackleton door de roeper. 'Wacht maar tot ik naar boven kom! Ik snij je beide oren af!'

Terwijl ik met de tong tussen mijn tanden pogingen doe om de jol zonder te botsen naar de steiger te manoeuvreren, laat de sir zijn misnoegen de vrije loop. Wat hij in aanwezigheid van Jacobsen of diens harpoenier Larsen niet zou doen, doet hij wel waar ik bij ben: hij scheldt op de walvisjagers, die zich in zijn ogen niet meer zo mogen noemen zodra ze op een schip als de Ross aanmonsteren. De robbenjagers, zegt hij, zijn tenminste nog zo eerlijk om zich de benaming robbenslachters te laten welgevallen sinds ze de dieren met honderdduizenden tegelijk zijn gaan afslachten.

Ik krijg de boot bij de tweede poging langszij en spring op het plankier.

'Welke beroepsbenaming stelt u voor, sir?'

'Walvisfabrieksslagers,' zegt hij, zo serieus dat ik de ironie van mijn kortademige vraag onmiddellijk betreur.

We lopen naar de hogergelegen huizen. De hemel boven de flensplaats ziet zwart van de vogels. Zuidpooljagers, stormvogels en Kaapse duiven maken elkaar de buitgemaakte hompen vlees afhandig en cirkelen boven het platform waarop zojuist het kadaver wordt getrokken van een bultrug die al van zijn staartvin is ontdaan.

'Witkinstormvogels,' zegt Shackleton onder het lopen. 'Die zie je hier niet vaak.' En wanneer ik niet reageer: 'Die hebben echt een witte kin, neem dat van me aan.'

Achter de Sir James Clark Ross duikt het vangschip op waarop Hurley vaart. Je ziet hem naast de meesterharpoenier Larsen aan dek staan. Het schip heet Star X. Zijn hoorn klinkt voordat je het gegrom van de machines hoort en de schroeven het water in beweging brengen. De witkinstormvogels schelden en laten de baai aan het uitvarende schip.

Rond de tafel in de bibliotheek waarop kapitein Jacobsen een kaart van het continent heeft uitgespreid, staan Tom Crean, Alfred Cheetham, Frank Wild en Shackleton. Stina Jacobsen heeft koekjes gebakken, die ze serveert bij thee en madera-rum. Als ze de kamer verlaat, wijst ze me een stoel aan tussen de boekenkasten. Ze geeft me een knipoog. Het betekent dat zij de enige is die me moet kunnen zien. Voor de anderen is het beter dat ik onzichtbaar ben.

Het gesprek boven de kaart draait om twee dingen. Jacobsen maakt er geen geheim van dat hij staat te trappelen om door Shackleton te worden ingewijd in diens plannen voor de oversteek van het continent. Shackleton heeft zich van zijn kant voorgenomen alles uit de leider van Grytviken te peuren wat hij over de ijsomstandigheden in de Weddellzee weet. En de sir is slim genoeg om de voorzet te geven.

'We pakken het aan met twee schepen, met twee bemanningen,' zegt hij. 'Wanneer u zo vriendelijk wilt zijn om onze Endurance een veilige plaats te bieden en van nieuwe proviand te voorzien, is de Aurora...'

'De Aurora?' onderbreekt Jacobsen hem. 'Mawsons Aurora?'

Shackleton: 'Ik heb de Aurora van sir Douglas gekocht. Maar zoals gezegd: terwijl mijn bemanning met de Endurance naar de, zo God het wil, open Weddellzee zal opstomen, heeft McIntosh met de Aurora intussen...'

'Aeneas McIntosh?'

'Die, ja. McIntosh heeft zijn mannen inmiddels misschien al aan de andere kant van het continent afgezet. Om preciezer te zijn,' en hij buigt zich over de kaart, 'hier, vlak bij Scotts hut in het noorden van Rosseiland.'

'Als ik u dus goed begrijp,' zegt Jacobsen, 'vindt de oversteek niet, zoals overal werd verteld, door één sledegroep plaats, maar zijn er twee teams die, vanuit het noorden en zuiden komend, elkaar in het midden ontmoeten. Waar zal dat precies zijn?'

Shackleton zegt toonloos: 'Nergens. De beide groepen ontmoeten elkaar niet. Mijn plan voorziet erin dat mijn mannen en ik het gehele traject over het ijs afleggen, van Weddellzee tot Rosszee. De Rosszeegroep heeft als enige taak om depots aan te leggen, en wel in noordelijke richting tot de Beardmoregletsjer. Deze depots zullen mijn groep in leven houden zodra onze proviand op is.'

Jacobsen kijkt een tijdje zwijgend naar de kaart en zegt dan: 'Gewaagd. Gewaagd en van een elegantie die bij Shackleton past. Proficiat.'

'Dank u. Ik stel uw waardering op prijs, kapitein.'

Hoeveel mannen er voor de oversteek nodig zijn, wil Fridtjof Jacobsen weten; in plaats van 'oversteek' zegt hij 'transversaal'.

'Zes,' antwoordt Shackleton. 'Zes sleden met telkens negen honden voor de zes geschikte mannen.'

Ik voel een schok in mijn lichaam, een barst in mijn gedachten. Ik ben er de hele tijd van uitgegaan dat we allemaal de... de transversaal zouden wagen. Wat ontzettend stom om dat te denken! Natuurlijk zal het maar een handvol mannen zijn, en alleen de 'geschikten' uiteraard...

Maar wie? Welke vijf behalve Shackleton?

Frank Wild mengt zich in het gesprek: 'Hoe geweldig het plan van de sir ook is, wil het slagen, dan moeten we er zeker van zijn dat we zo ver mogelijk naar het zuiden de Weddellzee in steken. Zou u zo vriendelijk willen zijn, kapitein, om ons uw mening over de ijsomstandigheden te geven? Ons doel is de Vahselbaai.'

'Ha!' roept Jacobsen uit, hij lacht en keert zich van de tafel af. Het is een ijdele vent, waarschijnlijk draagt hij de enige gesoigneerde krulsnor in de hele Zuidelijke IJszee. Kapitein Jacobsen heeft de oogjes van een mannetjesgans: klein, donker en waakzaam. Daarmee ziet hij hoe ik op mijn door boeken omgeven stoel zit en zegt: 'Vaar je ook mee, jongeman? Daar zou ik nog maar eens goed over nadenken!'

Ik ontbloot mijn tanden en hij draait zich bruusk om.

'De Vahselbaai, mijnheer Wild, mijnheer Crean, mijnheer Cheetham, sir Ernest! U vertelt dat u – in de koudste zomer die de Zuidpool heeft gekend sinds er hierbeneden mensen wonen – tot de zevenenzeventigste breedtegraad wil varen, en dat met een houten schip! Met alle respect, maar ik raad het u af. Het heeft zijn redenen waarom zowel Amundsen als Scott en waarom ook u, Ernest Shackleton, vanuit de Rosszee richting pool zijn opgetrokken. Het ijsplateau van de Rosszee is een gebied van een onaardse troosteloosheid, zoals u allemaal weet, een plek voor duistere gevoelens, opgeroepen door het verlies van de horizon boven een eindeloze ijsvlakte. Maar u weet ook dat de Rosszee betrekkelijk voorspelbaar is zolang je je in zijn verwarrende leegheid handhaaft. Maar dan de Weddellzee,' – Jacobsen stort zich zowat op de kaart, zodat Crean en Cheetham achteruitdeinzen – 'daar ligt het ijs niet stil, begrijpt u? Daar is het voortdurend in beweging, in zichzelf en op het water. Onvoorstelbaar grote ijsvlakten, afgewisseld met duizenden ijsbergen die niet zelden kilometers lang zijn; ze smelten af, vriezen dicht, scheuren en vriezen weer dicht. Ik heb in de Weddellzee een rug van gekruid ijs gezien, mijne heren, een rug die eruitzag als de Chinese Muur. Pakijs, drijfijs en de ijsbergen, alles drijft met de wijzers van de klok mee en met de snelheid van een stoomschip in volle vaart zuidwaarts. Ongeveer ter hoogte van de Vahselbaai, mijnheer Wild,' – hij lacht – 'wordt het ijs dan samengeperst en keurig netjes opgevouwen. Schotsen steken honderden meters de lucht in, maar helaas ook in zee, en daar zie je ze niet. En dan schuift de hele schervenbrij weer naar het noorden en ontwikkelt daarbij een nog grotere kracht. Natuurlijk, u hebt gelijk, sir Ernest, het is mogelijk om de Weddellzee te doorkruisen. Weddell heeft laten zien dat het kan. Maar we weten nu hoeveel geluk hij had. Hij moet destijds een door pakijs omgeven open watervlakte hebben aangetroffen die honderdduizend vierkante kilometer groot was. De reden was misschien een ongewoon warme zomer. Het tegendeel zie je dit jaar. Vraag het mijn mannen als u me niet gelooft, mijnheer Cheetham, ik zie toch dat u er anders over denkt, vraag het en die simpele walvisjagers zullen het beamen: de

Weddellzee is dichtgevroren.' Jacobsen kruist zijn handen achter zijn rug. 'Hoe mooi en hoe vermetel uw plan ook is, sir, en al hebt u ook de beste mannen om u heen verzameld, zodat ik mij gelukkig mag prijzen dat ik u hier allemaal samen te gast heb… ik vrees dat u een te groot risico neemt. Daarom raad ik het u af. Het zou onbezonnen zijn om iets anders te doen.'

Shackleton staat op van tafel en loopt mijn kant uit. Wanneer hij zo dicht voor me staat dat ik de in zijn bretels gestanste gaten kan tellen, verandert hij van richting en begint de boekenwand te inspecteren. Hij heeft weer de sombere gelaatsuitdrukking die hij in de boot ook had. Af en toe laat hij een vinger over de ruggen van de boeken glijden, tot hij opeens en zonder Crean aan te kijken vraagt: 'Tom, wat denk jij ervan?'

Crean strijkt met zijn vlakke hand over zijn achterhoofd. De ongeduldige Jacobsen moet haast wel de indruk hebben dat de drager van de onderscheiding voor bewezen moed, deze zwijgende reus tot wiens borst hij amper reikt, aarzelt. Maar de paar woorden die Crean met zijn brommende bas voortbrengt, verraden allesbehalve twijfel. Ze zijn ondubbelzinnig.

'We willen de Zuidpool oversteken. Dat betekent dat we op elk moment op de grootst mogelijke tegenstand zijn bedacht.'

Een open Weddellzee was een fortuinlijk begin geweest, ja. Maar om je met succes door het pakijs te werken is nog beter.

Shackleton lijkt geen aandacht te schenken aan Creans woorden, want wanneer hij voor de derde of vierde keer langs me loopt, fluistert hij tegen me: 'Schitterend, die boeken, vind je niet?'

Ik knik.

En Shackleton glimlacht tegen me. Hij lijkt een ander mens.

Langzaam draait hij zich om en zegt zachtjes: 'Dank je, Tom. Misschien, beste kapitein Jacobsen, moet ik uw advies niet zomaar in de wind slaan. Wat vindt u ervan als we samen Thoralf Sørlle in Stromness bezoeken en hem om zijn mening vragen?'

Jacobsen heft zijn handen, maar zegt niets. Wat zou Sørlle beter moeten weten dan hij?

'Ik geef u graag een schip mee,' zegt hij ten slotte, wat zoveel wil zeggen als: ik zal alles doen wat in mijn vermogen ligt, maar zal helaas niet mee kunnen naar Stromness. De gebieder over Grytviken is beledigd. Niet alleen zijn mondhoeken in de schaduw van de punten van zijn krulsnor verraden het.

De sfeer aan tafel op de vroege avond wordt ijzig. Dit keer mag ik ook aanzitten, Stina's kreeftensoep naar binnen lepelen en in haar decolleté kijken wanneer ze Cheetham, die naast me zit, voor de tweede keer knollen van de Falklandeilanden of haar Adéliepinguïnvlees opschept. Het is de moeite waard geweest dat ik ben meegegaan.

Alleen al omdat ik in de realiteit ben teruggekeerd. Want zoveel is zeker: ik hoef straks niet drieduizend kilometer lang op een slee te zitten die door negen mormels die half krankzinnig zijn van de honger wordt voortgesleurd door een bergachtige woestijn van sneeuw en ijs. Aangezien haar echtgenoot er de voorkeur aan geeft om te zwijgen, vraagt Stina het gezelschap wat de opdracht van de overige tweeëntwintig mannen zal zijn op het moment dat hun zes kameraden het continent oversteken.

'Als het er al van komt,' kan Jacobsen niet nalaten te zeggen.

Wild wacht tot de sir heeft geknikt en beantwoordt haar vraag. Aan het andere eind van de tafel hoor ik dat de anderen, wij, het eerste Weddellzeestation moeten opzetten. Een basis die volgens Wild nog tientallen jaren lang het ontmoetingspunt voor expedities zal zijn: het grote station in het noorden van het continent.

Stina wil graag weten of er al een naam is voor de geplande basis. Shackleton schudt zijn hoofd.

'Stina's hut,' zegt uitgerekend Crean en hij wordt rood. Maar zelfs Jacobsen grijnst even. En ondertussen zie ik de hut voor me. Maar voor mij is het nu al: de Blackborohut in Ennid Muldoonland.

'Nog een beetje pinguïn, mijnheer Cheetham?'

Wie zullen de zes zijn? De sir, Crean en Cheetham – drie sleden bezet. En de andere drie? Wild? Neemt Shackleton zijn plaatsvervanger mee? Of de schipper? Hurley…! Met de opbrengst van zijn foto's moet hij zijn kredietschulden betalen. En een arts voor de mannen en honden zal hij er ook bij willen hebben... Dan zal Bakewell het nog verdraaid moeilijk krijgen om zijn zo gewenste plek op een van de zes helse sleden te veroveren.

Stina's pinguïn is heerlijk, dat vindt Cheetham ook. Hij kan desondanks niet lachen om Wilds grap dat je bij een bezoek aan een broedplaats van pinguïns het gevoel krijgt dat je tijdens een voetbalwedstrijd het veld op loopt. Cheetham ademt zwaar. Maar hij vindt geen uitlaatklep. Hij kookt inwendig vanaf het moment dat kapitein Jacobsen tussen twee happen door heeft beweerd dat Scott alleen door gebreken in zijn karakter de wedloop naar de pool heeft verloren.

'Ik heb gehoord,' vervolgt Jacobsen, 'dat het inmiddels bewezen wordt geacht dat kapitein Scott de zwakste van zijn drie begeleiders er tijdens een sneeuwstorm toe heeft gebracht – door hem maar aan te blijven kijken – de tent uit te gaan en in de storm de dood te zoeken.'

Niemand spreekt hem tegen. En Fridtjof Jacobsen lijkt niet van plan zich iets van het pijnlijke zwijgen aan te trekken.

'Mag ik wat vragen, sir?' zeg ik tegen Shackleton. Hij knikt kort. Je ziet aan hem hoe hard Jacobsens uit de lucht gegrepen bewering hem heeft geraakt, en tamelijk verbluft registreer ik dat een onverholen hatelijke opmerking hem hulpeloos lijkt te maken.

'Neem me niet kwalijk, kapitein Jacobsen,' zeg ik, 'maar is het niet zo dat niemand kan weten wat Titus Oates ertoe heeft bewogen om de tent te verlaten? Iedereen die erbij was is een maand later zelf doodgevroren: Wilson, Bowers en, dat neemt men aan, als laatste kapitein Scott.'

Uit Jacobsens oogjes kijkt de mannetjesgans. Ditmaal is hij boos. Als hij zichzelf niet belachelijk zou maken, zou kapitein Jacobsen tegen me uitvaren. Maar hij beheerst zich en ten slotte eet hij zelfs in alle kalmte verder.

Ik voel een warme hand op mijn rug. Het is de hand van Cheetham, die zegt: 'Wie Scott kende, weet dat het welzijn van zijn mannen hem boven alles ging. Laten we het er niet meer over hebben.'

Ik kijk naar Crean. Hij was een van de laatsten die Scott en zijn begeleiders levend zag. Nog altijd, zo wordt gefluisterd, heeft Tom Crean zich er niet bij kunnen neerleggen dat Scott hem destijds niet meenam op de laatste etappe naar de pool. Crean geeft geen sjoege. Dat mijn tegenwerping ook een poging was om contact met hem te krijgen, schijnt hij niet te hebben gemerkt. Hij blijft gewoon over zijn bord schrapen.

'Precies. In Stina's hut is het tijd voor een ander thema.' Mevrouw Jacobsen staat op van tafel. 'Eerst het thema, dan het toetje…! Wie van u wil er iets na? Ik heb aardbeienijs.'

We lepelen het roze ijs uit kommetjes met stukgestoten randen en luisteren naar Stina. Ze heeft een gebreid vest omgedaan en vertelt over de gebeurtenis waar ze met smart naar uitkijkt: de komst van de pakketboot; hij wordt komende week verwacht.

Dan wordt er geklopt en in de deuropening verschijnt de verschrikt kijkende Holness, die zijn ijsmuts van zijn hoofd trekt en er onmiddellijk mee in zijn handen begint te draaien.

'Sir, de honden.' Op Shackletons commando komt Holie dichterbij. 'Er zijn weer honden uitgebroken.'

Uit Creans mond klinkt gegrom, hij staat op en veegt met de rug van zijn hand zijn mond af.

'En?'

'Dit keer is het echt erg. Songster en drie andere honden waren niet te houden.'

Iedereen is opgestaan. Het samenzijn is ten einde. De honden hebben volgens Holness niet alleen hun tanden nog eens in twee varkens gezet, ze zijn in het donker ook op het kerkhof van de walvisjagers tekeergegaan. Het duurt even voordat Holie het woord eruit krijgt: 'Gebeente,' zegt hij ten slotte en hij slaat zijn ogen neer.

4

Een jonge held

Hurleys vangschip is nog niet teruggekeerd, maar in de verte hoor je de misthoorn al. Op de aanlegsteiger nemen Wild, Crean en Cheetham afscheid en verdwijnen met Holness in de duisternis. Even later komt het bericht dat de honden zijn gevangen. Shackleton geeft bevel om de schade aan de graven onmiddellijk te herstellen.

'De Imperial Trans-Antarctic Expedition laat haar sporen na,' zegt Jacobsen vinnig maar niet onvriendelijk, en met een glimlach toont Shackleton zich eveneens bereid om de strijdbijl te begraven. Hij staat er echter op om ook deze twee varkens te vergoeden, zoals Jacobsen erop staat ze gezien de omstandigheden onmiddellijk aan ons mee te geven. Net nadat het is beginnen te sneeuwen duiken er uit de witte duisternis vier mannen op die de twee kadavers brengen en ze direct in onze jol laten zakken.

Shackleton spreekt zijn dank uit. Hij kust Stina Jacobsens hand. Ik ben inmiddels weer onzichtbaar geworden.

'Sir Ernest,' roept Jacobsen vanaf de steiger wanneer we al in de boot zitten, 'weet u wat Amundsen zei – of zou hebben gezegd – toen hij hoorde van Scotts dood? Hij zei: "Daarmee heeft hij gewonnen!"'

'We zullen tot 5 december wachten!' roept Shackleton naar boven. 'Als de pakketboot voor die tijd niet is gearriveerd, varen we uit.'

'U moet de pakketboot beslist afwachten. Dominee Gunvald

zal aan boord zijn, en zonder zijn zegen laat ik u niet gaan!'

'Welterusten, kapitein Jacobsen.'

'Welterusten, sir Ernest.'

Ik leg de riemen in het water. We hebben nog ruim een week te gaan tot 5 december, kort dag als je een troep honden in het gareel wilt brengen, tonnen kolen wilt bunkeren en Amundsens zwager bezoeken.

Ik geef een haal aan de riemen. In je eentje roeien in de duisternis, met een nationale held en twee dode varkens aan boord... Niet echt iets voor mij.

We varen door de stille zwarte baai af op de lichtjes van het schip en laten het flensplatform en zijn stank gelukkig snel achter ons. Ik kan Shackletons gezicht niet zien, maar zijn stem klinkt vermoeid wanneer hij zegt dat hem iets is ingevallen toen ik de overleden Scott tegenover Jacobsen in bescherming nam.

'Dat was moedig van je, Merce. Daar was ik heel blij mee.'

En blij was hij ook met Jacobsens bibliotheek. Zou ik geen zin hebben om, terwijl hij in Stromness is, de boeken in zijn kajuit te ordenen?

'Het is er allemaal, niet alleen de complete encyclopedie. Bij mij ligt de hele geschiedenis van de ontdekking van het zuidpoolgebied op de vloer, van de oudheid tot aan vandaag. Maar je hebt er niet veel aan, want je moet eerst uren zoeken voor je iets vindt. Neem Ross. Jij weet niet wie James Clark Ross was. Hij heeft een schitterend boek geschreven: *A Voyage of Discovery and Research to Southern and Antarctic Regions* – in welke jaren precies, dat zou ik moeten nakijken. Maar dat kan ik niet, omdat het zoek is.'

Wordies voorspelling schiet me te binnen: er komt een moment dat hij heel precies weet wat hij met je van plan is.

'Ik help u graag, sir.'

'Mooi. Jij bent de aangewezen persoon. Voorwaarde is natuurlijk wel dat mister Green je af en toe kan missen. Je hebt je met Scott beziggehouden?'

'Mijn broer, sir. Hij heeft Scotts dagboeken vorig jaar cadeau gekregen en mij er veel uit voorgelezen.'

We komen op gehoorsafstand. Vanaf het dek van de Endurance vraagt de wacht ons om het wachtwoord.

'Roep maar,' zegt Shackleton op dezelfde vermoeide toon als daarvoor.

'Koningin-moeder Alexandra!' roep ik. 'Sir Ernest met Blackboro terug van Grytviken!'

'Kan passeren!' komt het terug. En je hoort Greenstreets pijp.

'Ik heb hem niet erg goed gekend…' zegt Shackleton terwijl we langzaam langs de scheepsromp glijden, 'Titus Oates bedoel ik, of Lawrence, zoals hij echt heet. Ritmeester Oates was van goede komaf, kreeg hoge onderscheidingen in de Boerenoorlog, een jonge held die zich zijn vrolijke optimisme niet liet afpakken. Scott schrijft heel ontroerend over hem. Je broer, zeg je? Ook een avonturier?'

'Nee, sir. Ingenieur.'

'In de oorlog, neem ik aan.'

'Royal Air Force, sir.'

De valreep komt kletterend naar beneden, we leggen aan. Shackleton doet er verder het zwijgen toe, hij wenst me welterusten en klimt naar boven.

Uit de in de davits getakelde sloep slepen Hownow, Uzbird en ik de beide varkens aan dek alvorens ik Green op de hoogte breng. In de kombuis staat het voor morgen bereide eten, gebraden varkensvlees. Een schaal yorkshirepudding staat af te koelen op het fornuis, er ligt een bakblik met pasteitjes, en in de oven wachten de gebruikelijke zes broden op het klingelen van de gistbel. Van de meesterkok geen spoor, ook niet in de galley, waar afgedekt een taart en een schaal met Greens speciale gebak staan. Soms, wanneer Green zich na gedane arbeid verveelt, duikt hij gewapend met schaar en kam op in het Ritz en speurt naar mannen die zich aan een knipbeurt willen onderwerpen.

En daar staat hij ook werkelijk, schrapend over het zwarte mos op Bobby Clarks kruin.

'Ik heb een nieuwe lichting varkens bij me,' zeg ik vrolijk en ik steek mijn bloederige handen omhoog, en dezelfde meute die bij het ontbijt op een kluitje zat, staart me wezenloos aan.

Alleen Hurley ontbreekt. Hij is nog niet terug.

Op deze avond is er blijkbaar nog niet genoeg bloed gevloeid. Een stekeltjescoupe later ben ik een paar keer op de stoel ingedommeld en uit dromen over aardbeien en mevrouw Jacobsens borsten wakker geschrokken, telkens wanneer Greens schaar me beet had. Ik voel hoe kort de stoppels zijn omdat er een koele tocht over mijn schedel strijkt en ik de berg wol voor me op tafel zie liggen.

Gestommel aan dek en op de trap, en daar vliegt de klapdeur open: een man, van top tot teen onder het bloed, stuitert het Ritz binnen. Hij heeft niet Hurleys lokken, ruikt niet verfijnd, heeft geen camera bij zich, en toch is het Hurley.

De mannen die zitten springen op.

'Frank! Godallemachtig!'

De prins laat zich op een stoel vallen. Hij ruikt werkelijk niet aangenaam. We houden afstand. Gewond lijkt hij niet te zijn. In plaats van iets te zeggen houdt hij een rond ding omhoog dat aan een koord om zijn nek hangt. Het is zo groot als een schoteltje en is van leer.

'Wat is dat?' vragen niet wij, maar vraagt Hurley aan ons.

Niemand die het weet.

'Dat is de Jonasorde, stelletje idioten,' zegt hij. 'Die hebben ze aan mij toegekend.'

Wie? En waarvoor?

Frank Hurley vertelt het ons terwijl Green hem opkalefatert en – hij is nu toch bezig – de lokken van de prins bijknipt.

5

De Jonasorde

Terwijl de harpoenboot waarmee de Noren hem hadden opgepikt koers zette naar het schip, viel Hurley de ongewone vorm van de Sir James Clark Ross op, met een achtersteven die was voorzien van een enorme deur die kon worden open- en dichtgeklapt. Toen de mannen de boot eronderdoor roeiden, deed de op een kier staande stalen klep hem denken aan het voorportaal van de hel. Uit de spuigaten van het drijvende slachthuis stroomde bloed in het met olie en vet vervuilde water. Hurley moest er zo van walgen dat het niet eens in hem opkwam om een foto te maken.

Contact met het schip was echter onvermijdelijk, want de Noren legden langszij aan en Hurley moest zijn uitrusting over het met repen spek en stukken vlees bezaaide flensdek dragen. Ingeklemd tussen de Ross en de aanlegplaats lag aan bakboord vastgemaakt het kleine vangschip Star X; Hurley klauterde omlaag en aan de reling werd hij verwelkomd door de meesterharpoenier van de vloot, de bootsmansmaat Ars Larsen.

Zijn camera's en hijzelf waren nauwelijks aan boord of de langbaarden die hem ernaartoe hadden geroeid maakten de lijnen los, de machine sprong aan en de Star X zocht zich een weg door de walvislijven die als half opgeblazen ballonnen in het water dreven. Met ruim twaalf knopen gingen ze op weg.

Van zijn tocht met Mawson kende Hurley Carl Larsen, de beroemde vader van de scheepsmaat, die de walvisstations op Zuid-Georgië had laten bouwen en kapitein op Otto

Nordenskjölds expeditieschip de Antarctic was geweest. Zodoende hadden ze iets om over te praten toen Larsens zoon hem de Star X liet zien en hem over het schietplatform boven de boeg leidde, waar hij hem de werking van het harpoenkanon uitlegde.

Hurley zou haar al snel leren kennen. Het schip had Barff Point en de Nansen Banks achter zich gelaten en manoeuvreerde met onverminderde snelheid door de eerste drijfijsvelden. Die leken op reusachtige witte tegels die waren afgebrokkeld. En uit het kraaiennest kwam de kreet: 'Walvis, blaast, dáár – walvis bakboord vooruit!'

Ze wendden de steven en de jacht leek te beginnen. Een fontein van water, met het blote oog nauwelijks waarneembaar, bruiste op aan de horizon. Bij de aanblik ervan kwamen de mannen van het ene op het andere moment in beweging. Ze joelden en lachten, en sommigen zongen steeds opnieuw dezelfde huiveringwekkend mooie melodie.

Larsen daarentegen bleef de rust zelve. 'Een potvis,' zei hij. 'Daar kunnen we niks mee. Maar we zullen er dichter naartoe gaan, dan hebben de mannen hun verzetje en kunt u foto's maken.'

Sinds kort werd er niet meer op potvissen gejaagd omdat hun traan niet met die van andere soorten kon worden gemengd. De Star X richtte haar vizier uitsluitend op de gewone en de blauwe vinvis.

Al snel waren in de kalme zee de contouren van de walvis te herkennen. In het blauwe water bewoog hij zich langzaam en op zijn dooie akkertje voort, alsof hij sliep. Het enige teken van leven was de staartvin die zich vlak onder het wateroppervlak om de paar minuten verhief en weer zakte en het tempo van het dier bepaalde. Zonder zich te hoeven haasten schoot Hurley zijn serie foto's. Met het hem toegekeerde oog leek de walvis Hurley te observeren. Hij was bijna even lang als het schip. Een derde van het lichaam werd ingenomen door de hoekige kop, waarop de gevechten met inktvissen of orka's diepe, glanzende littekens hadden achtergelaten.

Een paar keer lukte het de roerganger om de ongetwijfeld al

bejaarde reus een tik met de steven te geven. Waarop de walvis, zo leek het, eerder vermoeid dan geschrokken in de diepte verdween. De staartvin rees op uit de golven, en van de beide matzwarte halvemaanvormige vinnen kletterde het water in twee dichte gordijnen neer. Bij elke klap van de boeg juichten de mannen op het schietplatform.

De school blauwe vinvissen dook op toen ze aan het begin van de avond, ongeveer ter hoogte van Hound Bay, alweer op de terugweg waren. Aan de noordelijke horizon, minder dan acht kilometer van ons vandaan, steeg een groot aantal hoge zilveren zuilen van stoom op uit het water: 'Blauwe vinvissen aan het foerageren,' zei Larsen. 'We hebben geluk.' Toen het schip de walvissen tot op drie kilometer was genaderd, hoorde Hurley de dieren blazen. Het klonk als het sissen van een hele batterij stoomkleppen.

In de verre omtrek lichtte de zee roze op van de zwermen krill, het maal voor een school van meer dan tien in grootte variërende walvissen. De dieren zwommen apart of in formatie, schepten met wijd opengesperde muil en met van de bovenkaak afhangende baard de kreeftensoep op en persten het gefilterde water snuivend terug in zee. Net voordat de Star X op schootsafstand was, roken de walvissen het gevaar en doken ze onder.

Een spoor van draaikolken met een zweem van olie verried hun route aan de walvisjagers. Ars Larsen betrad het schietplatform en volgde de zich snel verwijderende turbulentielijn. Tot voor de boeg een zuil van stoom de lucht in spoot, gevolgd door de snel groter wordende, donkere massa van de walvis. Larsen richtte het kanon en liet een daverend schot volgen. Door rook en damp suisde de harpoenlijn in een werveling van met bloed doordrenkt schuim, waaruit even later de doffe klap was te horen waarmee binnen in het getroffen dier de springstof ontplofte. 'Hoera!' riepen de mannen en Hurley riep mee. Minutenlang was hij in een soort roes en vergat hij het fotograferen compleet.

De walvis begon het schip mee te trekken. Hij sleepte de Star X zuidwaarts, in de richting waarin de school waartoe hij behoorde was verdwenen. Nog altijd voer hij ruim acht knopen. Larsen vuurde een tweede springlading in het dier. De mannen schatten zijn lengte op zesentwintig meter. De walvis begon langzamer te zwemmen en een uur later kwam hij aan de oppervlakte en stiet een nevel van bloed uit zijn blaasgat. Hij bewoog niet meer. Vlak voordat hij naar de diepte zonk, sloot hij zijn oog. Hurley, die ieder stadium van de doodsstrijd met zijn camera vastlegde, moest denken aan de gevelde reus waarover in het sprookje werd gezegd dat hij met zijn oogleden kokosnoten zou hebben kunnen kraken.

Met een holle harpoen werd lucht door het walvisspek in de lichaamsholte gepompt. Het kadaver zwol op en kwam weer aan de oppervlakte. De Noren legden hem tegen de scheepsromp, en twee jongere langbaarden trokken spijkerlaarzen aan, klommen op de walvis en hakten zijn waardeloze staartvin af.

Het was donker en het sneeuwde toen ze door de Cumberlandbaai tuften en bij het flensplatform aanmeerden. De walvis werd weer helemaal in het water gelaten en vastgebonden. Ze voeren naar de steiger.

Hij haalde zijn uitrusting van boord, nam afscheid van Larsen en zijn bemanning en liep naar het brandspuithuisje. De meeste van onze mannen sliepen al, en toen Frank Wild hem vertelde dat er opnieuw honden waren uitgebroken en wat ze hadden aangericht, besloot Hurley om Crean en de anderen maar niet te storen en direct naar de Endurance te roeien. Hij liet de camera's achter in het brandspuithuisje en begaf zich met een stormlamp op weg.

Om zijn hoofd leeg te maken liep hij langs het water. Toen hij bij de flensplaats kwam, bood die een afschuwelijke aanblik. Overal lagen hoge stapels in stukken gezaagde en kleingesneden delen van walvissen en zeehonden. Vinnen, kaken, tongen en bolle ogen glansden van het bevroren bloed, en door de paadjes die tussen dood vlees en karkassen door liepen, floot de wind en viel een dichte, striemende sneeuw.

Het nog niet versneden lijf van een bultrug besloeg de gehele stenen helling en versperde hem de weg. In het zwakke schijnsel van de lantaarn probeerde hij om de kop heen te lopen, maar omdat die voor de helft in het water lag, maakte Hurley rechtsomkeert en probeerde het opnieuw bij de staart. Die stak diep in een berg afval waar je met geen mogelijkheid overheen kon.

Met een speksnijdersladder wilde hij over de walvis heen klimmen en hij kwam ook ongedeerd boven. Maar toen hij de ladder naar zich toe trok, gleed hij uit, glibberde langs de andere zijde van het kadaver naar beneden en viel een paar meter diep in de duisternis, tot hij in iets weeks en kleverigs belandde en daarin bleef liggen.

Nog nooit had hij zo'n walging gevoeld. Als hij zich bewoog, voelde hij het soppen, en over zijn haar en gezicht liepen olieachtige draden die alleen maar bloed konden zijn. Waar was de lantaarn gebleven? Pas nu zag hij de omtrek van de vleeszak waarin hij was gevallen, en hoe de sneeuw door de nacht tolde. Ten slotte begon hij te schreeuwen.

De arbeider die hem hoorde, scheen maar één keer heel even in de walvis, en toen hij zag dat er een mens in lag, een die in het Engels vloekte, slaakte hij van zijn kant een Noorse vloek en rende weg. Even later was het halve fabriekspersoneel ter plaatse. De mannen trokken Hurley uit de buik, wikkelden hem in een deken en droegen hem naar Jacobsens huis. Daar stond hij erop om onmiddellijk naar de Endurance te worden gebracht, waartoe kapitein Jacobsen terstond opdracht gaf.

De onderscheiding werd hem overhandigd door een niet erg spraakzame langbaard met wie hij die dag op de Star X had doorgebracht. Als een ijsbeer die nuchter inschat of er iets te halen valt, en zo ja wat, zorgeloos, tevreden en opgewekt als de zonnestralen in de ochtend, kneep hij Hurley ten afscheid in de wang en hing zonder een woord te zeggen de leren medaille om zijn nek.

6

De bibliotheek

Shackleton heeft bepaald dat we over drie dagen 's middags naar het ijs zullen vertrekken. Sinds eergisteren is hij met Cheetham, Crean en Wild in Stromness om met kapitein Sørlle te praten, en terwijl zowat iedereen aan land verblijft en in het brandspuithuisje de resterende tijd benut om brieven naar huis te schrijven die de pakketboot mee terug moet nemen naar de Falklands, ben ik aan boord gebleven. Ik vaar met Bakewell, die het werk voor de mast verricht, met Holness, die zorgt dat het vuur in de ketels blijft branden, en met de schipper, die het voor één dag op de Endurance voor het zeggen heeft, naar de andere kant, naar Leith Harbour om de laatste proviand en kolen in te slaan. Niemand kan me vertellen waarom het walvisstation van de Russen aan de voet van de Coronda Peak net zo heet als de haven van Edinburgh. Maar het enige wat echt telt is dat de sir een gunstige prijs bij de Russen heeft bedongen. Timmerhout, meel, gecondenseerde melk en eenenveertig kisten met aardappelen brengen de walvisjagers, aangestuurd door Worsley, aan boord, waarna de eigenzinnige bunkerconstructie die Chippy McNeish tussen dekhuis en hoofdmast heeft getimmerd haar deugdelijkheid zal moeten bewijzen. En terwijl de Russen, die al snel pikzwart zijn, uur na uur de kolen in de bunker scheppen, sta ik voor de opgepoetste lege boekenplanken in Shackletons kajuit, bedenk waar ik welk boek neerzet, rommel in een kist, peuter een beetje in mijn neus en lees.

Hoe moet ik orde scheppen in een bibliotheek die dan misschien niet erg groot is, maar waarvan ik van de wel bijna honderd boeken, met uitzondering van de Bijbel en Scotts dagboeken, geen enkel boek ken? Op alfabet, zou je denken. Maar zo makkelijk wil ik het mezelf niet maken, vooral omdat het niet hoeft te worden wat de sir van me verwacht.

Wat verwacht hij dan van me? Een tijdlang speel ik met de gedachte om de werken in te delen op grootte of op de kleur van hun rug, zoals in pa's magazijn spijkers, schroeven, gereedschap en hout in hun bussen en kisten en op hun schappen zorgvuldig gesorteerd en daarom direct terug te vinden zijn, terwijl je in Muldoons winkel hele stukken hebt waar één kleur de overhand heeft: rode touwen, rode trossen, rood linnen. Zodat je werk even hapert als Ennid een rode jurk draagt en vanachter de toonbank van het rode naar het blauwe gedeelte hinkt. Shackleton die een bepaald boek zoekt, zou daarmee niet echt zijn gediend. De boeken op grootte of kleur sorteren zou betekenen dat hij zich van elk boek zou moeten inprenten hoe het eruitziet en steeds paraat moeten hebben welke kleur bijvoorbeeld de tweedelige pil *Voyage autour du monde* van een zekere Louis-Antoine de Bougainville heeft, namelijk een nogal beduimeld zwart. En hij zou ook moeten onthouden dat het dunste boek in zijn collectie er een van Fridtjof Nansen is, *The First Crossing of Greenland*. En het zou betekenen dat ik Nansen helaas van Nansen moest scheiden, want het andere boek van hem dat Shackleton bezit, *Farthest North: The Exploration of the Fram 1893-1896*, behoort duidelijk tot de dikste banden en zou dan aan het andere eind van de plank moeten komen. Dat kan toch niet de bedoeling zijn?

Als het afgrijselijke kabaal van de in de bunker donderende kolen af en toe verstomt, hoor je de kreten van de vogels die boven de baai cirkelen. De Russen die hun kruiwagens over een plank aan boord brengen blijven onvermoeibaar lachen. Een moment lang zou ik wel met een van hen willen ruilen. Maar dan zeg ik tegen mezelf dat voor mij de eerste stap de moeilijkste is, maar dat voor die jongens daarboven aan dek alle stappen even moeilijk zijn. Ik ga in het licht staan dat door het kajuitraampje valt en sla het dunne Nansen-boekje open.

Daar staat: 'Eindelijk had ik het ergste achter de rug. Tjonge, wat was het heet! Dat had z'n uitwerking op armen en benen, en de zon brandde meedogenloos. Ik voelde een gloeiende dorst, en aan de sneeuw had ik niet veel. Blij dat ik zo ver gekomen was, haalde ik de sinaasappel tevoorschijn die ik zo lang had bewaard. Hij was bevroren en zo hard als een kokosnoot. Ik at hem helemaal op, schil en vlees; met sneeuw vermengd was het een verkwikkende lekkernij.'

Nadat ik alle boeken uit de kisten en dozen heb gehaald en voor Shackletons lessenaar heb opgestapeld, ben ik vastbesloten de boel anders aan te pakken. Ik zal, zeg ik tegen mezelf, de boeken rubriceren op de tijd van hun ontstaan, of liever, op de tijd waarover de afzonderlijke boeken gaan. Want wat opvalt is dat op zowat elke rug achter de titel twee jaartallen staan vermeld, een voor het begin en een voor het eind van de reis die in het verslag wordt beschreven.

Merce, dat moet je nagaan. Boeken met jaartallen in de titel komen op de ene, boeken zónder op een andere stapel. Op de eerste leg ik de dikke Nansen, op de tweede de dunne. Op de eerste komt Frederick Cooks *Through the First Antarctic Night: 1898-1899. A Narrative of the Voyage of the 'Belgica' Among Newly Discovered Lands and Over an Unknown Sea About the South Pole*, op de tweede daarentegen *The Narrative of Arthur Gordon Pym of Nantucket* van Edgar Allan Poe, alsmede *Life and Adventures of Peter Wilkins, a Cornish Man: Relating Particularly His Shipwreck Near the South Pole*, een boek dat, zoals op de eerste pagina is te lezen, in 1751 door Robert Paltock is geschreven. Wat me weer op een ander idee brengt. Ik pak een boek zonder jaartallen en kijk of dat ook een verschijningsjaar heeft: Alexander Dalrymple, *Historical Collection of the Several Voyages and Discoveries in the South Pacific Ocean*. Al direct op de eerste pagina vind ik het: Londen, 1770. Om heel zeker te zijn dat alle boeken chronologisch kunnen worden ingedeeld, neem ik nog een keer Poe ter hand, *The Narrative of Arthur Gordon* enzovoort. Voorin geen jaartal, maar achterin, weggestopt op de laatste pagina en in miniatuurlettertjes, staat het: New York, 1838.

Van zijn toenmalige baas en latere tegenstander liggen er twee boeken in Shackletons kisten: *The Voyage of the Discovery 1901-1904* en het boek dat mijn broer ook bezit en waaruit hij me 's avonds altijd voorlas: *Scott's Last Expedition: the Journals 1910-1912*. Ik weet onmiddellijk waar ik moet zoeken, want de dagboekaantekening waarin Scott het einde van Titus Oates beschrijft, is een van de laatste voor hij zelf afscheid van de wereld neemt: 'Mocht mijn dagboek worden gevonden, dan verzoek ik om de volgende feiten bekend te maken: Oates' laatste gedachten waren gewijd aan zijn moeder; even eerder sprak hij met trots over het feit dat zijn regiment de moed zal waarderen waarmee hij de dood tegemoet gaat. Wij drieën kunnen zijn dapperheid bevestigen. Wekenlang heeft hij zonder te klagen onvoorstelbare pijnen doorstaan en hij was tot op het laatste moment bezig en hulpvaardig. Tot op het laatst heeft hij de hoop niet opgegeven – niet willen opgeven. Hij was een dappere ziel, en dit was zijn einde: hij sliep de voorlaatste nacht in de hoop niet meer wakker te worden; maar 's morgens werd hij toch wakker – gisteren! Buiten raasde een orkaan. "Ik wil nog een keer naar buiten," zei hij, "en ik blijf daar misschien even." Daarna trad hij de orkaan binnen – en wij hebben hem niet teruggezien. We wisten dat de arme Oates zijn dood tegemoet ging, we probeerden het hem uit zijn hoofd te praten, maar hij handelde als held en als Engelse gentleman. Wij drieën die er nog zijn hopen ons einde met dezelfde moed tegemoet te gaan, en dat einde is vast en zeker niet ver meer.'

Het is voor het eerst dat ik het zelf lees, en net als destijds, toen ik in bed naar Dafydd luisterde, loopt het mij koud over de rug. Ik zie weer het tentje voor me waarin de drie mannen voorovergebogen in hun bevroren slaapzakken zitten, uitgeteerd, half krankzinnig van de dorst en honger, en niet bij machte een verstaanbaar woord uit te brengen omdat de tong zo vreselijk is opgezet. Scott, Bowers en Wilson horen niets anders dan het eindeloze, oorverdovende loeien van de storm die aan de tent rukt en keer op keer tegen dit enige obstakel in een omtrek van honderden kilometers aan beukt. En kaptein Scott heeft een potloodstompje en schrijft. Krabbelt zo onder meer: 'handelde als held en als Engelse gentleman'. Onvoorstelbaar. Alsof je je das zit te strikken voor de brullende muil die je zo meteen zal verslinden. Dafydd vond altijd dat deze doodsverachting in dapperheid niet was te overtreffen. Voor mij daarentegen – en dat is wat me de rillingen over de rug jaagt – schrijft hier een dode, iemand die van alles afscheid heeft genomen, met diezelfde dapperheid.

Ik leg het dagboek op de stapel. Er zijn vier torens ontstaan: een stapel met de twintig delen van de *Encyclopædia Britannica*, een met boeken met jaartallen in de titel, een met boeken met alleen een verschijningsjaar, en ten slotte een met vijf boeken die noch het een, noch het ander hebben en die, voor zover ik dat kan beoordelen, allemaal geschiedenisboeken zijn, boeken die gaan over de voorstellingen die Ptolemaeus en de andere oude Grieken en Romeinen over het zuidpoolgebied hadden. Ik moet nog altijd aan Scott denken. Terwijl ik Shackletons kisten leegmaak en zijn boeken op een van de stapels leg, spookt opeens weer de zin door mijn hoofd die, toen Dafydd hem voorlas, me zo aangreep dat ik moest huilen zodra we het licht hadden uitgedaan en ik alleen was onder mijn deken: 'Goed dan, mijn levensdroom – vaarwel!' schreef Scott namelijk op de ochtend van zijn terugkeer van de pool. Nee, de zin luidt anders. Ik pak het boek nog een keer. En daar staat het: 'Welaan! Droom van mijn dagen – vaarwel!'

Onder de laatste boeken die ik uit de houten kist vis, zit ten slotte ook het werk dat Shackleton noemde. Het is groen en beschadigd: *A Voyage of Discovery and Research to Southern and Antarctic Regions 1839-1843* van sir James Clark Ross. De overige zijn in dun wit papier gekafte drielingen: drie exemplaren van Shackletons eigen boek *The Heart of the Antarctic: Being the Story of the British Antarctic Expedition 1907-1909*. Er staan talrijke afbeeldingen in, tekeningen die aangenaam maar tegelijk grimmig overkomen, net als hun schepper George Marston, met wie ik vanochtend nog heb ontbeten! Er zijn portretten van Shackleton in een trui voor een uitgestrekte ijsvlakte, het ene heeft als onderschrift 'De Nimrod voor tafelijsbergen aangemeerd', een ander portret toont een grammofoon in de sneeuw, opgesteld voor een groep pinguïns die nieuwsgierig hun hals uitrekken, en er zit ook een zelfportret bij: 'De vindingrijke Marston terwijl hij leest' ligt in zijn kooi met het schijnsel van een brandende kaars in een porseleinen houder op zijn slaap.

Daarmee heb ik de klus geklaard. De rest is een fluitje van een cent. Ik werp nog een blik in de lege kisten en merk plotseling dat het doodstil is. Geen Rus die lacht, geen Bakewell die vloekt, en wanneer ik in de kajuitgang sta hoor ik geen schipper die achter zijn deur loopt te ijsberen. In Shackletons kajuit verheft zich mijn werk: vier stapels die nergens op lijken, maar een heidens karwei waren. Ook ik heb een pauze verdiend. Met de sleutel van de sir sluit ik af. En ik ben nog niet aan dek of er schiet me te binnen wat ik ben vergeten: waar slingert potdorie de bijbel van de koningin-moeder?

7

Het lievelingetje van de schipper

Het beeld dat me in het Ritz wacht, zou ik onder Scotts commando nooit te zien hebben gekregen. Scott hechtte eraan dat scheepsofficieren en de rest van de bemanning gescheiden hutten hadden en dat staf en 'burgerlui' niet gezamenlijk maar na elkaar aten.

Anders dan zijn vroegere derde officier Shackleton, die afkomstig is uit de koopvaardij, had Scott zich bij de marine opgewerkt. Ondanks alle grootmoedigheid waarmee hij bijvoorbeeld over de kleine Birdie Powers schreef – er was in zijn ogen vermoedelijk nooit eerder zo'n moedig, daadkrachtig en onbedwingbaar mens geweest – was discipline zijn devies. Ik weet niet zeker of ik het met de grote Scott uiteindelijk had kunnen vinden.

In het Ritz, bij aardappelpuree en schnitzels die ík eigenlijk had moeten opwarmen, zitten mijn slaapdronken kapitein, mijn massagestoker en mijn allerbeste vriend, en naast de borden van Worsley, Holness en Bakewell wacht een uitnodigend leeg bord op de scheepsjongen, op mij.

Natuurlijk kunnen ze niet veel anders dan me plagen dat ik het in een paar weken tijd van de oliegoedkast tot Shackletons kajuit heb geschopt. Maar echt sarcastisch zijn ze niet. Ik merk dat Bakewell er nogal ernstig onder is, want hij kijkt me een paar keer vreemd aan, alsof me door het gegrinnik van de aanwezigen iets belangrijks ontgaat.

Voordat de schipper zich weer in zijn kajuit terugtrekt om,

zoals hij zegt, brieven naar Nieuw-Zeeland te schrijven, vertelt hij hoe de rest van de dag eruitziet. Zodra de aan boord gebrachte proviand is nageteld en de laatste kolen zijn gebunkerd, zullen we afvaren en langzaam de baai af tuffen naar Stromness om de sir en anderen op te pikken.

'Mister Bakewell controleert de proviand. Holie, jij gaat terug naar je ketels.'

'Tot uw orders, sir.'

'En jij naar je speciale opdracht, neem ik aan,' zegt Worsley met een grimas tegen me.

Ik antwoord dat ik zo goed als klaar ben en vraag toestemming om Bakewell te helpen. Hij heeft er niets op tegen.

Gedrieën dalen we af naar het benedendek. Holness begeleidt ons tot de proviandkamers, daarna gaat hij alleen verder door een met spaarzaam geel licht verlichte gang die achterin naar de trap van het ketelhuis leidt. Hij ziet er bleek uit, een hele prestatie voor een kolensjouwer, en hij is smal geworden, een magere lat. Het zijn voornamelijk zijn grote glanzende ogen die 'tabee' zeggen en hij stiefelt weg.

Voor het eerst sinds Buenos Aires zijn Bakewell en ik alleen. Ik zie direct dat hij mijn blik ontwijkt. Maar ik doe net of ik niets merk. Het is zijn opdracht, ik gun hem de eer en wacht af welk karwei hij voor me heeft.

We gaan eerst met de groente aan de slag. Hij tilt de eerste kist met aardappelen van de stapel, boort zijn hand tot op de bodem, trekt de kist met rukjes opzij en begint aan de volgende. Hij is woedend. Maar hij zegt geen woord. Hij zou Bakewell niet zijn als hij eruit zou gooien wat er met hem aan de hand is. En omdat ik, tenminste wat hem aangaat, me van geen kwaad bewust ben, zeg ik ook niets, maar laat hem alleen met zijn Russische aardappelen en slenter alvast naar de opslag voor de conserven om blikken melk te tellen.

Natuurlijk doet hij ze allemaal, alle eenenveertig kisten, dat heb je ervan als een nijdige zwabbergast een stok heeft ingeslikt. En het is zijn eigen schuld dat hij drijft van het zweet als hij in de deuropening van de bergruimte staat.

'Twintig pallets,' zeg ik in mijn onschuld, de getallen zijn mijn getuigen, 'twintig keer veertig. Komt op achthonderd blikken melk. Heb je iets te schrijven?'

'Schrijf maar in die boeken van je.' Hij komt hijgend binnen en stort zich, hoewel er nog genoeg andere spullen staan, op mijn melk. Ik zie het goed: hij telt de gecondenseerde melk nog een keer na.

Kan het schelen. Ik hou van hem. Hij kan wat potjes breken, niet alle, maar toch: heel wat. Bovendien is hij sterker. Als Bakewell wil, slaat hij een spijker met zijn elleboog in de muur. Ik wacht af of hij er spijt van heeft. Hij knielt op de vloer en tikt met zijn vingers de pallets af. Uit zichzelf zal hij nooit iets zeggen.

Daarom zeg ik hem recht in zijn gezicht dat de boeken helemaal niet de reden zijn dat hij zich hier zo zit op te vreten. Afgezien van een paar sukkels aan boord is hij de enige die me de lange dagen na mijn verblijf in de kast niet heeft gevraagd hoe het komt dat de baas zo dol op me is. En ik weet ook, zeg ik tegen hem, waarom dat zo is. Omdat hij jaloers is. Omdat hij zich namelijk laat meeslepen door een kleinzielige en armzalige afgunst. Dat had ik van menigeen aan boord verwacht, maar toch waarachtig niet van hem.

Bakewell richt zich op en zegt: 'Klopt. Achthonderd.' En buigt zich over de volgende stapel pallets.

Ik overweeg al om op zijn rug te springen en hem in zijn schouder te bijten, net als vroeger bij Dafydd, die ik er zo altijd onder heb gekregen, maar dan zegt hij, meer tegen de conserven voor zijn gezicht dan tegen mij: 'Ik vraag me alleen maar af wat er van je moet worden, Merce. Weet je, van mij mag je Shackletons schoenen poetsen. Voer hem, was hem en lees hem daarna nog een verhaaltje voor het slapengaan voor. Kun je wat mij betreft allemaal doen. En waarom je hier door je knieën gaat, waarom je zijn boeken voor hem ordent en hoe je het voor elkaar krijgt dat hij behalve de opperijsheilige uitgerekend jou meeneemt voor een souper met Jacobsen en zijn lady, dat gaat mij, vind ik, niks aan, dat is helemaal jouw zaak, mijnheer de chef-steward.' Hij schuift langzaam een wijsvinger tussen zijn neus en de mijne en zegt zacht: 'Maar laat ik je één ding zeggen. Niemand op dit schip kent jou zo goed als ik. Niemand die weet dat je meestal een prima vent bent. Denk daar maar 's over na: hoe moeten die kerels weten dat je niet altijd zo bent?'

De Russen scheppen verder. Als ze hun karren aan boord kruien hoor je de loopplank tegen de verschansing knallen, en bij elke schep kolen gaat er een lichte trilling door het schip.

'Over wie heb je het eigenlijk?' vraag ik. 'En hoe ben ik dan?'

'Ik mag doodvallen als ik hier iemand ga zitten zwartmaken,' zegt hij onmiddellijk. 'Dat jij zelf niet doorhebt wie je tot je vijanden maakt zou eigenlijk al een waarschuwing voor je moeten zijn, vind je niet? Met zulke figuren valt niet te spotten. Denk aan Rutherford. Die lui hebben een scherpe grens getrokken, zet je voet erover en ze halen hun harpij tevoorschijn.' Hij keert me zijn rug toe. En terwijl hij hurkt om verder te tellen: 'Hoe je bent? Wil je het weten?'

'Vertel.'

'Kruiperig.'

Eigenlijk had ik besloten om geen brief naar huis te schrijven. Maar wanneer ik met dichtgeknepen keel naar boven loop, naar de herrie en de van stof vergeven lucht aan dek, wil ik niets liever dan uithuilen bij iemand van wie ik weet wat ik aan hem heb. Vreeswekkende gestalten, die tien, twaalf Russische walvisjagers die, de een nog zwarter dan de ander, de laatste vrije meters tussen de hondenhokken, vastgesjorde sloepen en kisten met motorsleden volscheppen met kolen, merkwaardige kerels, die me een stralend gele glimlach schenken wanneer ik voorbij glip, en op het moment dat ik Shackletons deur achter me dichttrek, begint het schip te schudden omdat Holness diep beneden in de buik de ketels flink opstookt.

'Lieve mam, beste pap en lieve Regyn, ik weet het, het is vreselijk, maar ik moet jullie helaas vertellen...' Er is nog genoeg tijd om achter Shackletons lessenaar plaats te nemen en alles, alles uit te leggen.

Nee. Ook al is de gedachte nog zo verleidelijk om Shackletons briefpapier te gebruiken, ik zal geen brief schrijven. En wel om drie redenen: ten eerste zou het hartstikke verkeerd zijn om mam, pap en Regyn angst en schrik aan te jagen met het nieuws dat ik me op weg naar de Zuidpool bevind. Ten tweede ben ik er tamelijk zeker van dat kapitein Coon zijn bijzondere verantwoordelijkheid voor mij en zijn aan mijn vader gegeven woord hoogstwaarschijnlijk belangrijker vond dan mijn wens, en in een brief niet alleen verslag heeft gedaan van de ondergang van de John London, maar ook van mijn redding. En ten derde heb ik absoluut geen zin om mijn familie een excuusbrief te schrijven. Misschien ben ik wel zo goedgelovig als Regyn zegt en net zo verwaand als Ennid vindt. Dat ik me veel te snel laat imponeren, en áls ik al een held ben, dan een met de mond, dat vind ik zelf ook. Maar onderdanig ben ik niet. Bakewell zou ook op de Discovery zijn tong hebben stukgebeten en hebben doorgezet, maar ik zou Scott tot razernij hebben gedreven. Erg! Erg ja, maar ik denk dat ik zelfs voor koning Arthur niet had ingebonden. Al had hij voor mijn neus nog zo met het zwaard Excalibur gezwaaid.

Buiten schuift het kleine Graseiland voorbij. Hoewel de Endurance nu veel dieper in het water ligt, zet ze de sokken erin: beste kolen die we van de Russen hebben gekregen. Ik moet zien dat ik de boel op tijd af heb en hurk neer voor mijn torens.

Zoals de wolk kolenstof boven het schip met het verlaten van Leith Harbour in de lucht is opgelost, zo verdwijnt met het inruimen van de boeken mijn wrok. De delen van de encyclopedie zet ik op alfabet op de bovenste plank. Nog altijd moet ik aan Bakewell denken. Hij vergist zich. En zo niet, wat kunnen ze me nou helemaal maken, die kerels over wie hij heeft georakeld en met wie hij alleen minder vriendelijke types als de Bos'n en de eerste stoker kan bedoelen? Ze zouden een hoop trammelant met de sir en de schipper riskeren, en op de rest van de reis zou het lachen hun wel vergaan. Maar hij vergist zich. Veel waarschijnlijker is het dat het naderend vertrek de mannen nerveus maakt. En dat er om de pikorde een kleine oorlog zou gaan woeden was te verwachten.

En als hij zich nou niet vergist?

Op de middelste plank komen eerst de Grieken en Romeinen, dan de boeken over de middeleeuwen, tot voor het eerst Magellaan en Drake opduiken... Ja, dat schiet lekker op. Nu moet daarachter meteen het eerste jaartal komen.

1768. James Cook.

Nee, mister Bakewell, mij maak je niks wijs: ook jou gaat het uiteindelijk om een plek op een van de sleden. Als een lopend vuurtje heeft het bericht zich verspreid dat er naast de sir en de twee meest ervaren bemanningsleden Cheetham en Crean slechts drie anderen mee kunnen. Worsley zal als navigator van de partij zijn. Blijven er nog twee over. Twee maar! En een van hen zal een arts moeten zijn. McIlroy staat er op dit moment minder goed voor, want dokter Macklin bekommert zich veel om de honden en maakt toch al een betere indruk. De sir, de kaptein, Cheetham, Crean en Macklin dus. Blijft dus maar één plek over. En ik vrees dat die vanwege de foto's aan Hurley zal worden toegewezen. Afwachten maar. Hurley kan ook mooie plaatjes schieten van de hut, de onderzoekers, de honden en het ingevroren schip.

De boeken met jaartallen op een fraai rijtje op de onderste plank. Wat komt er helemaal als laatste? 1912... Scotts dagboeken. Er is nog geen drie jaar verstreken sinds de dood van de vijf die de pool hebben bereikt. Levenslange roem wacht de zes mannen die de oversteek tot een goed einde brengen. De anderen blijven met lege handen achter. Ik kan het Bakewell niet kwalijk nemen wanneer hij hoopt dat de sir hem meeneemt.

Kerngezond is hij wel. Niemand die taaier is dan hij. En ondanks alle dadendrang is Bakewell een vredelievend mens, meestal.

Pech dat hij desondanks niet mee mag!

Britse triomf over het eeuwige ijs van de Zuidpool

De Imperial Trans-Antarctic Expedition brengt de eerste te voet ondernomen oversteek van het zesde continent tot een goed einde. De drieduizend kilometer van de Weddellzee naar de Rosszee werd door sir Ernest Henry Shackleton en zijn metgezellen Cheetham, Crean, Worsley, dr. Macklin en Blackboro volbracht.

Klaar.

Shackleton is in een uitstekend humeur wanneer Cheetham, Crean, Wild en hij uit de Stromnesser motorsloep stappen en met een uitbundige vrolijkheid de valreep komen opgeklauterd. Boven de baai wordt het donker, ik hou de enige stormlantaarn vast, daarom kost het ons moeite om van het gezicht van de sir de afloop van het onderhoud met kapitein Sørlle af te lezen.

Maar hij laat ons niet lang wachten. In het Ritz heb ik de glazen voor de gevraagde port nog niet aan iedereen uitgedeeld wanneer hij de fles al heeft gepakt om een toost uit te brengen. Er is, zegt hij, goed en slecht nieuws. Wat we het eerst willen horen.

'Eerst het goede nieuws!' klinkt het van alle kanten. Ik zie Shackletons blik. Die is zo wild dat ik de andere kant moet op kijken als hij me aankijkt.

'We gaan het doen,' zegt niet hij, maar zegt Crean opeens en hij kijkt in het rond. Niemand doet zijn mond open. Het is muisstil, alleen het schip kreunt onder de zware last die de Russen op zijn rug hebben opgetast. Shackleton heft het glas.

'Laten we daarop drinken,' zegt hij. En dan is er geen houden meer aan. Het gejuich en gejoel is zo enorm dat we al het andere vergeten. Met rood aangelopen raap staat Bakewell voor me, hij straalt over zijn hele gezicht en drukt me aan zijn borst.

Het slechte nieuws betreft de pakketboot. Dominee Gunvald is 's ochtends aan boord van een walvisvaarder uit de Falklands gekomen – in een staat van totale uitputting en tegelijk intense woede, zoals de sir zegt. De precieze reden kent hij niet. Zeker is alleen dat de pakketboot Grytviken pas op z'n vroegst half december zal bereiken.

'Helaas veel te laat voor ons. Ik weet het, we wachten allemaal op post van thuis. Geen vrolijke gedachte, maandenlang uit de wereld te zijn zonder een groet met je mee te nemen. Ik vrees alleen dat de weersomstandigheden zoals kapitein Sørlle ze me heeft geschetst ons geen keuze laten. De zomer loopt ten einde voordat hij echt is begonnen. Het pakijs ligt zo ver naar het zuiden zoals dat al jaren niet meer is voorgekomen. Welbeschouwd…'

Hij onderbreekt zichzelf en kijkt ons aan – we hangen aan zijn lippen en weten wel en tegelijk ook niet wat hij ons wil vertellen. Ik weet dat hij niet van plan is om ons onzeker te maken. Maar hij lijkt de enige te zijn die niet merkt hoe verwarrend zijn opvatting van eerlijkheid is.

'…welbeschouwd is het nu al te laat.'

Later sta ik naast hem voor zijn boekenwand en leg hem uit hoe ik het heb aangepakt. Hij lijkt heel enthousiast te zijn, trekt hier en daar een boek van een plank en zet het weer keurig terug. Drie, vier keer loopt hij langs de planken en laat daarbij zijn ogen over de ruggen van de boeken dwalen.

'Aha, heel goed, duidelijk,' mompelt hij. 'Chronologische volgorde, heel slim, Merce. Want dat gaat gelijk op met het voortschrijden van de ontdekkingen. Had je een indeling op zuidelijke breedtegraden gemaakt, dan was het resultaat hetzelfde geweest, is het niet? Amundsen en Scott staan voor negentig graden zuiderbreedte. Heel mooi. Dankjewel.'

'Een boek van Amundsen, sir, zat er niet bij. Anders had ik het natuurlijk naast Scott gezet.'

'Het zit er niet bij omdat ik het net lees.' Shackleton opent de klep van de lessenaar en reikt me het boek aan. Het heet *The South Pole: An Account of the Norwegian Antarctic Expedition in the Fram*, en het heeft jaartallen, dezelfde als Scotts dagboeken, 1910-1912.

'Zet maar in de kast,' zegt Shackleton, 'maar wel op de plaats waar het hoort.'

Ik denk even na en zet de Amundsen rechts naast Scott – aan het eind.

Shackleton knikt.

'Sir, ik heb nog een ander boek niet kunnen vinden, namelijk de bijbel… de bijbel van de koningin-moeder, sir.'

'Wat zeg je? Hij stond in de kast. Hoe heb je de bijbel van de koningin-moeder over het hoofd kunnen zien, hm?'

'Ik heb geen idee, sir.'

'Je hebt hem toch niet in een aanval van Welshe razernij overboord gegooid?'

'Ik… Sir, in hemelsnaam, nee!'

Shackleton loopt naar me toe. Als hij voor me staat, legt hij zijn handen op mijn schouders.

'Is maar een grapje! Ik heb de bijbel aan kapitein Jacobsen in bewaring gegeven. Hij wil graag dat dominee Gunvald zijn preek in het Engels houdt, opdat we hem, denk ik, niet verkeerd begrijpen! Zo, en nu ga je slapen. Ik moet een brief aan mijn vrouw schrijven, wil ik het niet voorgoed bij haar verbruien.'

Voordat ik in mijn kooi kan kruipen en onder mijn deken een potje kan gaan janken, moet ik me nog een geintje laten welgevallen. Om de dag feestelijk uit te luiden heeft de kaptein Husseys banjo naar het Ritz meegebracht. Bij zijn getokkel kwelen en blèren Cheetham en Bakewell de shanty van Lorenzo, het lievelingetje van de schipper:

Oh Ranzo was no sailor – Ranzo, boys, Ranzo…
He went on board a whaler – Ranzo, boys, Ranzo…!
And he could not do his duty – Ranzo, boys, Ranzo…
So they took him to the gangway – Ranzo, boys 'n' sailors!
And they gave him five-'n'-thirty – Ranzo, boys, Ranzo…
That made poor Ranzo thirsty – Ranzo, boys 'n' sailors!
Now the Captain was quite good – Ranzo, boys, Ranzo…
And he took him this cabin – Ranzo, boys, Ranzo!
And he gave him wine and water – Ranzo, boys, Ranzo…
And Ranzo loved his daughter – Ranzo, boys, Ranzo!
And he taught him navigation – Ranzo, boys, Ranzo…
To fit him for his station – Ranzo, boys, Ranzo!
Now Ranzo is a sailer – Ranzo, boys, Ranzo…
And Chief Mate of that Whaler – Ranzo, boys 'n' sailors!

8

De preek

Het orgel verstomt. Dominee Gunvald legt zijn handen op de rand van de kansel en laat zijn blik over de hoofden van de walvisjagers dwalen. Hij wacht tot Jacobsens mannen stil zijn, pas dan begint hij.

'Mooi om jullie hier allemaal gezond en wel te zien! Laten we de Heer daarvoor dankzeggen met een onzevader in de taal van ons vaderland. Daarna zal ik in het Engels verdergaan.'

Wanneer ook het geroezemoes van de Noren is verstomd, richt dominee Gunvald zich tot ons. Een begroeting blijft achterwege. Zonder verdere inleiding leest hij voor uit de Bijbel, en het luisteren naar het Marcusevangelie in de moedertaal mist zijn uitwerking niet. Bakewell, Holness en How slaan hun ogen neer en vouwen hun handen. Als enige kan ik mijn ogen niet afhouden van de rode baard waardoor de woorden van Jezus over het bedaren van de storm over ons komen.

'Er stak een hevige storm op en de golven beukten tegen de boot, zodat die vol water kwam te staan. Maar hij lag achter in de boot op een kussen te slapen. Ze maakten hem wakker en zeiden: "Meester, kan het u niet schelen dat we vergaan?" Toen hij wakker geworden was, sprak hij de wind bestraffend toe en zei tegen het meer: "Zwijg! Wees stil!" De wind ging liggen en het meer kwam helemaal tot rust. Hij zei tegen hen: "Waarom hebben jullie zo weinig moed? Geloven jullie nog steeds niet?"

Zuidpoolgangers,' zegt Gunvald, 'enkele weken geleden hebben jullie dezelfde overtocht gemaakt als ik de afgelopen dagen.

Maar hoe anders moet jullie reis zijn geweest! Niets hebben jullie geweten van de storm die toen al achter jullie aan joeg en in welks voorboden ik verzeild ben geraakt, machteloos en vervuld van dezelfde vreze als de vissers van Kapernaüm met wie de Messias het Meer van Gennesaret overstak. Ik wil het met jullie over deze storm hebben, aan jullie laten zien wat er aan de andere oever wacht op hen die de macht des Heren niet eerbiedigen!'

Een amen rolt door de rijen van de walvisjagers. Aan onze kant hoor je alleen fluisteren, het geschuif van laarzen en de houten banken die onder het gewicht van de mannen kraken.

De dominee strijkt over zijn baard in de uitsnede van zijn jopper. 'Vanaf de dag dat ik de Falkandeilanden verliet, maalt de vraag van de vissers steeds door mijn hoofd: "Meester, kan het u niet schelen dat we vergaan?" Hoe is het mogelijk dat de Verlosser zwijgt over de ondergang die rond iedereen woedt?'

Twee rijen voor me zit kaptein Worsley in zijn witte trui, geflankeerd door zijn officieren. Van Shackleton is nauwelijks meer dan zijn fris geschoren nek te zien. Roerloos zit de sir op zijn plaats naast de Jacobsens, die bij ons zijn komen zitten. Een tijdlang is alles rustig, we luisteren naar dominee Gunvalds betoog, en buiten dwarrelt de sneeuw langs de ramen.

En toch hangt er iets in de lucht, iets waarvan ik niet weet waar het vandaan komt: of het uitgaat van de ijveraar daarboven op de kansel of van de gespannen rust van de mannen die mij in deze kerk weer zo vreemd zijn, alsof ik hier door een toeval of het weer verzeild ben geraakt. Ik tast naar Ennids vis, tot Bakewell me een stomp geeft en in Worsleys richting knikt.

De schipper lijkt te zijn ingedommeld.

'Doet maar alsof,' fluister ik. Bakewell kijkt nog eens goed en schudt zijn hoofd.

En op hetzelfde moment begint het. Met de eerste zin, door de dominee nog bedachtzaam in onze richting gesproken, is het met de rust gedaan. Alles wat hij tot nog toe zei, waren kleine manoeuvres met de boeg. Nu komen de harpoenen.

'Drieëndertig dagen geleden, op 1 november, zijn bij een zeeslag voor het Chileense Coronel grote delen van de Britse oorlogsvloot tot zinken gebracht. Het zegevierende Duitse smaldeel onder admiraal graaf Spee leed geen noemenswaardige verliezen en bevond zich, toen ik de eilanden verliet, op enkele honderden zeemijlen van de Falklands om die in bezit te nemen. De storm van de oorlog heeft de Zuidelijke IJszee bereikt. En ik zeg jullie, zuidpoolgangers, dit is een orkaan zoals geen mens hem ooit heeft beleefd.'

Niemand van ons is rustig blijven zitten, iedereen is naar voren gesneld en kijkt elkaar onthutst aan. Er gaat een gegrom door de banken, terwijl verderop de Noren ons met open mond aankijken en boven ons Vlambaard een half glas water naar binnen giet.

'Stilte!' – 'Mannen!' roepen Creans bas en de raspstem van de Bos'n vlak na elkaar.

Shackleton draait zich om en heft een moment zijn handen.

'Heilige zeeslang!' zegt Bakewell naast me. Dat stelt me een beetje gerust.

'Duizenden van jullie landgenoten liggen dood in wrakken op de bodem van de zee voor de kust bij Coronel. Door geen Verlosser tegengehouden, heeft de storm ze de diepte in gesleurd. God slaapt, lijkt het. Niemand die Hem vraagt of het Hem niets doet. Niets ter wereld brengt deze storm tot bedaren. Niemand die gelooft dat deze slapende daartoe in staat zou zijn!'

'Brei er een eind aan!' roept iemand vlak bij me.

Vincent staat op en keert zich dreigend om.

'Wie was dat?' fluister ik tegen Bakewell.

Vincent gaat weer zitten.

'We varen allen op deze boot met Jezus, die in een diepe slaap is, wij allen. En mocht het jullie tot troost zijn, weet dan dat het in het hart van Europa niet duizenden zijn die de storm van deze goddeloze oorlog met zich meesleurt, maar dat het alleen al in de slag om het Vlaamse Ieper honderdduizenden zijn die ze daar voor een paar meter terreinwinst zogezegd vermalen. Nee,' brult Gunvald over de rand van de kansel gebogen, 'ik hoef er geen eind aan te breien! Ik ben al aan het eind! En jullie niet minder.'

'Afwachten!'

Dezelfde stem. Vincent schiet overeind. Niets meer aan te doen. De walvisjagers grommen hun amen.

Dominee Gunvald richt zijn woord opnieuw tot hen. De langbaarden knikken na elke zin, en voorin naast Shackleton slaan Jacobsen en de prachtige Stina hun ogen neer.

Ondertussen speelt de Imperial Trans-Antarctic Expedition het fluisterspel. Holie fluistert me de boodschap in het oor: 'Strikte order van de baas: geen interrupties!' Ik buig me naar Bakewell.

Gunvald gaat weer over op het Engels. Wat hij zijn landgenoten daarnet op het hart heeft gedrukt, is: gedenk koning Sverre, die zich volgens de overlevering van abt Karl Jonsson meer dan zevenhonderd jaar geleden met zijn mannen, de Birkebeiners, voor de oppermachtige vijand diep in het Raundal had moeten terugtrekken. 'Toen wees koning Sverre vijf gidsen aan die de weg het beste kenden. En dat was bittere noodzaak, want het weer werd bar en boos zoals zelden eerder vertoond. En het bleef aan één stuk sneeuwen. Zodat ze daar honderdtwintig paarden met gouden zadels en tomen, mantels en wapens en veel andere kostbaarheden verloren. Acht dagen lang aten ze sneeuw. Maar op de dag voor Allerheiligen werd de sneeuwstorm zo hevig dat een Birkebeiner de dood vond toen de wind hem op de grond wierp en zijn rug op drie plaatsen brak. De mannen van koning Sverre hadden alleen nog hun schilden. Ze groeven zich onder de schilden in de sneeuw in. En alleen de schilden van de Birkebeiners keerden uit het Raundal terug... Zo staat het geschreven in de geschiedenisboeken van ons land, dat al duizenden jaren ijs kent en de dood in het ijs. We kennen langer ijs dan we God kennen. We hebben ondanks het ijs de weg naar God gevonden. Amen!'

'Klaar!'

Ditmaal is het Greenstreet die opspringt: 'Wie was dat? Onmiddellijk opstaan!'

Maar er staat niemand op. Alleen Lionel Greenstreet staat graatmager in zijn uniform van eerste officier tussen de banken, en boven op de kansel staat dominee Gunvald, die geen spier vertrekt en wacht.

Een schoen, een speksnijderslaars, komt aangezeild. Krakend landt hij tussen Mick en Mack.

'Naast!'

'Blinde!' roept Bakewell voordat mijn elleboog hem raakt. En ik weet zeker dat ik Orde-Lees hoor brullen: 'Birkebeiners!'

Shackleton staat op, hij geeft Greenstreet het teken om te gaan zitten en begeeft zich door de gang naar achteren. Zonder een woord te zeggen loopt hij voorbij en neemt plaats op de eerste lege bank achter me.

Van de andere kant komt nog wat hoongeroep; dan is het weer stil; alleen de wind fluit. Voordat de dominee weer begint, draai ik me even om: Shackleton kijkt me aan, hij heeft rood doorlopen ogen, alsof baard en kuif van de dominee erin worden weerspiegeld.

'Laat het jullie gezegd zijn: roep Gods ijzige storm niet over je af! Neem de storm van de goddeloosheid niet mee naar de storm Gods! Neem de oorlog niet mee naar het ijs! Keer om, opdat het jullie niet zal vergaan als koning Sverre! Keer om en onthoud de lessen die het ijs jullie heeft geleerd. In één maand tijd nam het, nog geen drie jaar geleden, jullie grootste held en jullie grootste schip. Denk aan Scott, die op de Zuidpool doodvroor, en aan de Titanic, die in de Noordelijke IJszee zonk.'

Dominee Gunvald vouwt zijn handen, legt ze op de rand van de kansel en sluit zijn ogen. Hij lijkt te bidden. Ik bid in elk geval dat het voorbij is.

Maar het is nog niet voorbij.

Gunvald brengt de groene, in leer gebonden bijbel langzaam omhoog van de kansel.

'En wat staat de vissers van Kapernaüm aan de andere oever te wachten? Een bezetene! Eentje die in graven woont en zich Legioen noemt, want, zo zegt de waanzinnige tegen Jezus: "we zijn met velen". "Hij smeekte Hem dringend om hen niet uit deze streek te verjagen. Nu liep er op de berghelling een grote kudde varkens te grazen. De onreine geesten smeekten hem: 'Stuur ons naar die varkens, dan kunnen we bij ze intrekken.' Hij stond hun dat toe. Toen de onreine geesten de man verlaten hadden, trokken ze in de varkens, en de kudde van wel tweeduizend stuks stormde de steile helling af, het meer in, en verdronk in het water."'

Met een knal slaat dominee Gunvald de bijbel dicht en laat het boek zakken. Je kunt een speld horen vallen en Gunvald zegt zacht: 'Vaar met een gerust hart de haven van het geloof in Jezus Christus binnen, want Hij is de bedwinger van de storm en maakt een einde aan de bezetenheid.'

'Amen!' brommen de walvisjagers.

'Geen enkele expeditie, al is ze nog zo slim verpakt...'

'En nu is het mooi geweest!' roept iemand, Cheetham of misschien Wild wel, de kreet klinkt een heel stuk voor ons. En van het een komt het ander. Bakewell steekt twee vingers tussen zijn lippen en laat een schrille fluittoon horen. En het is kaptein Worsley die met zijn handen een toeter vormt en roept: 'Wanneer is de muziek nou eens aan de beurt?'

Gunvald spreekt nog over het vaandel der bezetenheid dat Shackleton niet mee zou mogen nemen naar het ijs voordat hij wordt overstemd door snerpend gefluit en getrappel van laarzen. De helft van de walvisjagers is opgestaan en kijkt niet bepaald vrolijk onze kant op. Maar Jacobsen en Larsen hebben hun mannen beter in de greep. Voor en achter in de gang staand, zien ze erop toe dat niemand handtastelijk wordt.

De dienst is voorbij. De dominee daalt af van de kansel. Hij houdt de bijbel vast en legt hem voorzichtig op zijn plaats op de eerste rij banken waar Shackleton zat voordat hij naar achteren liep. Wanneer het kabaal verflauwt en het eerste ingehouden gelach heen en weer vliegt tussen de langbaarden en ons, loop ik de banken af en ga naar hem op zoek. Maar hij is nergens te bekennen. Shackleton is verdwenen.

9

Cook of: Waar we zitten, weten we niet precies

Greenstreets commando's, die je door merg en been gaan en vibreren van zijn nog net niet overslaande stem, gaan naadloos over in het oorverdovende gejank van de lieren en het geratel van de spillen. Meter voor meter komen de groene kettingen aan boord. Tot de beide monsters met een dubbele knal bakboord en stuurboord uit het water breken en tegen de boeg slaan.

'Ankers gelicht! Haal ankers op!'

Afgezien van de stokers en de man in de stuurhut is iedereen bovendeks wanneer we onder sirenegeloei vanaf de oever en het uit negenenzestig kelen afkomstige geblaf uit de hokken een laatste lus om het flensplatform maken en dan langzaam uit de Cumberlandbaai wegtuffen. Op de dag van vertrek zetten we koers naar de voor de Weddellzee liggende Zuid-Sandwicheilanden – het is een onbewolkte dag in de sub-Antarctische zomer, vijf graden boven nul, 5 december. Holness heeft me een seringenpaarse trui geschonken, niet te dun, zodat ik lekker warm ben ingepakt, maar ook weer niet te dik, zodat mams Grego er nog overheen past.

Een groepje Vikingwalvisjagers heeft zich bij de steiger verzameld en zwaait naar de gekken die wij zijn.

'Hé ho, Birkebeiners! Behouden vaart!'

Na de Hobartrots bereiken we de hoofdbaai; ik was maar even benedendeks om me ervan te vergewissen dat Green me niet al aan het zoeken is, of daar heb je aan bakboord Sappho Point al, en voor de kluiverboom de open grijze zee. Stornoway, Hownow, Bakewell en de anderen vliegen het want in, benen met grote passen over de ralijnen en laten de fris gestreken zeilen knallen in de verblufte wind.

'Alles omhoog!' brult Greenstreet, doelend op zijn mannen.

'Alles omlaag!' krijst de Bos'n, doelend op de zeilen. Want wanneer Vincent zich tot een man richt, klinkt dat anders: 'McCarthy, van je luie reet af en naar de mast! Bakewell, je hoeft je hersens niet te zoeken, die heb je niet, maak liever de talies in orde! Blackboro, ga lezen, uit de weg!'

Zo met volle zeilen voortsuizend blijven we dicht onder de rafelige sneeuwkust van het eiland. Waar de rollers niet torenhoog tegen de rotsklippen slaan, liggen de baaien die Cook ooit van namen voorzag, stuk voor stuk onbewoond, met stranden van zwart zand waarover gletsjers kruipen, totdat de last van de rolstenen die ze meevoeren te zwaar wordt, de gletsjers met veel geraas in het water storten en als ijsberg wegdrijven. Zeker een uur lang sta ik ondanks mijn seringenpaarse trui te bibberen aan de reling en kan ik mijn ogen niet afhouden van de uiterste rand van deze buitenpost van de beschaving, de punt die nog één keer een hels kabaal maakt en waar uitgerekend ik verzeild moet raken. Wat moet ik ervan denken? 'Kaap van de Teleurstelling' noemde James Cook het zuidelijkste stukje Zuid-Georgië toen hij besefte dat hij een eiland voor zich zag en niet het legendarische zuidelijke continent dat hij volgens een geheime missie had moeten ontdekken. Als je leest over de ongelooflijke inspanningen die de ouwe Cook zich moest getroosten om als eerste mens zo ver naar het zuiden van de aardbol af te zakken, kun je zijn teleurstelling begrijpen. Ook waar het weer in zee overgaat, is het eiland een boomloze, kale en kleurloze woestenij, precies zoals je je het einde van de wereld altijd hebt voorgesteld: alles wordt minder en minder, alles op één ding na: water! En dan is er opeens niets anders meer dan de zee. Dat ik desondanks niet teleurgesteld ben, komt waarschijnlijk omdat ik de hele maand op Zuid-Georgië nooit het gevoel heb gehad dat ik onbekende grond zou betreden. Voor mij was het net of ze me de kans hadden gegeven om naar de kust van mijn dromen te roeien om het binnenland te verkennen. En dat was machtig. Maar anders dan Cook weet ik wél dat het enorme zuidelijke continent bestaat, dat het geen droom is, maar net zo reëel als Zuid-Georgië.

Op zijn eigen weerzinwekkende wijze heeft Vincent gelijk wanneer hij me zijn spot in het gezicht slingert, want in mijn vrije uren tussen de maaltijden in zien ze me nog maar zelden zonder boek. Maar alsjeblieft zeg, kan ik het helpen dat Shackleton me niet vraagt om in kleermakerszit aan de voeten van mijn Bos'n plaats te nemen om oude seinvlaggen te herstellen, maar dat hij van me verlangt dat ik de boeken die ik zo gewetensvol heb geordend even gewetensvol lees? Toen hij, nadat hij afscheid van de Jacobsens had genomen, aan boord kwam, duwde hij zwijgend de bijbel tegen mijn borst. Die had ik amper op zijn plaats gezet, of hij kwam met slaande deur binnen en begon te mopperen. Hij had ontzettend slechte zin en ik was weer de domkop.

'Je pakt een boek en leest het. Over drie dagen overhoor ik je.'

'Yesser, graag, sir. Hebt u er een in uw gedachten?'

Dat heeft hij. Tenslotte varen we de komende drie dagen op dezelfde route als Cook in januari 1775 met zijn Resolution.

Terwijl we in zuidoostelijke richting op de Zuid-Sandwich-eilanden afkoersen en een steeds kleiner aantal vogels ons boven open zee vergezelt, ontspant Shackleton gelukkig steeds meer, net als de mannen. De gesprekken in het Ritz draaien steeds minder vaak om dominee Gunvalds toespelingen op de vreselijke oorlog die in Europa woedt, en ook hun teleurstelling over de niet verschenen pakketboot slikken de mannen langzaam weg. Met het bereiken van open zee komen de voorspelde ijsomstandigheden weer even in het middelpunt van de belangstelling te staan, maar omdat het schip onverwacht goed getrimd blijkt te zijn en we tussen de vijfenvijftigste en zesenvijftigste breedtegraad op een al even onverwachte kalme zee vaart maken, zonder ijs in zicht, niet de kleinste schots, daalt rust neer en verdiept langzaamaan iedereen zich in zijn arbeid, en ik lees in Cooks logboeken over de reizen tussen 1768 en

1779. Halverwege de Kaap van de Teleurstelling en het Zavodovski-eiland, de noordelijkste van de Zuid-Sandwicheilanden, op een nevelige morgen waarop je de scheidslijn tussen hemel en zee in de witte mist alleen kunt vermoeden, is geen van de vogels meer aanwezig die ons vanaf Zuid-Georgië waren gevolgd en op onze ra's gingen zitten om uit te rusten. Het verdwijnen van zijn vogels voelt voor mij als het definitieve afscheid van Zuid-Georgië, en mijn weemoed op deze morgen wordt nog sterker en doet ten slotte de tranen in mijn ogen wellen als ik hem bij Cook terugvind: 'Landerijen die de natuur tot eeuwige kou verdoemt, die nooit verwarmende zonnestralen voelen en waarvan ik de vreselijke en woeste aanblik niet met woorden kan beschrijven; zo zijn de landen die we hebben ontdekt. Hoe zullen de stukken land er dan uitzien die verder naar het zuiden liggen? Wie de vastberadenheid en volharding bezit om hierover duidelijkheid te verschaffen door verder te varen dan ik heb gedaan, hem zal ik de eer van de ontdekking niet misgunnen, maar ik zal wel zo vermetel zijn om te zeggen dat de mensheid daaruit geen voordeel zal putten.'

Misschien heeft de mensheid, afgezien van het feit dat ze miljoenen zeehonden, zeeolifanten en walvissen heeft kunnen doden om kostbare huiden, vetten, oliën en botten te verwerken, tot nog toe geen voordeel uit het onderzoek van het zuidpoolgebied geput. Een complete eeuw heeft zijn vooruitgang te danken aan de blubber, de vetlaag van de in de ijszeeën geslachte dieren, met de olie waarvan machines over de hele wereld werden gesmeerd en waarmee ook de straatlantaarns van Wales en de drie in Pillgwenlly 's nachts mooi helder brandden, zodat mijn vader mijn moeder veilig naar huis kon begeleiden om mij in het schijnsel van een kaars van walvisvet te verwekken. Cook heeft het zien aankomen: mannen die verder zuidwaarts voeren dan hij, ontdekkingsreizigers die het niet om winst of vooruitgang was te doen, wisten heel goed hoe ze een voordeel aan het eeuwige ijs moesten ontfutselen. Zoals Shackleton. Zijn expeditie met de Nimrod heeft hem roem en aanzien gebracht, zozeer dat hij zelfs in de adelstand werd verheven. Zijn leermeester

Scott moet dat als een klap in het gezicht hebben ervaren. Want zelfs iemand als Cook werd niet tot ridder geslagen.

Wanneer onze sir echt van plan was om als een leraar te toetsen wat ik had gelezen, dan zou ik bijvoorbeeld de gebreken kunnen opdreunen waaraan Cooks mannen leden toen aan boord van de Resolution de scheurbuik rondwaarde: 'Rottend tandvlees, blauwgrijze vlekken, huiduitslag, ademnood, samengetrokken ledematen, viesgroen slijm in de urine, sir!'

Dokter McIlroy heeft er lol in als ik hem het citaat uit Cooks aantekeningen voorlees.

'Tja, dan baten ook worteljam en zuurkool niet meer.'

Terwijl zijn collega Mack de rustige dagen op zee benut om zijn honden te trainen, is Mick een van de weinigen die niets omhanden hebben en met moeite hun verveling verbergen. Hij is de eerste bij wie Greens voorspelling uitkomt: niet lang nadat hij een maaltijd naar binnen heeft gewerkt, begint hij al naar de volgende te vragen. We hangen dus allebei rond in de buurt van de keuken, het is alleen jammer dat je niet echt met hem kunt praten. Want hoe hij bijvoorbeeld over de oorlog denkt, of Engeland of Wales het slagveld kan worden, of hoe waarschijnlijk hij het acht dat er een luchtoorlog komt, dat houdt Mick voor zichzelf, hij maakt er zich liever met een grap van af: het is heel goed mogelijk dat het Britse roodborstje de Duitse merel flink op zijn lazer geeft. Wat dat aangaat, ja, als je het hem vraagt, zonder twijfel een luchtoorlog.

Het avondeten laat nog even op zich wachten. McIlroy rookt zonder ervan te genieten een afleidingscigarillo en vraagt min of meer terloops of ik parallellen tussen Cook en Shackleton zie. Dat is Micks andere kant.

Ik weet het niet goed. Ook Shackleton, destijds nog derde man onder Scott, is bijna aan scheurbuik bezweken. Ik vertel Mick dat Cook een inzinking krijgt op het moment dat hij uit het ijs terugkeert. Uit de milde commandant van vroeger is een lichtgeraakte, opvliegende tiran geworden. Cook neigt naar het uitdelen van draconische straffen met de kat met negen staarten. En hij verbergt de helse pijn van een galblaasinfectie.

'Ai!' zegt Mick en hij blaast een kring van rook.

Cook lijdt honger, tot hij op het laatst vel over been is. Pas als de natuurvorser aan boord, de Duitser Reinhold Forster, zijn geliefde hond offert zodat de uitgemergelde kapitein met een maaltijd weer op krachten komt, treedt de vurig verlangde genezing langzaam in.

McIlroy denkt een ogenblik na: 'Oké, honden hebben we genoeg,' zegt hij ten slotte en hij aait over de rug van de kat die tussen ons in de ronding van de patrijspoort slaapt.

De cigarillo is opgerookt, van het avondeten is er nog geen spoor. Misschien lijkt Shackleton wel een beetje op de jonge Cook, de onbaatzuchtig-stijve pionier boordevol scrupules. De bezetenheid die de oudere Cook naar noord en zuid over de wereldzeeën joeg, heeft vooral Scott met hem gemeen. Mick valt me niet bij en heeft er evenmin een andere mening over.

'Discovery,' zegt hij alleen, met een zijdelingse blik op Green, die weliswaar voorbij glipt, maar nog altijd niets in zijn handen heeft, geen broodmanden, zelfs geen servetten. Buiten voor Mrs Chippy's patrijspoort daalt grijze duisternis neer over grijze zee. Maar het avondeten laat niet lang meer op zich wachten.

'Zal geen toeval zijn dat Scotts eerste schip net zo heette als Cooks eerste,' zegt Mick verveeld.

Hij weet niet, en waarschijnlijk interesseert het hem ook helemaal niet, dat er zeven Discovery's waren en dat Scotts schip niet meer dan het tot dan toe laatste met deze naam was.

De namen van de commandanten van de zeven schepen opdreunen, misschien dat je zo bij Shackleton respect zou kunnen afdwingen. Dan zou hij echter eerst zijn dreigement ten uitvoer moeten brengen door mijn pas verworven kennis te toetsen. Maar hij heeft wel andere zorgen.

Wij hebben met z'n allen maar één zorg. Ook op de ochtend die voor ons ligt, de vierde sinds Grytviken, is er geen ijs in zicht. Zodra het wolkendek breekt, bepalen Worsley en Boeddha Hudson onze positie, maar ze komen altijd weer tot dezelfde conclusie: volgens de informatie van zowel Jacobsens als Sørlles mannen zouden we al anderhalve dag terug op zwaar drijfijs moeten zijn gestuit. Maar voor ons ligt niets dan water.

Shackleton klimt zelf meerdere keren per dag in het kraaien-nest en tuurt in de bijtende maar geheel sneeuwvrije wind. In het Ritz, waar ze zich opwarmen, discussiëren de sir en de hoogsten in rang over de mogelijke oorzaak van de vergissing. Een navigatiefout sluit Worsley uit; desondanks geeft hij Uzbird en James opdracht om het bestek te controleren.

Er mankeert niets aan. En of onze berekende positie klopt, 56° 10' zuiderbreedte en 28° 30' westerlengte, zal hoe dan ook binnen enkele uren blijken, namelijk als aan de horizon al dan niet het Zavodovski-eiland blijkt te liggen.

De kleinste in de ruimte heeft een andere mening. Uzbird Hussey komt met de luchtdrukmetingen van de afgelopen uren aanzetten. Er blijkt uit dat er een zware storm, om niet te zeggen een orkaan, op til is. Shackleton combineert het snelst: als Uzbird gelijk heeft, zou de storm kunnen verklaren waarom er geen drijfijs is. Hoewel alleen een orkaan de ijszee zo schoon-veegt.

'Ik zie nog een ander probleem,' zegt Worsley. 'Mochten we in orkaanweer verzeild raken, dan is het veel te riskant om Zavodovski op gezichtsafstand te passeren. Ik stel voor om naar het westen te kruisen.'

Shackleton gaat akkoord voor het geval de storm ook echt komt. De snelst mogelijke positiebepaling door het Zavodov-ski-eiland wil hij nog niet afschrijven. Daarmee beëindigt hij de bijeenkomst en gaat terug aan dek. Even later zie ik hem weer boven in de uitkijkton zitten. Cook liet in de ijszee rode mutsen onder zijn mannen verdelen, rode duffelse jassen en broeken van rood flanel. Shackletons jas met capuchon is zwart, en bijna net zo zwart wordt over een paar minuten de hemel wanneer Husseys storm komt.

In deze nacht worden de visjes gevoerd door mannen van wie ik nooit van mijn leven had gedacht dat ze nog zeeziek konden worden. Een maand aan land is voldoende, lijkt het, en een ouwe zeerot als Vincent kotst z'n hele hebben en houden uit over de reling. In het water leven de vissen en alles wat verder maar vinnen heeft. En boven de golven suizen de beesten met vleugels, daar huizen de zalige vogels. Maar op het water leeft niemand, niets en niemand. Op het water drijven alleen dode dingen, algen en scheepsplanken, vuil en kadavers. En ergens ten westen van de Zuid-Sandwicheilanden, nog net zo onzichtbaar als ze al duizenden jaren zijn, drijft nu ook het verzamelde schuim van de mannen van de HMS Endurance.

De storm is hevig. Hagelbuien vernielen twee zeilen, zodat How en Bakewell moeten openteren om de resten van de ra's te kappen. Met een dreunende gong blaast de storm in de boven de masttoppen op en neer ruisende koepels van linnen en voert ze mee. En nauwelijks zijn de beide jongens terug uit het want, of de ra waarop ze daarnet nog boven de golven liepen te balanceren breekt los uit zijn verankering en valt, spieren en takelage met zich meesleurend, met donderend geraas op de bunker.

Maar zo hevig als de killer die de John London om zeep heeft geholpen, is Husseys Zavodovskistorm niet. Daarmee vergeleken is hij een briesje. Hij heeft een eigen wil, dat merk je. Hij wil ons eens laten zien wat poollucht is en dat doet hij rigoureus door alle registers open te trekken: valwinden, huizenhoge brekers, hagel en sneeuwvlagen. Hij is een accurate orkaan die afmaakt wat hij is begonnen. De wervelstorm van Montevideo was een inferno, een niet-verklaarde oorlog tussen water en lucht waarin alles wat zijn pad kruiste zinloos werd verwoest.

Wanneer bij geleidelijk opklarend weer kapitein Worsley erin slaagt de eerste betrouwbare positiebepaling te maken, berekent hij dat de orkaan ons exact twee breedtegraden verder zuidwaarts heeft gevoerd. Als de berekening klopt zijn we Zavodovski, Leskov, Visokoi en Candlemas in het westen gepasseerd zonder ook maar één van de vier eilanden in zicht te hebben gehad, en bevinden we ons nu ergens halverwege Saunders- en Montagu-eiland. Dat we de helft van de voor de Weddellzee in de golven liggende sikkel van vulkaaneilanden al achter ons hebben, zou het beste nieuws sinds het begin van de reis zijn. Maar we hebben nog altijd geen land gezien en er is nog altijd geen ijs. Worsley ziet er de humor nog wel van in, maar moet bekennen dat we niet precies weten waar we zijn.

We herstellen de stormschade. Op het voordek neergekomen delen van de takelage hebben een hok verpletterd. Twee van de honden werden gedood, Crean en dokter Macklin moeten de kadavers overboord zetten. Het troost hen nauwelijks dat er inmiddels ten minste drie vrouwtjes drachtig zijn. Ze doen de kadavers in twee oude plunjezakken en laten ze over de reling in het water zakken. Het waren twee niet erg opvallende honden die het in hun hok goed met elkaar konden vinden en die Crean en Macklin, omdat ze er bijna hetzelfde uitzagen, Jakes en Jones noemden.

Wanneer er wordt geroepen dat er land in zicht is, zit ik met de kat bij de patrijspoort en lees. Cook had ik dagen geleden al uit, nu zit ik alweer diep in de negentiende eeuw, bij robbenjagers die uitgroeien tot onderzoekers en ontdekkers, bij Weddell en Von Bellingshausen, die honderd jaar voor Scott en Amundsen een vrijwel identieke wedloop leveren en de roem ten slotte delen: Weddells Jane en Beaufoy weten de naar hem genoemde zee te bereiken, Von Bellingshausens Vostok en Mirnyi lukt het om als tweede na Cook het continent te ronden.

Je hoeft niet altijd de eerste te zijn. Ik ben een van de laatsten die zijn jas aanheeft en, staande aan de reling die met een dun laagje ijs is bedekt, met verbazing kijkt naar de structuur die zich in het oosten uit de grijze zee verheft en enkel bestaat uit sneeuw, ijs en een door golven omspoelde rotssokkel.

Is het Montagu? De bazen weten het niet zeker. Enkele van de ijsheiligen zijn hier jaren geleden langs gezeild, maar niemand heeft er veel acht op geslagen. Cheetham grijpt Greenstreets verrekijker en verklaart, het instrument nog voor zijn ogen, het eiland tot Montagu-eiland: het heeft drie ongeveer even grote zuidelijke baaien met elk een flinke rots en bovendien kolonies keelbandpinguïns zover het oog reikt. Saunders in het noorden heeft, zegt hij, geen zuidelijke baaien, Bristol in het zuiden kun je gemakkelijk herkennen aan de Freezlandrots die ervoor ligt. Wat zou het anders moeten zijn dan Montagu?

Shackleton voelt intussen aan zijn imposante ijszeebaard en wisselt blikken met de schipper.

'Keelbandpinguïns, hè, Alf?' grijnst Worsley en hij geeft Cheetham bij het weggaan een klap op zijn rug.

Alf Cheetham is beduusd: 'Keelbandpinguïns, ja natuurlijk!

Wat valt er nou te lachen?' roept hij Worsley achterna. 'Kijk dan zelf als je het niet gelooft. Die zitten er, met miljoenen!'

Shackleton is bereid om het eiland voorlopig als Montagu te noteren. Hij slaat een arm om de onthutste Cheetham.

'Mochten we morgen Bristoleiland passeren,' zegt hij, 'dan moet hij je trakteren. Oké? Wees niet boos!'

Maar Cheetham is nog maar net weg om troost te zoeken bij zijn honden, of Greenstreet richt zijn kijker nog een keer op het eiland, en Shackleton bromt instemmend wanneer hij zegt: 'Zou ook Bouveteiland kunnen zijn, sir. Wat zou betekenen dat we goed verkeerd zijn gevaren. Ik denk het niet, maar het zou kunnen.'

Op de ochtend die de beslissing brengt of we op de beste en tot op heden zelfs ijsvrije route richting Weddellzee zitten of dat we sinds een week koers naar nergens zetten, een ochtend waarop bij de meesten de trek is gestild, zit ik weer alleen met de doodgemoedereerd aan zijn ontbijt knabbelende McIlroy in het Ritz. Helemaal koud kan ook hem onze hachelijke toestand niet laten, en daarom vraagt hij me of ik weet hoe dat rijtje eilanden aan hun naam komt: Zuid-Sandwich. Misschien omdat de eilanden tussen Zuid-Amerika en het zuidpoolgebied in liggen, als een plak ham om zo te zeggen?

Ik weet niet of hij de vraag serieus bedoelt of dat hij me alleen maar zit te jennen. Inmiddels zijn er een stuk of wat heren aan boord wie het op de zenuwen werkt wanneer ik bij het afruimen van de tafel terloops zeg wat Cooks mannen aten, of wanneer me wordt toegeroepen dat een scheepsjongen niet zo'n grote mond moet opzetten en ik antwoord dat het Cooks scheepsjongen Nicks was die zowel Australië als Nieuw-Zeeland heeft ontdekt. Green vond het weliswaar grappig toen ik hem vertelde dat ook Cooks astronoom Charles Green heette, maar hij wil niets meer over mijn boeken horen sinds ik hem in een woordenstrijd naar het hoofd heb geslingerd dat Cooks Green op zee aan dysenterie stierf en dat hij daar maar eens goed over moet nadenken.

In McIlroys gezicht ontwaar ik geen kwaaie bedoelingen; hij

lijkt alleen maar blij te zijn dat hij de ontbijttafel helemaal voor zichzelf heeft en een beetje kan babbelen.

'Allebei,' zeg ik daarom, 'het brood en de eilanden zijn, voor zover ik weet, naar de een of andere lord genoemd.'

'Aha,' zegt hij met een volle mond. 'Hoe dat zo?'

Ik haal mijn schouders op en begin af te ruimen. De vierde lord van Sandwich, wiens voornaam John Montagu luidde, de grote man achter Cook, moet wachten tot hij aan de beurt is. Want iets drijft me opeens naar dek, misschien omdat het op het schip op slag volkomen stil is.

Ik schiet in mijn jas, laat – 'Wat is er aan de hand?' – Mick alleen zitten en loop naar boven. Een blik in de buitenlucht over de schouders van de mannen die zich hebben verzameld aan de reling is genoeg om te weten wat er is gebeurd. Daar rijst een eiland op uit de nevel, het is kleiner dan Montagu en er ligt een rots voor: het zijn Bristoleiland en de Freezlandrots. Maar erachter, daar waar de passage zich opent die Cook naar zijn Duitse wetenschapper en diens zoon de Straat van Forster noemde, ligt nog iets. Stralend wit, met ritmisch oplichtende blauwe spleten ligt hij daar als een vergeten, over het hoofd geziene kust.

De rand van het pakijs.

10

In het ijs

Een halve dag lang varen we met afgeknepen machines langs de rand naar het zuiden. De ijsrand moet exact in het midden van de Straat van Forster lopen, want de toppen van Zuid-Thule en het kleine Cookeiland voor de boeg zijn bij helder zicht even ver verwijderd als die van Bristoleiland, dat achter ons ligt. Reuzenstormvogels lijken aan één stuk door tussen de beide rotsgroepen te pendelen, dat een schip hun route kruist kan ze maar matig boeien. Anders dan de zuidpooljagers – zij hebben hun ceremoniemeester gevonden in Green, die het keukenafval over de verschansing kiepert – suizen de grijsblauwe reuzen vlak boven het wateroppervlak op ons af, zeilen door de takelage en vliegen weg, alsof de rare vogels die wij zijn en die onze kop intrekken helemaal niet bestaan. Soms glanzen zee en ijsrand in het rozigste rood, namelijk op die plaatsen waar een krillzwerm langstrekt. Deze vaak vele honderdduizenden ton zware verzamelingen van allemaal losse en in dezelfde richting zwemmende kreeftjes, dat is wat de reuzenstormvogels aanlokt. Ik mag er gerust van uitgaan, zegt Bob Clark terwijl hij zijn stem laat zakken, dat zoals de vogels van bovenaf aan het krill pikken, de walvissen er zich van onderaf aan te goed doen.

Op veel plaatsen opent zich de barrière en vormt spleten die breed genoeg voor het schip zouden zijn, sommige zelfs breed genoeg om te keren als je niet verder zou kunnen. Maar omdat de rand naar het zuiden loopt, heeft Shackleton opdracht gegeven om het ijs niet binnen te varen. Wild en hij zitten bij toerbeurt in het kraaiennest en houden tot het invallen van de amper een uur durende duisternis om middernacht in de gaten of de drift van richting verandert. Maar ook in de schemer van de nacht, waarin ik om de twee uur wakker schrik en luister, hoor ik de machines rustig en gelijkmatig stampen en de Endurance vaart minderen, net of je in de vroege ochtend, nog voor de terugkerende viskotters, de Severn naar Newport opvaart.

De volgende morgen is het zover. In een brede boog loopt de barrière nu naar het noordwesten. Tot de middag volgen we de ijsrand om na te gaan of die nog een keer van richting verandert, maar dan laat Worsley bijdraaien, we keren om en zoeken een geschikte toegang. De spleet die Frank Wild ten slotte vanuit het kraaiennest ontdekt, is zo breed als drie schepen naast elkaar. Omdat hij, zover het oog reikt, niet echt smaller lijkt te worden, zou de scheur best eens een kanaal tussen twee voor de rest ongerepte schotsen kunnen zijn. Eén enkele enorme ijsplaat, een zich over ik weet niet hoeveel kilometers uitstrekkend wit maanlandschap dat er al jaren, om niet te zeggen decennia op heeft zitten, is ergens langs deze zuidwaarts verlopende lijn in tweeën gebroken. Op het moment dat de sir de kaptein en de kaptein zijn eerste officier Greenstreet het commando 'halve kracht vooruit' geven, heeft, op de stokers na, de hele bemanning zich op de voorplecht verzameld. Iedereen tuurt over de boegspriet naar voren en volgt aandachtig de blauwzwarte wig die zichzelf de witte vlakte in schuift tot hij daarin als een ragfijne draad aan de einder oplost.

Ik ben de enige die over Bakewells schouder naar de open zee achter me kijkt. In de minuut dat ik naar de achtersteven loop is de zee voor het oog verdwenen, net als het ruisen van de over het water zwiepende windvlagen en het lawaai van de tegen de rand van het ijs rollende branding. Dan heb je overal om je heen alleen nog ijs. En ik, die zich aan de bevroren reling vastklemt, ik heb het gevoel alsof ik niet aan de achtersteven van ons schip, maar aan de achtersteven van de tijd sta.

Ik had gedacht dat het stil zou zijn in het ijs. Maar dat is niet zo. Het ijs is voortdurend in beweging. Daar waar ze niet in elkaar zijn gedrukt en zich op elkaar hebben gestapeld, zijn de schotsen tussen de een en twee meter dik. Als de deining onder hen ze op elkaar doet stoten, hoor je de doffe knal van de botsing, waarna er een langdurig knersen volgt doordat de ijsplaten tegen elkaar schuren. Hoe zo'n kabaal dat maakt, merk ik wanneer we enkele uren nadat we de pakijsgordel zijn binnengevaren, een vrij bekken voor de uitgestrektheid van een middelgroot meer bereiken waar je echt helemaal niks hoort, vooral ook omdat we de machines hebben uitgezet om Stevenson en Holness de kans te geven bij te komen van het gezwoeg voor de ketels. Onder volle zeilen bruisen we zuidwaarts, en terwijl de dekmatrozen er een sport van maken om beurtelings steeds verder op de kluiverboom boven de boeg uit te klimmen om brullend een arm, een hand of een vinger tot het zuidelijkste lichaamsdeel op aarde uit te roepen, benut ik de rustige dag in de pakijslagune om in Weddells *A Voyage Towards the South Pole: Performed in the Years 1822-24* na te lezen wat de kapitein van de Jane heeft te zeggen over de 'stinkerds'; zo noemt hij de reuzenstormvogels namelijk vanaf het moment dat hij ziet hoe één enkele zwerm 'in een paar uur tijd wel tien ton zeeolifantentraan naar binnen werkt'.

Weddell schat dat na dertig jaar robbenjacht in de Zuidelijke IJszee twintigduizend ton zeeolifantentraan op de Londense markt verkocht en meer dan 1,2 miljoen robbenhuiden door Amerikaanse en Britse robbenjagers buitgemaakt is. Bob Clarks lippen versmallen zich tot een ontroostbare streep wanneer ik hem de getallen presenteer, de anderen willen hun humeur niet laten vergallen.

Maar met de rust is het hoe dan ook gedaan. Wanneer we het meer in het ijs 's avonds hebben overgestoken, kondigt een uit alle richtingen komend afnemend en aanzwellend knerpend geluid een groot drijfijsveld aan. Hoe groot het echt is, weten we pas als het twee dagen lang klinkt alsof we door grind varen, om het even waar je aan boord naartoe vlucht om te lezen of om gewoon onbespied je oren dicht te houden.

In de week voor kerst passeren we tussen de zestigste en vijf-
enzestigste breedtegraad op gepaste afstand een vloot van gigantische ijsbergen. Enkele zijn meerdere vierkante kilometers
groot, maar allemaal meer dan honderd meter hoog en volkomen plat, zodat ik met eigen ogen zie waarom vroeger zelfs de
meest ervaren navigators en geologen dachten dat ze land hadden ontdekt dat, hoewel zorgvuldig op de kaarten ingetekend,
geen mens ooit terug zou vinden. Schijnbaar onbeweeglijk drijft
een tafelijsberg in zee, de deining rolt tegen zijn witte of blauwe
klippen en de baren spatten er hoog tegen op als de branding
tegen een rif. Er zijn ijsbergen waardoor de zee tunnels heeft
geboord en diepe holtes heeft gegraven waar je niet in kunt
kijken, en elke golf weergalmt dreunend in de nachtblauwe
kamers. In het water zie je de schaduw van de berg, maar je kunt
nooit zeker weten of dit donkere, tot aan het schip reikende veld
misschien toch zijn onder water verborgen romp is, met in zijn
binnenste ijs en rolstenen die geruisloos door het water drijven.
'Wrakken van een vernietigde wereld' noemt Forster de ijsbergen van het zuidpoolgebied. Als er weer eentje is langsgedreven,
halen we opgelucht adem en luisteren een tijdlang naar het
rauwe klotsen van de golven tegen het vloeiend deinende pakijs.

De dagen gaan heen met het zoeken naar spleten en scheuren
waar we ons doorheen kunnen wurmen en met het telkens weer
ontnuchterende besef dat ook de breedste opening eindigt voor
een barrière waar we ofwel moeten omkeren en een andere weg
zoeken, ofwel in een eindeloos en zenuwslopend vooruit en
achteruit botsen het volgende stuk van de route moeten vrij
rammen. Sinds de heerlijke dag in de lagune zijn de bij het ijs-
breken nutteloze zeilen niet meer uit hun bergplaatsen gekomen. We varen alleen nog op stoom, met als gevolg dat elke vrije
man, of hij nu officier, wetenschapper of pikbroek is, opdracht
heeft gekregen om kolen te scheppen. En zo hebben de tot op de
meter nauwkeurig berekende ramstoten, waarbij de boeg zich
boven het ijs verheft tot hij terug glijdt om daarna opnieuw
tegen de samengeperste en opengebroken plaats op te worden
gestuurd, al de helft van de kolen uit McNeish' bunker verslon-
den, en dat terwijl we de zuidpoolcirkel nog niet zijn gepasseerd.

Shackleton had eind december in de Vahselbaai willen aanleggen. Oud en nieuw had al in een eerste voltooide hut moeten worden gevierd. Maar op de ochtend van eerste kerstdag scheiden ons nog altijd vijfhonderd kilometer van de toegang tot de Weddellzee, en bovendien moeten we ook nog de halve zee over en weet niemand hoeveel ijs daar op ons wacht. Met de hem kenmerkende nuchterheid, die zich onder geen beding iets aantrekt van zoiets als een feeststemming, rekent Greenstreet ons in het kaarslicht van het versierde Ritz voor dat we met onze tot nog toe afgelegde gemiddelde dagafstand van vijftig kilometer Vahsel vermoedelijk pas eind januari zullen bereiken. En we weten allemaal dat Greenstreet ons op zijn eigen stijve wijze moed wil inspreken. Maar dat doet niets af aan het feit dat zijn berekening, die voor ons allen van belang is, niet klopt: eind januari zal geen enkele dagafstand, hoe groot ook, ons nog ergens brengen. De zuidelijke Weddellzee zit eind januari potdicht.

Om te voorkomen dat de somberheid toeslaat, al is er alle reden voor, deelt Shackleton de pakijswacht in eenuursploegen in, zodat iedereen kan feestvieren en van zijn deel van het feestmaal kan genieten. We betuigen eer aan het koninklijk paar, klinken op de kameraden in de oorlog en zingen. Vervolgens gaat boven het omgekeerde tafellaken de menukaart van hand tot hand, de kaart die ik samen met de boordspecialist in lucullische dingen, dokter James A. McIlroy, heb verzonnen en die, nu ik er goed over nadenk, de eerste uit mijn pen is sinds de mislukte hymne op Ennids hinken:

Kerstmenu
aan boord van Zijner Majesteits onvervaarde
expeditiestoomzeilschip
Endurance

Voorgerecht
Skilligolee (havergort) of
Fijngehakte crackers
(geweekte scheepsbeschuit, gezouten)

Hoofdmenu
geserveerd met worteltjes, peterselie, voederbieten en uien
Gebraden zuidpoolstern (varken) of
Keizerspinguïn op zijn Berlijns (varken) of
Kleine ree (rat)

Dessert
Harde nagel (scheepsbeschuit en pekelvlees) of
Zachte nagel (wittebrood en boter – alleen voor officieren!)

In werkelijkheid komt het feestmaal uit blik. We hebben schild-paddensoep, gebakken vis, gestoofde haas, kerstplumpudding, gevulde pastei en gekonfijte vruchten. *Madame Butterfly* – ten gehore gebracht via Orde-Lees' grammofoon – jengelt een keer of wat op de achtergrond, tot ze daar vergeten wordt, en ook Creans goedbedoelde voorstel dat ik iets van Cook ten beste geef, vindt in het geknal van de flitsen van Hurleys foto-toestellen geen gehoor. Jammer, want ik weet zeker dat ze alle-maal geboeid zouden hebben geluisterd: James Cook op Tahiti, zijn mannen in een liefdesroes bij het zien van de eilandscho-nen, die als ruilmiddel voor hun vrolijke overgave niets anders verlangen dan nagels. Waarna de trotse Endeavour al snel uit elkaar dreigt te vallen.

Mijn pakijswacht vervul ik in het duistere uur tussen midder-nacht en klokslag één. Lange tijd sta ik alleen aan dek en luister naar het ijs. Wanneer in het Ritz Uzbirds treurige banjo van zichzelf op adem mag komen en Worsley en Bakewell even geen shanty te binnen schiet, hoor je het kreunen en steunen van de schotsen, en soms klinkt het werkelijk alsof daar buiten in de eindeloze duisternis een schuur staat waarin mijn vader weer een kleine werkplaats heeft ingericht, zo een als hij vroeger ooit bezat – gewoon voor je plezier, om na je werk een beetje te zagen en te vijlen.

Clark komt naar boven en gaat bij me staan. Enigszins aange-schoten (zo ken ik hem) en met een Schots accent (zo ken ik hem helemaal niet) vertelt hij over zijn lievelingsdieren van het ijs, de goudkuifpinguïns. We kijken naar de kersthemel, waarboven het sterrenlint van de Waterslang Canopus straalt, en Clark zegt dat hij me hopelijk nog een keer een kolonie goudkuifpinguïns kan laten zien.

'Al meteen toen ik ze voor het eerst zag,' zegt hij een beetje lallend, 'had ik het gevoel dat hun kleurpatroon alle vragen kon beantwoorden die me altijd al hebben gefascineerd. Ik bedoel niet eens zozeer het goud van die grappige kuif waaraan je ze al van verre herkent en die eruitziet alsof ze allemaal een paar strootjes op hun kop hebben gedrapeerd. Maar het is vooral het zwart en het wit van hun verenkleed, daarin vind je namelijk zo'n beetje alle kleuren die je je maar kunt voorstellen, en bij alle beesten vind je ze in een andere… Nou ja, ik weet niet of je daar iets mee kunt. Maar zo zie ik het.'

Ik geloof niet dat ik begrijp wat Clark me wil vertellen, maar omdat ik twijfel zeg ik: 'Jawel, ik denk dat ik weet wat je bedoelt.'

En Clark zegt: 'Ja. Daarom heb ik het je verteld. Ik begrijp heel goed dat de sir zo op je is gesteld. Jij bent een bijzonder iemand. Je vraagt je niet af wat je nog meer van een paard weet sinds ze je hebben geleerd dat het in het Latijn *equus* is.'

Een lange, moeilijke zin, maar snappen doe ik hem niet.

'Dank je, Clark.'

'In elk geval hoop ik dat we de kans krijgen om samen nog eens zo'n kolonie te bekijken. Nu schiet me te binnen… Goudkuifpinguïns hebben nog een bijzonder kenmerk. Je zult moeten lachen als je ze hoort roepen. Het is namelijk net of ze mij roepen. Dat is geen gekheid! Echt waar, ze roepen: Clark, Clark! Clark, Clark!'

Op nieuwjaarsochtend doe ik iets wat ik altijd al wilde doen en wat ik sinds mijn bevrijding uit de kast net zo geheim heb gehouden als Ennids vis: ik klim in het want van de grote mast naar het kraaiennest.

Daarboven is niets te horen dan de om de ra's en marsen gierende wind. Ondanks alle zorgeloosheid die je van binnenuit verwarmt en die je voelt als je dertig meter dichter bij de pracht van de lege hemel bent dan al die andere mannen, is het er toch gemeen koud. Om niet tot een hijgend verlengstuk van het bevroren grootbovenbramra te verstarren, sla ik de lichtblauwe Grego om me heen als koning Arthur zijn mantel met de zevenentwintig daarop geborduurde draken. Zo van boven bekeken lijkt de Endurance op een grote wig die zich een weg baant door een wirwar aan waterwegen. Zwart, blauw en zilverachtig glanzende meren, dat zijn onze lichtbakens, kleine ijsvrije vlakten tussen de schotsen, die ons ondanks alles nog altijd vooruit doen komen. Beneden, achter de nieuwe beschutting van de brug, staat de dik ingepakte schipper, de ene hand aan de telegraaf naar het ketelhuis, de andere aan de semafoor die McNeish heeft gebouwd van latten van Jakes en Jones' verwoeste hok. Het sein waarmee de kaptein de stuurman de voortdurend noodzakelijke koerscorrecties kan doorgeven zonder zich schor te hoeven schreeuwen doet denken aan een van een torenklok afgebroken wijzer. Maar soms, als ik Worsley daar zo zie staan, zijn hand op het houten blad, zijn hoofd omgedraaid tot Greenstreet aan het roer op zijn signaal reageert, denk ik aan mijn broer: Dafydd voor het vliegtuig van de eenogige Edward Mannock, hoe hij gespannen staat te wachten tot hij de propeller kan aanslingeren en opzij moet springen.

Betoverd door het uitzicht doezel ik een beetje weg, droom van voorbije dingen en stel me voor wat er op ons af kan komen. Het nieuwe jaar belooft veel. We hebben het langste stuk gehad sinds we het pakijs zijn binnengevaren, tweehonderd kilometer op één dag.

Maar het blijft het aloude naar voren en weer terug. Op 6 januari zitten we zo muurvast dat de sir besluit de dagelijkse sleur voor de honden – van hok en medisch onderzoek, Spratts' hondenbrokken en lysolbad – te doorbreken. Ze worden in hun sledegroepen het ijs op geleid en kunnen zich uitleven. Er vallen er maar vijf in het water, maar die worden gered. Dan opnieuw twee dagen lang met volle kracht vooruit tot na de negenenzestigste breedtegraad, waar even voor zonsondergang het oplichtende ijs – een vloeiend witte streep aan de horizon – de volgende hindernis aankondigt: in de ochtend passeren we een ijsberg met zulke ongelooflijke afmetingen dat Shackleton hem een naam geeft. Hij doopt hem 'Mount Rampart', walberg. Ofschoon we op vele scheepslengten afstand voorbijglijden, ontdekt Wild onder water zijn uitlopers en schat dat die vlak naast ons meer dan driehonderd meter de diepte in gaan. Maar Rampart heeft ook een verrassing in petto die iedereen die het moment meebeleeft in gejuich doet uitbarsten. Achter hem zijn ijs en groeven, de witte eindeloze puzzel, verdwenen. Daar is niets dan water, het water van de Weddellzee.

Het duurt even voordat de jongens de vastgevroren zeilen van de ra's hebben losgetrapt, maar wanneer ze eenmaal vallen en vastgemaakt zijn, blaast de wind erin. De Weddellwind bolt ze op, breekt de korst van de huid, en in deze regen van ijskristallen die op het dek neerdaalt, bruisen wij als ontketend zuidwaarts.

Daags erna – het is 10 januari, een zondag – komt weer een enorme ijsberg in zicht, die als twee druppels water op Rampart lijkt en ons in paniek brengt, want daarachter wacht misschien opnieuw ijs. Dan wordt rondverteld wat Shackleton, Worsley en Wild van de berg vinden. De positie wordt gecontroleerd: 72° 10' zuiderbreedte, 16° 57' westerlengte. Daarmee staat het vast: wat daarginds uit het lichtgroene water oprijst is geen berg. We hebben Coatsland bereikt, dat in 1904 door de Scotia-expeditie is ontdekt. Wat wij voor een ijsberg aanzien is een steile kust van ijs, een stuk van het ijsplateau van Koningin-Maudland. Het is het zuidpoolgebied.

Weddell heeft het nooit gezien, en decennialang nam niemand van hem aan dat hij zo ver naar het zuiden was gekomen. De opgeblazen Dumont d'Urville noemde hem een ordinaire robbenklopper, en in werkelijkheid stierf de man – in wiens boek ik de hoofdstukken 'Waarnemingen over de scheepvaart rond Kaap Hoorn', 'Waarnemingen over de toestand van de polen' alsmede 'Waarnemingen over het ontdekken van de lengte door chronometers' vind en de zorgvuldigheid van zijn kaarten van ankerplaatsen, natuurlijke havens, voorgebergten en toegangen naar land kan bewonderen – verarmd als onderhuurder van een zekere miss Rosanna Johnstone. Maar wij zeilen over zijn zee. Dagenlang kunnen we zeehonden observeren die in het water spelen, zich ongegeneerd op de ijsschotsen in de wind uitrekken en geen idee hebben dat ze naar deze heer zijn genoemd en voor eeuwig en altijd weddellzeehonden heten.

Op de plechtig tot Greenstreetdag uitgeroepen vijftiende januari scheiden ons nog driehonderdvijftig kilometer van de Vahselbaai. In de schaduw van de witte steile wand, waar we onderdoor varen, springen en duiken zeehonden, ze zwemmen om het hardst mee in de welving van het achterschip en doorploegen met hun snuit het water als een kudde varkens; ze volgen ons echter geen meter verder zuidwaarts, maar trekken allemaal in noordelijke richting weg. De aftocht van de weddellzeehonden en krabbeneters is een onmiskenbaar teken dat het winter wordt.

Maar zolang de zee open is zeilen we. Ook de volgende dag is bijzonder. De sir krijgt gelegenheid om niet alleen een ijsberg, maar ook een pas ontdekte strook land te dopen. Ter ere van de geldschieters van zijn expeditie die het diepst in de buidel hebben getast, noemt Shackleton de gletsjer die vanuit het achterland tot aan de zeshonderd meter boven het schip uittorenende wand omlaag rolt Cairdkust. Zijn ijsdek ziet er ruig en ongenaakbaar uit en zit vol onneembare spleten. Nergens is een stuk rots te zien. Heel anders dan de baai waar we nog geen zes uur later aankomen. Het ijs daarvan loopt geleidelijk af naar het water, en als we bijdraaien en de machines ons er vlakbij brengen, wordt duidelijk waarom er bij de brug opeens zoveel drukte is. De hoogte van de ijsrand biedt een perfecte mogelijkheid om aan te landen, en op het vlakke ijsveld van de gletsjer daarboven zou je een basiskamp kunnen opzetten. Shackleton, Wild, Worsley en de ijsheiligen trekken zich voor overleg in het Ritz terug. Zelfs de poes wordt eruit verbannen. Worsley duwt me haar bij de galleydeur in de armen. Ik mag hun niet eens koffie komen brengen.

Met het oog op de afstand die de transcontinentale sledereis moet overbruggen, besluit Shackleton om het nog iets zuidelijker te proberen. Mochten we voor de Vahselbaai op pakijs stuiten, dan keren we hiernaar terug. Worsley peilt de exacte positie: 76° 27' zuiderbreedte, 28° 51' westerlengte. Dat is een bevestiging dat we binnen vierentwintig uur ruim tweehonderd kilometer hebben afgelegd. Daarna hijsen we de zeilen.

's Ochtends komt uit het noordoosten een storm opzetten die voor de middag uitgroeit tot een orkaan. Om aan de sneeuwjacht te ontkomen en omdat we niet echt verder komen, zoeken we beschutting aan de lijzijde van een gestrande ijsberg. De hele nacht moeten de stokers en de mannen op de brug zich een slag in de rondte werken om het schip in de juiste positie te krijgen, de rest van de bemanning schept de sneeuw van de dekken en bikt het ijs los, om even later te constateren dat alles weer is toegedekt.

Twee dagen duurt de sneeuwstorm en ligt de Endurance verscholen achter de aan de grond gelopen ijsberg, als in de knieholte van een reus die zijn been heeft gebroken. Wanneer de orkaan afzwakt en wij ons weer buiten wagen, heeft de baai zich aan alle kanten, zover het oog reikt, met pakijs gevuld. Aangezien het er nu niet toe doet welke koers we nemen, proberen we het verder zuidwaarts, waar een donkere streep aan de hemel staat, een waterige hemel die een brede open vaargeul belooft. Op de middag van de achttiende januari dringen we opnieuw het ijs binnen. En we overbruggen een gigantische achttien kilometer in zes dagen. Het ijs ziet er volkomen anders uit dan alles wat ons tot nog toe tegenhield. De schotsen zijn dik, zacht, lijken bijna alleen uit sneeuw te bestaan en stijgen en dalen traag in een ijsbrij waar het kleurloos-troebele water nauwelijks nog doorheen kan gulpen. Wij kunnen niets anders doen dan aanzien hoe de zee langzaam dichtvriest en ons schip insluit.

Welke verwijten Shackleton zichzelf maakt dat hij die ene kust waarop we hadden kunnen landen heeft overgeslagen, merk ik aan de opwinding die zich op 24 januari om middernacht van hem meester maakt na Greenstreets bericht dat er vijftig meter voor de boeg een scheur in het ijs zit. We hijsen alle zeilen. De machines worden opgestookt. Drie uur lang staan we aan dek en schreeuwen onszelf warm, schreeuwen onszelf naar de aanblik van de op nauwelijks veertig kilometer verwijderde kust van de Vahselbaai.

Twee uur varen door open wateren en we zouden ons doel hebben bereikt. Maar we komen geen spat dichter bij de doorgang. En ten slotte vriest hij voor onze ogen weer dicht.

Derde deel

DE BEVROREN BOEKEN

1

'We moeten een spleet hebben!'

Zijn lichtblauwe ogen, die vrij dicht bij elkaar staan, hebben de glans van twee nieuwe munten. Je zou bijna denken dat hij net heeft gehuild, zo flonkeren ze soms. Tijdens menig gesprek met Frank Wild heb ik gemerkt dat hij me opeens zijn vertrouwen schenkt, zo blij is hij als hij vriendschap met iemand kan sluiten. Door zijn rol als Shackletons spreekbuis vergeten we allemaal, hijzelf ook, veel te vaak dat hij in wezen een opgewekte en vriendelijke man is. Misschien dat Wild daarom meestal niet erg gelukkig lijkt als hij de verzamelde bemanning toespreekt. Veel liever zou hij ons een paar snelle, geestige commando's toeroepen en het verder bij een blik voor ieder van ons afzonderlijk willen laten.

Waarom is het met de honden noch met de motorsleden mogelijk om over het pakijs tot de Vahselbaai door te dringen?

De vraag laat zich niet alleen met blikken beantwoorden. Frank Wild is net bezig de toestand te schetsen van de ijsvlakte tussen ons en het vasteland, haar onder het sneeuw verscholen dodelijke gevaren wanneer een harde klap het sinds vier weken ingesloten schip doet trillen.

Na de doffe knal volgt een afgrijselijk gekraak, daarna knarst het opnieuw, nog snerpender.

Mijn eerste gedachte is dat de Endurance door een ander schip wordt bestookt, een Duitse pantserkruiser met een drie keer zo grote stalen romp, die zich krakend en knersend een weg door het ijs vreet om ons te rammen.

'Alle hens aan dek!' brullen Shackleton, Greenstreet en Vincent. Het middageten is voorbij, de robbenrollade met aardappelen zal niemand meer eten, we smijten het bestek weg en stormen aan dek.

De aanblik die zich daar aan ons aandient, komt totaal niet overeen met wat we hadden verwacht en laat me net als alle anderen die geen benul hebben wat er gebeurt in woest gejuich uitbarsten. Vlak voor de boeg van de Endurance is de schots in tweeën gebroken. Er heeft zich een vaargeul gevormd, en slechts tweehonderdvijftig meter scheidt het schip van een open meer in het ijs dat ons een uitweg kan bieden, naar het zuiden toe.

Niemand hoeft ons te zeggen wat ons te doen staat. Gewapend met spaden, pikhouwelen en zagen springen we overboord. Ik hak op het witte veld in, tot de langzaam vanuit mijn tenen en vingers naar boven kruipende gevoelloosheid mijn heupen en schouders bereikt. Hijgend val ik in de sneeuw, en langzaam begint me te dagen waarom de ijsheiligen zo kalm zijn gebleven.

Vanuit mijn ooghoeken kan ik het zien. Het water stroomt nog maar nauwelijks of het wordt al traag, verandert in een brij en bevriest. Ja echt, het is alsof het crepeert. Water dat verrekt. Zinloos om de geul open te willen houden. De kou is sneller.

En dat terwijl de herfst nog niet eens is begonnen.

Jij bent een belangrijke dag, jij 25 februari 1915, besef ik, liggend in de sneeuw voor het volledig met rijp overdekte schip. Vandaag is niet alleen het water, vandaag is de hele expeditie gestorven. Nou, wees er maar trots op.

Een week nadat de sir moest verklaren dat de drijvende ijsvlakte tussen ons en de langzaam verdwijnende kust niet gepasseerd kon worden, moeten we, of we willen of niet, inzien dat we ook de open zee niet op eigen kracht kunnen bereiken. We zitten vast in de maalstroom van Weddell, die met de wijzers van de klok mee naar het noorden draait en, zoals kapitein Jacobsen heeft voorspeld, alles, ook ons, met zich meesleurt, weg van de Vahselbaai en weg van de route naar de pool.

'We zitten vast als een amandel in de chocola,' zegt Orde-Lees tijdens het avondeten. En hoewel niemand in de stemming is om te lachen, honoreert de sir deze poging tot opmontering door aan tante Thomas te vragen of hij bereid is om voortaan in plaats van toezicht te houden proviandmeester op de motorsleden te worden.

'Dank u, sir, een grote eer, sir, dank u, dank u,' luidt zijn antwoord. En zo wordt er toch nog gelachen.

Omdat de Endurance opgehouden heeft schip te zijn en herfst en winter nu voor de deur staan, acht maanden in kou en duisternis, wordt de routine aan boord formeel buiten werking gesteld. We transformeren onszelf van een nautisch vervoermiddel in een drijvend kuststation, het zuidelijkste ter wereld. Niet alleen Orde-Lees, iedereen krijgt nieuwe taken. In alfabetische volgorde betrekken we 's nachts de wacht, twaalf uur waarin je verantwoordelijk bent voor de veiligheid van het schip, het verwarmen van de ovens en het bijhouden van de weersomstandigheden. De ondankbare eerste wacht wordt aan Bakewell toegewezen. Allemaal hebben we met hem te doen als we in onze kooien kruipen en ons warm instoppen, terwijl hij in de nachtwind het dek op klimt. Niemand wil met hem ruilen, maar ik zal wel moeten. Morgen al is de tweede B aan de beurt. O, heette ik maar Zackboro.

In het schijnsel van het laatste lampje dat in het Ritz brandt, lijkt het alsof hij in slaap is gevallen. Zijn armen liggen gebogen op de zeekaart die hij op tafel heeft uitgerold, in de holte van zijn ellebogen heeft hij zijn hoofd gevlijd. De glanzende huid op zijn kale kruin reflecteert vrolijk het lichtschijnsel. Ik vraag me af of ik hem moet wekken en, met alle respect, naar bed sturen.

Maar Frank Wild slaapt niet. Zijn ogen staan wijd open en rusten op de kaart, rood doorlopen, hondsmoeë ogen, zoals we die allemaal hebben na het beulswerk in het ijs. Af en toe bijt hij op een velletje van zijn onderlip, en wanneer ik om de tafel loop en zijn hele blikveld vul, slaat hij even zijn ogen op en fronst zijn wenkbrauwen.

'Ah, jij bent het, Merce. Moet jij niet slapen?'

'Nee, sir. Ik dacht: ik kijk even hoe het met Bakewell is en hou hem wat gezelschap. Ik wilde een beker thee voor hem halen. U misschien ook een?'

Hij luistert niet naar me, hij is elders met zijn gedachten, in een door hem gedroomde ruimte, met de coördinaten van de zeekaart die voor hem ligt en in een toekomst die door de lengte van de poolnacht wordt bepaald. Bijna ongemerkt schudt Frank Wild zijn hoofd, en ik ben ervan overtuigd dat dit kleine onuitgesproken nee niet alleen de weldaad van een hete slok geldt die hij, tenminste in het bijzijn van iemand anders, afslaat. Nee, nee, de situatie waarin ze ons hebben gebracht is voor Wild net zo onbegrijpelijk en onverdraaglijk als voor Shackleton.

Meer dan wie ook heeft hij de hele maand geprobeerd het schip vrij te krijgen. Wanneer de rest van zijn troep allang rond de kachel zat en de stijve vingers warm wreef, was Wild met de volgende en de daaropvolgende man nog altijd op de pakijsheuvels voor de boeg en schepte de sneeuw weg om de plaat van de bevroren deining bloot te leggen. En was hij na tien uur scheppen te moe om het ijs in de geul open te hakken of ten minste dan bros te bikken met zijn houweel, dan liep hij wel weer naar het schip terug en haalde voor iemand wiens bijl in de ijsbrij was verdwenen een nieuwe, zodat die het van hem kon overnemen.

'Ga door, mannen, ga door!'

De temperatuur daalde half februari tot vijftien graden onder nul. En hoewel een open geul weer sneller dichtvroor dan je de Endurance erdoorheen kon persen, liet Wild de hoop niet varen: volgens hem kon het tempo van de ijsdrift ertoe leiden dat een spleet van de ene op de andere minuut zo breed werd dat er een bevaarbaar kanaal ontstond. Mits we eerst die spleet maar hadden.

'We moeten een spleet hebben!' brulde hij daarom elke dag zeker honderd keer. 'Let op dat de spleet openblijft!'

Terug uit de kombuis schenk ik een beker thee voor hem in. Hij glimlacht, gaat rechtop zitten en pakt hem aan.

'Dat is aardig van je,' zegt hij. 'Maar breng nu Bakewell maar wat. Die is veel meer toe aan een opwarmertje.'

En dus klim ik aan dek en loop met grote passen naar de voorkant van de brug, waarvan het licht op de rijen hokken en het voordek valt voordat het in het donker van de gindse kant van de boegspriet oplost.

Daar ergens buiten in de ijswoestijn klinken knallen, je kunt er gif op innemen dat daar niets is wat leeft, ademt, wakker is of slaapt. Het lawaai is afkomstig van de botsing van het water met het ijs, en zo koud klinkt het ook.

In de kleine commandoruimte hangt de kachellucht vol walm van Bakewells sigaretten.

'En?' Uit de bontcapuchon kijkt zijn landloperstronie me aan.

'Wild is wakker, verder niemand. Man, die zit erdoorheen.' Ik moet hoesten. 'Maar hij wil het zelf nog altijd niet geloven.'

We laten de dag nog een keer de revue passeren. Ik wacht tot Bakie zijn beker leeg heeft en daal dan zachtjes, om de anderen niet te wekken, af naar mijn kooi.

Slapen kan ik niet. Maar ik heb nog wel zin om te lezen. Dus ga ik er weer uit, door het zwakke licht van de gang van de midscheeps terug naar het Ritz.

Daar zit Frank Wild nog altijd over zijn kaart gebogen.

'*Log, lood en lengte*?' vraagt hij wanneer ik langs hem naar de patrijspoort glip. Dat is wat het leven zo zwaar voor dwerg baas maakt: het dringt niet altijd tot hem door wat er om hem heen gebeurt, zozeer is hij bezig met het voorkomen, omzeilen en verhelpen van allerhande tegenslag. Sinds de voortijdige, roemloze beëindiging van commodore FitzRoys navigatieleerboek heb ik me door meer dan vijftienhonderd pagina's geschiedenis van ontdekkingsreizigers geploegd.

'Zo ongeveer,' zeg ik mat.

Ik lees de logboeken van John Biscoe, de vermetelste van alle robbenjagers, over wie zelfs Weddell alleen met het grootste respect schreef. Van 1830 tot 1832 is Biscoe met zijn brik Tula en de trawler Lively in de Zuidelijke IJszee onderweg. Als derde na Cook en Von Bellingshausen slaagt hij erin rond de Zuidpool te zeilen. Biscoe is de eerste die in de hoorn van eilanden, riffen en rotsen die aan de kant van Vuurland oprijzen een deel van het al duizenden jaren lang gezochte vasteland herkent, het

Antarctisch Schiereiland. Vrijwel zijn hele bemanning overlijdt tijdens de reis aan scheurbuik of bezwijkt in de koude buik van de Tula, maar Biscoe, die alleen nog beschikt over zijn twee bootslui en een scheepsjongen, zeilt verder. Zijn schip is, schrijft hij, 'enkel nog een massa ijs'. Overtuigd dat hij van het land afgebroken, bevroren gesteente voor zich heeft, laat Biscoe ijsbergen door kanonnen beschieten, zet een boot uit en speurt de brokstukken af waar wolken panische stormvogels omheen fladderen. Na tweeënhalf jaar keert hij in 1833 met een buit van zegge en schrijve dertig zeehondenhuiden naar Londen terug. Ik had Frank Wild graag voorgelezen wat John Biscoe aan het einde van zijn reis schrijft: 'Ik deed alles wat in mijn vermogen lag om de mensen aan boord in een goede stemming te houden en toverde vaak een glimlach op mijn gezicht, hoewel het er in mijn binnenste heel anders uitzag.' Maar wanneer ik opkijk uit het vergeelde *Geographical Journal*, dat er al tachtig jaar op heeft zitten, zal hij boven aan tafel uiteindelijk toch ingedommeld zijn.

2

Een fiets, een piano en een ballon

Toen Otto Nordensjkölds Antarctic in 1902 door het pakijs werd verbrijzeld, zocht de Zweedse geologische expeditie haar toevlucht tot een van de noordelijkste puntjes van het Antarctisch Schiereiland, het kleine Pauleteiland. De mannen bouwden een hut, die er naar verluidt nog altijd staat, en hielden het maandenlang uit op de kale rots voordat ze gered konden worden. Op zoek naar zeehonden vonden ze op een dag in de kliffen een gaffeltop waaraan flarden van een Britse vlag hingen. Het was de masttop van John Biscoes geleitrawler Lively, die zeventig jaar eerder in Straat Drake was gezonken. De drift van de Weddellzee had de gaffel vijfduizend kilometer ver in een kring meegevoerd, en niemand kon zeggen of het bij één keer was gebleven.

Ook kapitein Scott deed zo'n ongelooflijk lijkende toevallige vondst. Bij het aanleggen van een depot voor de mars naar de Zuidpool stuitte zijn bemanning in een uitgestrekt ijsveld op drie meter diepte op metaal en haalde uiteindelijk een slee omhoog. Het was dezelfde motorslede die ik op een tekening van George Marston in Shackletons boek heb zien staan. Sinds zijn Nimrod-expeditie zat het voertuig vier jaar lang in het Ross-ijsplateau. En daar zit het nog altijd. Omdat Shackletons zaken hem koud lieten, liet kapitein Scott de slee weer begraven.

Bij motorsleden houdt voor onze nieuwe proviandmeester Orde-Lees de lol op; hij haast zich te vertellen dat wat hem betreft niemand minder dan Scott de meest buitenissige dingen naar het zuidpoolgebied heeft meegesleept en er achtergelaten. Afgezien van hemzelf uiteraard! Hij grijnst. Tussen ons in staat de fiets die hij zo-even van boord heeft geduwd. In het heldere ijslicht zie ik dat van de zwarte lak alleen stippen zijn overgebleven. Een diepbruine roestkleur bedekt het eerste Antarctische stalen ros.

'Zo staat er in de Rosshut een piano,' zegt hij en hij controleert de spaken, waarvan er, hoewel de fiets maandenlang in de ankerberging heeft gestaan, geen enkele gebroken lijkt. 'Maar daar heeft geen mens ooit op gespeeld, want Scott noch iemand anders van zijn mannen kon pianospelen.' Tante Thomas houdt zijn lange hoofd scheef en ontbloot zijn tanden. 'Waarom heeft hij hem dan meegenomen?'

Ik heb geen idee. Misschien om piano te leren spelen.

'Hou het stuur even vast.' Hij bukt zich en zoekt het ventiel.

'Het zijn volgens mij massieve banden,' zeg ik tegen de man beneden me.

'Hm.' Hij komt weer overeind. 'Klopt.' Hij is even groot en bijna net zo imposant als Crean, en toch is het alsof hij zijn eigen spieren en botten niet vertrouwt. Alsof hij op stelten in zijn eigen lichaam staat. Omstandig stapt hij op. Iedereen met zijn postuur zou inzien dat die fiets te oud en te klein voor hem is, dat het niet alleen riskant maar ook belachelijk zou zijn om er alleen een plezierritje over de kade mee te maken. Maar Thomas Orde-Lees ziet dat anders. Dat niemand op het idee is gekomen om met dat gammele geval het ijs op te gaan maakt het voor hem pas leuk.

'Alles in orde. Je kunt loslaten.' Hij trekt de sneeuwbril over zijn ogen. 'Eens kijken wat de moordenaars uitspoken.'

Dan klimt hij op de pedalen. Het achterwiel slipt, hij trapt nog steviger, en weg is-ie. Met zijn Burberrypak, laarzen en sneeuwbril lijkt hij op een vliegtuigmonteur die over een besneeuwde landingsbaan flitst. Twee mannen die hem op de pylonenweg tegemoetkomen, stappen applaudisserend opzij wanneer hij voorbijglibbert.

Mijn heer en meester roept me en daarom ga ik terug naar

het voordek, waar Green bezig is de in witte repen versneden laatste zeehond van de magere vangst van gisteren in de ijskist te gooien.

'Meer ijs,' is het enige wat hij zegt, wat erop neerkomt dat ik nog een blok voor de vleeskoeling moet gaan zagen. Bij min twintig lijkt Greens kakement te bevriezen. Zijn kin is wit als zeehondenvlees en hij praat alsof hij net bij de tandarts vandaan komt. Dus weer naar beneden, het ijs op, eens kijken of Orde-Lees nog fietst.

We drijven. Maar dat ik op een nauwelijks twee meter dikke laag sneeuw en ijs sta die zich op de Zuidelijke IJszee voortbeweegt, merk ik net zomin als dat de aarde draait en door het heelal raast. Alles lijkt stil te staan. Maar als een ijsberg zelfs niet meer de resterende vier uur daglicht nodig heeft om langs ons schip te trekken, word je er door een angst die al even hard groeit als de naderende berg subtiel aan herinnerd dat alles in deze witte wereld in beweging is. Eind februari – we zaten pas ingesloten – had het pakijs zich nauwelijks merkbaar evenwijdig aan de kust in westelijke richting verplaatst. Begin maart draaide het naar het westnoordwesten en won aan snelheid. Worsley en Hudson hebben een dieptemeting uitgevoerd. Daaruit bleek dat de zeebodem van bijna tweehonderdvijftig meter over een korte afstand naar meer dan duizend meter afliep. Daarmee wisten we zeker dat de ijsdrift ons in zijn hoofdstroom langs het Antarctisch Schiereiland naar het noorden meesleurt en dat ijsbarrière en Vahselbaai zich nu achter ons bevinden. De dag van Orde-Lees' fietspatrouille over het ijs is de zesde april, de tweeënzeventigste dag sinds we ingesloten zitten, en de twee mannen die hem op de pylonenweg tegemoetkwamen en nu weer bij het schip staan om de sir verslag uit te brengen, zijn Worsley en Hudson. Uit hun voor de boeg verrichte positiebepaling blijkt dat we met een snelheid van vier kilometer per dag naar het noorden drijven. Hoewel ze zich nog geen handbreedte heeft bewogen, is de Endurance honderdtachtig kilometer door de ijsmassa's meegevoerd.

Shackleton neemt het nieuws gelaten op. Hij staat pal boven

me aan de reling en lijkt haast vrolijk als hij Worsley vraagt de man in het kraaiennest, te weten Hownow, af te lossen en uitkijk naar zeehonden te houden. Ik ken deze vrolijkheid inmiddels. Shackleton let er pijnlijk nauwkeurig op dat hij niets van teleurstelling en bezorgdheid laat blijken. Echte vrolijkheid ziet er bij hem heel anders uit. Wanneer we praten over een boek dat hij me te lezen heeft gegeven, wijkt alle verkramptheid uit zijn gezicht, dan fonkelt in zijn ogen een ondeugende opwinding en glimlacht hij aan één stuk door, waarvoor hij zich ten minste één keer bij me verontschuldigt.

Ik neem de gelegenheid te baat en vraag, naar hem opkijkend, of ik van de piramide van ijsblokken die voor de bouw van de hondeniglo's, de honglo's, niet nodig waren er één uit mag uitzagen.

'Voor de vleeskoeling, sir!'

Hij kijkt omlaag en neemt me op alsof hij me voor het eerst ziet. 'Neem gerust. Altijd nemen,' zegt hij vrolijk.

Met één woedende klap met de bijl slaat Green het blok ijs aan gruzelementen, en de lichtblauwe brokstukken en glinsterende splinters dalen ratelend neer in de tussenruimten van de tot aan de rand met vlees gevulde kist. Hownow beent voorbij in zijn gele sneeuwpak, stijf bevroren van een uur in het uitkijkvat. Green heft de bijl in zijn richting, ontbloot zijn ruïneuze gebit en vertrekt de glimlach over zijn poging om grappig te doen tot een weerzinwekkende grijns als How tegen zijn voorhoofd tikt. How heeft moeite met de trap. Hij kan zijn knieën niet ver genoeg doorbuigen. En hij weet dat het hem twintig minuten voor de kachel in het Ritz kost om zijn muts van zijn haren te wrikken.

'Zeehond twee streken zuidwest!' brult Worsley boven in het kraaiennest door zijn knalrode megafoon, het enige wat je vanaf het dek van hem kunt zien.

'Correctie: drie streken. Zeehond drie streken zuidwest!'

Een kleine kilometer achter de dubbele ring van kleine en grote kegelvormige ijsblokken die het schip als een wagenburg omringt – eerst de dertig honglo's en op een sneeuwbalworp daarachter de met vlaggenstokken getooide pylonen die in geval van sneeuwstorm en blizzard als richtpunten moeten dienen – en in de verte op het open ijs jagen ze: twee hondensledespannen met vijf mannen en een proviandmeester op de fiets. Het zijn maar kleine, in het fijne sneeuwstof onscherpe en langzaam vooruitkomende gestalten. Worsley in de mast dirigeert ze, Crean en Macklin sturen de sleden, McIlroy en Marston houden de van bloeddorst snuivende honden in toom, en Frank Wild gaat te voet of op ski's naar de plek waar de zeehond ligt.

Uit de verte waait alleen een zachte knal aan.

'Gehoord, droomkoninkje? Nieuwe voorraad,' zegt Green en hij gaat op de gevulde kist zitten, zodat die beter sluit. 'Wordt niks vandaag met je drie uur.'

Met uitzondering van de nachtwacht, die de volgende dag is vrijgesteld, moeten we allemaal drie uur per dag onze plicht vervullen, kolen scheppen, ijs hakken. Met de resterende tijd mag je doen wat je wilt. Maar uiteraard heeft het aanleggen van een zo groot mogelijke voorraad voorrang omdat over drie weken de poolnacht begint, en zo zijn in de praktijk ten minste de mannen die op buit jagen en ook de proviandmeester, de kok en ikzelf bijna de hele dag bezig met het verkrijgen, bewaken en opbergen van het vlees voor onszelf, de honden en de kat alsmede van het blubber en de traan voor de kachels en lampen. En aangezien niemand zo'n goed oog blijkt te hebben als de schipper, is Worsley veel vaker dan hij zou hoeven in het kraaiennest, dirigeert de jagers met kreten en door vlaggen te zwaaien, en waarschuwt hen voor plotseling door spleten in het ijs naderende orka's of zeeluipaarden. Volgens de elke avond door Shackleton in het Ritz bekendgemaakte berekeningen hebben we op deze manier bijna vijfduizend pond voorraden vlees en vet opgeslagen, genoeg voor negentig dagen, zonder op onze droge en blikrantsoenen terug te hoeven vallen.

Negentig dagen… Begin juli zullen we al maandenlang in het donker hebben geleefd.

Buiten op het ijs hebben zich inmiddels twee groepen gevormd. Terwijl de helft van de mannen de hondenspannen op afstand houdt en uit alle macht probeert te voorkomen dat de dieren elkaar naar de strot vliegen, wacht de anderen het moeilijkste gedeelte van het karwei, namelijk het bergen van de zeehondenkadavers, die soms meer dan vijfhonderd pond wegen. De schemering is ingevallen, daarom kan ik niet zien dat Wild, Crean en McIlroy, die zijn chirurgische kennis in praktijk brengt, zich over het dode dier buigen. Maar ik weet het, want ik heb ontelbare keren gezien dat al hun handelingen raak zijn, zodat het allemaal snel gaat: zolang de zeehond nog warm is, krijgen degenen die hem villen en in stukken snijden geen vorstbuilen op hun handen.

Uiteindelijk is het eerste wat ik in de grijzende vlakte zie opduiken geen slee en evenmin Frank Wild op zijn ski's. Tante Thomas komt aangefietst, kalm en bedaard, zoals predikant Hacket op een zachte winteravond van een zalig ontslapene naar Pillgwenlly terugkeert.

'Knal niet tegen de boom!'

Worsley kleeft halverwege het dek aan het want en tettert in zijn scheepstoeter. En Orde-Lees tikt tegen zijn capuchon en zwaait.

Even later staat de fiets tegen Greens ijskist. Orde-Lees is zowat over zijn hele lichaam met een witte laag bedekt, en aan zijn sneeuwbril en de rand van zijn muts hangen honderden minuscule ijspegeltjes.

'Kun je mooi bij mijmeren, zo'n vélocipède.' Hij praat heel langzaam en is hees; omdat het geblaf van de honden elk geluid overstemt, worden op het ijs de longen uit het lijf geschreeuwd.

'Het is me weer te binnen geschoten: het allermerkwaardigste ding dat het ijs ooit heeft gezien, was de ballon waarmee Scott boven Rosseiland zweefde. Heb je daar niks over gelezen, Blackboro?'

Nee, ik heb er niks over gelezen, en ik geloof er ook niets van.

'Die heette Eva, voor zover ik me herinner. Scott vloog één keer met de ballon en daarna nooit meer, want toen ging het ventiel kapot. Hij zou er een paar honderd meter hoog mee zijn gekomen. Waarschijnlijk bleef Scott van puur enthousiasme maar zandzakken naar beneden gooien.'

Hij giechelt, zodat de ijspegels in zijn sik tinkelen.

'En wist je trouwens dat Wilbur en Orville Wright vóór de Flyer fietsen hebben gemaakt?'

'Bèèèh,' zegt Green, 'lazer op met die verhalen van jullie.'

3

De last van het leven voelen

Uitgerekend op een zondag dat de sneeuw in dichte vlokken valt, zien we voor het laatst de zon. Een tijdlang blijft een heiig, misleidend schemerlicht hangen waarin je de verstarde contouren van het schip tegen de horizon kunt onderscheiden. Maar afstanden schatten is nu nauwelijks meer mogelijk, en zelfs het ijs voor je sneeuwschoenen zie je zo vaag dat de wandeling om de pylonenweg gevaarlijk wordt. Bobby Clark heeft voor de boeg een gat in het ijs geboord en haalt met een aan de kluiverboom bevestigde arm allerhande zeedieren naar boven. Hij is al meerdere keren in een kuil gevallen en over een ijsrichel gestruikeld waarvan hij dacht dat ze nog meters voor hem lagen. Aan zijn verzamelwoede doet dat niets af. In tientallen honingpotten die langs een plint in het Ritz staan opgesteld en in het schijnsel van de traanlampen blauw en groen fonkelen, drijven de merkwaardigste beestjes en planten, organismen die nooit aan een straaltje licht blootgesteld zijn geweest en altijd in volstrekte duisternis leefden, een duisternis waarin wij hadden moeten leven wanneer onze verre voorouders het kunstmatige vuur niet hadden uitgevonden.

We treuren niet om de zon. Want die komt terug, weliswaar pas over een halfjaar, maar dat doet er niet toe. Dat kun je nu eenmaal niet veranderen. McNeish zegt dat hij desnoods wel een houten zon voor ons wil maken, en voor Alf Cheetham is het tijd om zijn maandelijkse grap te verkopen. Op hetzelfde moment dat het ijs het laatste zonlicht opslorpt, bestelt hij bij

McNeish een zwembroek, eentje van kastanjehout.

In het gezelschap dat zich op een avond in het Ritz verzamelt, ben ik niet de enige wie opvalt dat Shackleton niet meer zo somber en triest oogt sinds het schip precies aan het begin van de poolnacht in gereedheid is gebracht voor de winter. Zijn verbeterde humeur verbetert ieders humeur. Hij weet zelf het best dat hij een voorbeeld is voor ons allemaal. Maar er is ook niemand die het hem kwalijk neemt wanneer hij zich eens van zijn zwakke kant laat zien. Want net als zijn toorn is zijn tobberige woede voor ons het bewijs dat hij zich hartstochtelijk voor onze situatie interesseert en niet bereid is zich over te geven aan de verbittering waartoe hij neigt en waartoe hij alle reden zou hebben.

Voor Tom Crean is een door sir Ernest genomen beslissing boven elke twijfel verheven. Crean zit maar twee plaatsen bij me vandaan, en ik zou hem alleen al niet tegenspreken omdat het profiel dat ik zie jarenlang met een lijst eromheen in de kamer van mijn broer hing. En toch denk ik er anders over en geloof ik dat Shackletons vermogen om te zorgen dat we met elkaar doorgaan in werkelijkheid op een diepe twijfel berust. Het klopt niet wat hij zo graag over zichzelf beweert, namelijk dat hij vasthoudt aan een eenmaal opgevat plan en een eenmaal geformuleerd doel niet zal opgeven.

Ik geloof niet dat hij een vastomlijnd plan of doel heeft. Shackleton twijfelt. Hij twijfelt vanaf het begin, en als hij zijn doel heeft bereikt twijfelt hij nog. Crean, Cheetham, bij alle ijsheiligen draait het om ontdekking, overwinning, verovering en triomf. Voor Shackleton draait het om geluk. Hij is de avonturier, niet ik. Een korte, inspannende worsteling met zichzelf is genoeg om ook zorgen toe te laten. Tegenslagen die Wild met de rusteloze energie van de door ordening bezetene met alle geweld probeert te vermijden of ongedaan te maken, prikkelen sir Ernest alleen maar tot nog meer enthousiasme, tot zo'n overweldigend vertrouwen dat hij dat met ons, die er zich alleen maar over kunnen verbazen, moet delen, en dat tot zijn intense tevredenheid. Heeft hij er ten volle van genoten, dan meldt de twijfel zich weer.

Na de gebruikelijke toost die Worsley uitbrengt op de vrouwen, de minnaressen en op de hoop dat ze elkaar nooit tegen het lijf zullen lopen, neemt de sir het woord en brengt ons met de paar zinnen die hij spreekt in verlegenheid. Hij verontschuldigt zich onomwonden voor het mislukken van de expeditie. En hij geeft de fout toe dat hij na het bereiken van de Cairdkust niet heeft bijgedraaid en aangelegd, maar in plaats daarvan verder naar het zuiden is gezeild.

'In de hoop nog beter uit te komen. Wat een domme misrekening! Had ik die dag maar naar de schipper en jullie geluisterd, Frank, Tom, Alfred!'

Hij kijkt de vier mannen een voor een strak aan, ik kan begrijpen wat het voor hem moet betekenen om dat te zeggen in dezelfde ruimte waar vijf maanden geleden de ijsraad bijeenkwam en hij zijn mening tegenover de vier mannen doordrukte.

'Ik krijg het warm en koud tegelijk wanneer ik me realiseer dat we nu allemaal in onze hut konden zitten, de onderzoekers zich aan hun studies en de anderen zich aan de voorbereidingen voor de mars konden wijden. En ik wil er al helemaal niet aan denken welke inspanningen McIntosh en zijn mannen zich in de Rosszee hebben getroost om depots voor ons aan te leggen die we misschien nooit te zien krijgen. Ik kan de prestatie van jullie allen niet genoeg op waarde schatten. Wees ervan overtuigd dat ik alles zal doen om ieder van jullie zonder uitzondering naar huis, naar vrouw en kinderen, terug te brengen. Of naar jullie minnaressen.' Gelach. 'Ik dank jullie. Ondanks dat het allemaal zo pijnlijk is, is het mooi dat ik deze tijd samen met jullie beleef. Ik zou geen van de gezichten die ik hier zie willen missen.'

'Op de sir!' roept de trouwe Alf Cheetham en hij heft zijn glas.

'Op sir Ernest,' ruist het terug, en ik voel een prop in mijn keel en tranen in mijn ogen wellen.

Shackleton staat op. De mannen die hem wilden volgen, vraagt hij te blijven zitten. Hij staat alleen. Het terugblikkende deel van de toespraak is voorbij, nu volgt de blik vooruit. Ik leun achterover. Zal ik nog een glas port...?

Maar wat hij zegt daalt suizend op me neer als Greens ijsbijl en hakt mijn kalmte in duizend stukjes. Hij wil dat ik ook ga staan.

En als ik aarzel en vragend een tafelgezelschap aankijk dat me zit aan te grijnzen, wil hij dat ik iets over de poolnacht vertel. Hier en nu. Hij gaat zitten. Het wordt me zwart voor ogen.

'Sir, de poolnacht, ik ken de poolnacht niet, ik heb er nooit een meegemaakt,' stamel ik. 'En de nacht die net begint, lijkt me… me net te kort te zijn om daarover iets… iets zinnigs voor iedereen… iets onderhoudends…'

'Bravo,' zegt Mick, 'een duistere inleiding. Goed begin.'

'Stilte, gentlemen, alstublieft!' Shackleton glimlacht, maar hij lacht niet. Het is hem menens.

'Trek het je niet aan, Merce. Niemand hier wil je voor schut zetten. Ik denk dat het goed is dat je ons vertelt wat je over de poolnacht hebt gelezen. Het is belangrijk dat iemand van ons de boeken leest. En dat hij ons vertelt wat erin staat… Maar je hoeft niet als je niet wilt.'

Natuurlijk hoef ik niet, dat weet ik zelf ook. Ik zeg dat ik graag wil zitten. En ik ga zitten.

'Goed dan.' Shackleton maakt een schokkerige beweging met zijn kaalgeschoren hoofd. Dat had hij zich anders voorgesteld. Hij schuift zijn handen in elkaar. Er volgt een pijnlijke stilte.

Ik weet dat ik het zou kunnen. En vraag me nog af waarom ik het desondanks niet doe. Dan hoor ik mezelf al, ik praat. En de rest is stil.

'Bij poolnacht moet ik in de eerste plaats denken aan een woord dat Hurley me heeft geleerd. Het is een Inuitwoord en ik weet niet of ik het goed uitspreek: *perlerorneq*.'

Ik kijk naar Hurley – de prins knikt.

'Het staat voor de zorgen van de lange poolnacht en betekent zoveel als "de last van het leven voelen". Ja, dat klopt, ik heb onlangs twee verslagen van leden van de Belgica-expeditie gelezen die hier zestien jaar geleden hebben overwinterd. Maar ik kan werkelijk niet veel vertellen. De term geeft heel aardig weer wat ik heb gelezen. De mannen waren de eersten die een winter op het pakijs hebben doorgebracht, en een van hen, Frederick

Cook, schrijft in zijn dagboek over het zwarte gordijn dat tussen de eenzaamheid van het ijs en de buitenwereld neerdaalt en over hoe snel het de binnenwereld van de ziel bedekt. Griezelig als in een vampierroman wordt het als hij bijvoorbeeld schrijft dat de nacht elke week meer kleur uit je bloed zuigt. En ergens staat er bij hem, bij Frederick Cook dus, dat hij zich niets kon voorstellen wat nog ontmoedigender en verwoestender voor hem en zijn kameraden zou kunnen zijn. Moet ik doorgaan?'

'Heb je niet iets over poolnachtschonen?' roept er een. 'Over meisjes?'

'O god, hou op!' Stornoway laat zijn kin op zijn borst vallen. 'Mijn broek springt spontaan open.'

'En dat,' zegt Shackleton, 'willen we niet riskeren, mister McLeod. Ga door, Merce. Misschien bewaar je de verleidingen voor het laatst.'

'Tja, oké. Het andere boek, sir, dat u over de reis met de Belgica naar de Weddellzee bezit, is van een zekere T.H. Baughman en heet *Before the Heroes Came...* Echt waar, kaptein, zo heet het! Wat ik daarin heb gelezen, heeft niets van Draculromantiek. Na drie weken kreeg de bemanning last van melancholie en depressies. De mannen konden zich nergens op concentreren en zelfs het eten werd een lijdensweg.'

'Hoezo? Was Green soms aan boord?'

'Sodemieter op.'

'Shhht. Mond houden.'

'Om de eerste tekenen van waanzin die ze bij elkaar ontdekten de kop in te drukken, begonnen ze rondjes om het schip te lopen. "Gekkenhuispromenade" noemden ze het parcours. Eén man stierf aan hartkramp, een tweede werd na hysterische aanvallen doofstom en een ander perste zich in een smalle nis omdat hij dacht dat de anderen hem naar het leven stonden. Er waren mannen uit zeven landen aan boord. Baughman schrijft dat het een nachtmerrie in zeven talen was geweest. Op een gegeven moment had iedere man in een andere hoek van het schip een schuilplaats gebouwd waar hij at en zat weg te dommelen. Ze praatten niet meer met elkaar en de groep viel helemaal uiteen.'

Wanneer Shackleton geen aanstalten maakt om hem af te remmen, herinnert McLeod me aan de meisjes. Hij wil weten of er al wel eens een paar op het ijs waren, wanneer, hoeveel, en vooral: hoe oud waren ze?

Ik vertel dat ik nog nooit over een vrouw in het ijs heb gelezen. Stornoway zou Stornoway niet zijn als hij luim niet met ernst verwarde. Eerst doet hij alsof hij teleurgesteld is, dan is hij het echt, en boos en beledigd zegt hij ten slotte: 'Haal dan ten minste die vis van je tevoorschijn en lees eindelijk eens het briefje van je...'

'Hou je smoel, McLeod,' zegt Bakewell over de tafel.

En onmiddellijk daarop Vincent: 'Kalm aan, kalm aan, mister Yankee Doodle.'

De stemming in het Ritz is niet langer vrolijk en ik weet niet zeker of dat Shackletons bedoeling was. Commentaar op mijn betoog laat hij achterwege, hij kijkt liever welke uitwerking het op de mannen heeft, en pas wanneer het gezelschap langzaam oplost, neemt hij me apart en verontschuldigt zich voor de overval.

'Is al goed, sir.'

Hij is heel serieus en fluistert bijna. 'Merce, je weet dat we het schip misschien kwijtraken. In dat geval zullen we geen boeken kunnen meenemen. Dan zouden jij en ik de enigen zijn die ze hebben gelezen.'

'Yesser.'

'Wanneer zul je ze allemaal hebben gelezen?'

Ik weet daar geen antwoord op. Er zijn boeken die ik zou moeten herlezen en er zijn boeken die ik voor me uit schuif omdat ik weet hoe ellendig ze eindigen. Er zijn nogal wat mannen op de Endurance die erin voorkomen.

'Ga ervan uit dat je nog een halfjaar hebt,' zegt hij met een blik waarmee hij me duidelijk wil maken dat hij er zelf geen twijfel meer over lijkt te hebben.

Ik loop met hem mee naar dek. Aan de hemel staat een zwak zuiderlicht, en het schijnsel van twee stormlantaarns verlicht de halve kring met honglo's aan bakboord, waar Macklin en Hurley bezig zijn met de nachtvoedering.

'Je weet wie de man in de nis was?' vraagt hij, als hij zich al heeft omgedraaid om te gaan. 'De man die bang was dat de andere bemanningsleden van de Belgica hem zouden ombrengen?'

'Ja, dat was Amundsen, sir.'

'Heel fideel van je dat je dat niet hebt verteld. Welterusten!'

Maar van slapen komt het er deze nacht bij Shackleton niet erg van. In de tot kajuit-voor-vier verbouwde officiersmess, die de bewoners Wild, Crean, Marston en Worsley 'de stallen' hebben gedoopt, geeft de ladderzatte Greenstreet een proeve van zijn muzische talent en voert een stuk voor twee op waarvan hij de rollen van lord Effingham (met roetbaard) en mister Charcot (met roetbaard en monocle) gemakshalve allebei voor zijn rekening neemt. Hij wordt uitgejoeld door een troep bont uitgedoste vechtersbazen. Uzbird Hussey heeft met pruimenmoes een blauw oog op zijn gezicht geschilderd. Hij sjort aan één stuk door aan een jochie dat piept en jammert, op Frank Wild lijkt en door Frank Wild wordt gespeeld. Een fles maltwhisky gaat van hand tot hand. Wanneer hij leeg is en door de open patrijspoort het ijs op vliegt, besluit de meerderheid om naar sir Ernests kajuit te verkassen, waar nog meer spiritualiën worden vermoed. Shackleton krijgt een serenade, hij applaudisseert, maar is niet bereid om de alcohol te verstrekken. In plaats daarvan koopt hij ons om met chocola en jaagt ons ten slotte weg door te dreigen sonnetten te declameren.

4

De Antarctische klok

Bij temperaturen tussen dertig en veertig graden onder nul gebeuren er onverwachte dingen. Op een keer giet ik een beker kokend water leeg; het bevriest voordat het de plankenvloer bereikt. Wanneer je te lang met je ogen knippert, vriezen de oogleden aan elkaar vast, wat in eerste instantie telkens voor een vreselijke schok zorgt. Na lang in de buitenlucht te zijn geweest, nestelen we ons net als de poes voor de kachel. En mors je iets op de kleren die je hebt uitgetrokken en druk je de vochtige plek tegen de kajuitwand, dan blijven je jopper of trui er als door een wonder aan plakken. Denk niet dat het vanaf bepaalde minimumtemperaturen niet meer uitmaakt of de luchttemperatuur nu twintig of zevenendertig graden onder nul is. Het is het verschil tussen de lente en hartje zomer, maar dan aan de andere kant van de waarneming, daar waar er geen seizoenen zijn.

Eind mei en half juni, tussen de honderdvijfentwintigste en honderdvijfenveertigste dag in het ijs, organiseren we twee wedstrijden die ondanks de bittere kou de hele bemanning in de ban houden. Dagenlang is aan de stuurboordzijde, waar nog minder wind is dan elders, een speelveld geëgaliseerd, en als de zes stormlantaarns die aan dek beschikbaar zijn op het veld zijn gericht, geeft de sir, die zich de kans scheidsrechter te zijn niet laat ontnemen, op een morgen in dit schemerige strijklicht het beginsignaal van een voetbalwedstrijd die de volle negentig minuten moet duren: de Vahsel Bay Wanderers, met witte onderhemden boven het sneeuwpak, spelen tegen Weddell Sea United, dat duidelijk favoriet is: per slot van rekening beschikt hun elftal over één sneeuwbril meer.

VB WANDERERS
Coach: F. Wild – reservespelers: A. Kerr, G. Marston, H. McNeish

Doel *T. Crean*
Rechterverdediger *R. James*   *J. Vincent* Linkerverdediger
Rechtermiddenvelder *T. McLeod*   *F. Wild* Linkermiddenvelder
Centrale middenvelder   *A. Cheetham*
Rechterverbindingsspeler *M. Blackboro*   *L. Hussey* Linker-
verbindingsspeler
Rechtsbuiten *H. Hudson*   *J. McIlroy* Linksbuiten
Midvoor *W. How*

*

W. Bakewell Midvoor
Linksbuiten *T. McCarthy*   *A. Macklin* Rechtsbuiten
Linkerverbindingsspeler *F. Hurley*   *E. Holness*
Rechterverbindingsspeler
L. Greenstreet Centrale middenvelder
Linkermiddenvelder *L. Rickenson*   *J. Wordie* Rechtermiddenvelder
Linkerverdediger *R. Clark*   *F. Worsley* Rechterverdediger
T. Orde-Lees Doel

WS UNITED
Coach: F. Worsley – reservespelers: C. Green, W. Stevenson

Weddell Sea United slaagt er niet in om munt te slaan uit zijn voordeel. Wel wordt al snel duidelijk dat de partij op rechts wordt beslist, waar de artsen Mick en Mack als doelpuntenmakers een enerverend duel uitvechten. Wanneer bij een ruststand van 4-3 voor Vahsel Bay de tot dan toe betrouwbaarste steun van Weddell Sea, speler-trainer 'Wuzzles' Worsley, zichzelf vervangt en bij de hervatting in zijn plaats Charles Green het veld op wordt gesleurd, valt de ploeg echter als los zand uit elkaar. Afgezien van incidenteel geslaagde counters via het voor de rest slechts zelden harmoniërende aanvalsduo McCarthy-Bakewell speelt WS United zo goed als niets meer klaar. Green weigert koppig om ook maar één been te verzetten. Het uitvallen van doelman Orde-Lees (na een schot tegen zijn hoofd door Vahsel Bay-midvoor How) maakt het debacle compleet. Wild, Hussey en ik schieten elk twee keer raak voor de Wanderers en zorgen voor de 4-9 eindstand. Een gemakkelijke overwinning. Met geel voor overtredingen wordt niemand bestraft, voor zeuren iedereen. De huldiging van de winnaars vervalt: achter het Vahsel Bay-doel zou scheidsrechter Shackleton, een meestal afwezige referee, de vin van een *Orca gladiator* hebben gespot.

Een week voor de winterzonnewendedag zit drager van de Jonasorde Hurley tijdens het middageten te pochen dat zijn span het snelst is: afgezien dan van zijn andere acht honden kan waarschijnlijk geen enkel ander mormel zijn leidhond Shakespeare bijhouden.

Bespottelijk!

Hevige, door Shackleton nog eens aangewakkerde verontwaardiging onder de vijf andere op deze manier uitgedaagde hondenmenners mondt in het Ritz uit in een waar tumult. En hoewel het handgemeen maar gespeeld is, gaat daarbij een stapel borden aan diggelen. Niemand, zelfs moeder Green niet, lijkt zich daarover druk te maken. Ik veeg de scherven bij elkaar en denk er het mijne van.

Er wordt een wedstrijdparcours uitgezet. Over een lengte van achthonderd meter loopt het één keer rond de pylonenweg, start en finish is het met nieuwe ijsbulten bezaaide trapveldje. De zes mogen nog een dag lang oefenen met hun sledespannen. Ieder van hen kiest een assistent, krijgt een stormlantaarn mee en rijdt een stuk het ijs op om te oefenen, op een lievelingsplek ergens in het donker.

Van alle kanten galmen de hondencommando's door de nacht:

'Mush!'

'Haw!'

'Gee!'

'Whoa!'

'Haw!'

Begin april al moest Frank Wild een hond, Bristol, dood-schieten omdat die een raadselachtige aandoening had. In een paar dagen tijd raakte Bristol zowat de helft van zijn gewicht kwijt en zo kroop het arme schepsel – sterk vermagerd door een onzichtbare kwelgeest in zijn ingewanden – apathisch, met melkachtig troebele, ontzaglijk droeve ogen, weg in de honglo, tot Frank Wild hem kwam halen. De afgelopen weken kregen nog eens twaalf honden dezelfde ziekte als Bristol en ook zij moesten worden afgemaakt. Na het verlies van de twee bij de Zuid-Sandwicheilanden en de dertien gedurende de drift gecre-peerde honden zijn daarmee van de oorspronkelijke negenen-zestig dieren nog vierenvijftig in leven, maar ten minste drie zijn er slecht aan toe. En aangezien tot op heden geen enkele hond van de ziekte is hersteld, zal Wild nog wel vaker met een hond het ijs op gaan en in zijn eentje op met bloed bespatte ski's terugkeren.

De zes hondenmenners kennen hun dieren allemaal van haver tot gort en gaan liefdevol met de monsters om. Ik blijf zo lang mogelijk bij ze uit de buurt, want ik weet dat je alleen indruk op ze maakt als je laat zien dat je ze lichamelijk de baas bent. Van het ene op het andere moment gaan ze elkaar te lijf en bijten elkaar tot bloedens toe. Zou niemand ertussen sprin-gen, dan weet ik zeker dat ze elkaar binnen een paar uur zou-den verscheuren en geen van hen het zou overleven. Amundsen wijdt vele, vele pagina's van zijn boeken aan de honden die met hem in het ijs waren, van sommige geeft hij zelfs een nauwkeu-riger karakterschets dan van de mannen die hem hebben verge-zeld. Wanneer 's winters de tijd van het hongergevoel was aan-gebroken, wanneer het tijd was om de honden af te maken, dan zette Amundsen de primusbrander op de hoogste stand om de schoten niet te horen. Hij maakte een foto van een van zijn Noren en schreef op de achterzijde: 'Bij gebrek aan dames maakt Rönne een dansje met de honden.' Hij is de grootste, en Shackleton heeft gelijk dat je zijn prestatie niet kleiner moet maken dan ze is door te vertellen over nissen waarin hij in zijn jonge jaren wegkroop om zelf niet ook te worden verscheurd.

In de tent op de Zuidpool liet Amundsen een brief voor koning Haakon achter, die Scott moest bezorgen indien de Noren de terugtocht niet zouden overleven. Het verzoek heeft Scott misschien wel meer gekwetst dan de nederlaag en toch geeft het alleen maar uiting aan Amundsens twijfels. Op weg naar de pool heeft hij zichzelf bijna dagelijks op de foto gezet: een man met een lang, vragend gezicht, forse neus en de droevig fonkelende ogen van een basset.

Iedereen die ze te eten geeft of ze wast, verzorgt en krauwt, maar vooral de zes mannen die zich dag in dag uit met ze moeten bezighouden, is door de honden een ander mens geworden. McIlroy is weer net zo stakerig als in Buenos Aires omdat hij niet de hele dag in de galley op iets eetbaars zit te loeren. Marston tekent nog steeds, maar als hij aan een ijsberg begint, resulteert dat steevast in een hondenkop. Hurley geurt niet langer naar prins maar naar Shakespeare, van wiens zijde hij niet meer wijkt sinds ze met z'n beiden in een spleet vielen, waarin enkele minuten na hun redding de zwart-witte snuit van een nieuwsgierige orka opdook. Macklin de zachtaardige haalt twee honden die zich in elkaar hebben vastgebeten uit elkaar door ze zonder pardon een linkse directe te verkopen. En Wild wordt door iedereen in de watten gelegd en met kussen op zijn voorhoofd bedacht wanneer hij zonder morren weer eens de taak op zich neemt waar geen mens hem echt om benijdt.

Maar niemand ontfermt zich met zoveel zorg en liefde over de honden als de grote Tom Crean. Hij heeft nachtenlang in de honglo gebivakkeerd en zo acht pups in leven gehouden die nu bijna volgroeid zijn. Greenstreet, die als door een langzaam werkend elixer elke week meer van zijn officiersmaniertjes kwijtraakt, zal ze binnenkort gaan trainen en dit zevende sledespan leiden. Maar voor het zover is moet hij de Creaniaanse liefdesschool doorlopen, net zolang, neem ik aan, tot hij buiten dit wondermiddel kan.

Op de middag van de zestiende juni gaat de Antarctische derby van start. Allemaal hebben we op deze honderddrieënveertigste dag in het ijs vrij en velen hebben zich in passende kledij gestoken. Holie, How en Kerr hebben zich als bookmaker verkleed en bieden inzetten in Antarctische valuta aan: chocola en sigaretten. Maar hun noteringen – 6:4 op Wild, dubbele inzet op Crean, 2:1 tegen Hurley, 6:1 tegen Mack, 8:1 tegen Mick, Marston zonder notering – worden door niemand geaccepteerd.

Shackleton geeft het startsein door een stormlantaarn te laten knipperen. Aangevuurd door de kreten van de fans en het gebrul van de menners schieten de spannen ervandoor over het in de schemer blauwachtig glanzende ijs. Macklin ligt in eerste instantie voorop. Bos'n en Songster zijn bijna gelijkwaardige leidhonden en sporen Sue, Judge, Steward, Mac en de drie andere in hun span tot een hoog tempo aan. Maar de achterste honden kunnen Bos'n en Songster niet lang bijhouden, Macklins slede valt voortdurend terug. Al snel op achterstand gezet zijn de spannen van Marston met zijn leidhond Steamer en van dr. McIlroy, wiens hond Wolf de enige is waarvan we aannemen dat het ook echt een wolf is. Het circus kan hem als zodanig niet bekoren en hij wijkt vanaf het eerste begin af van zijn spoor. Een tijdlang kan Crean meekomen, maar dan doet ook zijn leidhond zijn naam alle eer aan. Sourly lijkt ontstemd te zijn dat hij niet kan meekomen, daarom doet hij ook geen enkele moeite. Chagrijnig loopt hij te snuiven in de sneeuw. De derby wordt beslist tussen de sleden van Hurley en Wild, die tot aan het einde van de pylonenweg voor de boeg van de Endurance op gelijke hoogte liggen:

Shakespeare	*Sailor*
Soldier	*Lupoid*
Martin	*Owd Bob*
Jerry	*Samson*
Bummer	*Bony Peter*
Rugby	*Horre*
Rufus	*Tosse*
Hackensmidt	*Helge*
Noel	*Saint*
Frank Hurley	*Frank Wild*

Zo komen de beide sleden met achttien honden en twee mannen het parcours op gejaagd. We zijn allemaal naar de meet gesprint en kijken joelend en fluitend naar de finish. Hurley, in een lange rode jas die hij ik weet niet waar heeft opgeduikeld, met een Australisch vlaggetje om zijn mouw gewikkeld, staat op de slee, terwijl Wild diep gebukt op de zijne zit. En Wild wint. Hurley wordt tweede, gevolgd door Macklin en Crean, dan McIlroy en ten slotte Marston. Wilds slee heeft voor de achthonderd meter twee minuten en zestien seconden nodig gehad.

Proviandmeester Orde-Lees, die rillend van de kou naast me staat, is niet tevreden.

'Wilds beesten zijn gemiddeld elf pond lichter dan die van Hurley en daarom is Hurley voor mij de technische winnaar. Ben benieuwd of dwerg baas hem een nieuwe race aanbiedt.'

De revanche vindt een paar dagen later plaats, en ditmaal rijden ze op spannen met bijzitters. Hurley met passagier Hussey wint, maar alleen omdat Shackleton onderweg van Wilds slee valt. De sir is zo teleurgesteld over zichzelf dat hij alle weddenschappen uit eigen zak betaalt. Het is hoe dan ook een onfortuinlijke dag voor Frank Wild. 's Avonds meldt Crean hem dat er nog eens drie honden zijn bezweken, en hoewel dit bericht Wild diep raakt, staat hij niet toe dat een ander dan hij de dieren afmaakt. Het is uiteindelijk dr. McIlroy die Wild zover krijgt dat hij de kadavers weer aan boord brengt, zodat sectie kan worden verricht. Drie uur duurt het onderzoek, waarvoor de ankerberging wordt ingericht, drie uur waarin een verlammende neerslachtigheid zich van ons meester maakt. Maar dan hebben Mick en Mack de veroorzaker van Bristols ziekte ontdekt. Het is een worm, een rode darmworm die ze in elk van de drie kadavers hebben kunnen vinden en die met een lengte van meer dan dertig centimeter de honden praktisch van binnenuit opvreet. Macklin is uit het veld geslagen wanneer hij ons komt vertellen dat we niets kunnen doen om de dieren beter te maken. We kunnen zelfs niet voorkomen dat de Bristolworm ook de andere honden aantast. We hebben op de Endurance geen ontwormingsmiddel.

Tom Crean slaat de handen voor zijn gezicht. Wanneer hij ze

laat zakken, zijn zijn ogen gesloten. Crean huilt en zegt zachtjes, voordat hij zich omkeert: 'Er zijn vijfduizend grammofoonnaalden aan boord, maar niet één tube met ontwormingsmiddel?'

Cheetham is uit zijn doen door Creans tranen: 'Verdomme zeg! Tom heeft toch gelijk, niet dan? Zijn we nou een hondensleden-expeditie of een muziekschip?'

Shackleton laat het passeren, want hij weet dat Creans kritiek voor hem is bedoeld en dat ze gerechtvaardigd is. En kijkend in een verte die er niet is, althans niet in het Ritz, heeft hij als eerste begrepen wat de ontdekking van de artsen betekent: met deze duivel in hun lijf zouden de honden de drieduizend kilometer over het continent nooit ofte nimmer met goed gevolg hebben afgelegd.

De zekerheid dat we de honden zullen verliezen en bij het verlies van het schip dus misschien helemaal op onszelf zijn aangewezen, drukt een tijdlang de stemming van de hele bemanning. Daarom is iedereen blij dat er wat te vieren valt, ook al hebben twee andere honden geen zin meer in de extra portie zeehond die ze vandaag krijgen.

Op deze tweeëntwintigste juni hebben we het midden van de poolnacht bereikt en doen we de winterzonnewendedag eer aan met een klein feestmaal en aansluitend een 'rookconcert'. Chippy McNeish heeft daarvoor een podium in het Ritz in elkaar getimmerd. Het is met wimpels en vlaggetjes versierd, en Hurleys in koffieblikken aangebrachte acetyleenlampen zetten het in een heldere gloed.

'God zegene onze geliefde honden' is er op een stuk papier gekalkt dat midden boven het toneel bungelt.

Shackleton neemt de rol van ceremoniemeester op zich en introduceert de artiesten. Orde-Lees bijt het spits af. Als dominee Gunvald verkleed waarschuwt hij de gemeente voor het kwaad van de zonde. Jimmy James treedt op als de Duits-keizerlijke professor doctor Von Schopenbaum en houdt een langdradige, slechts uit eenlettergrepige woorden bestaande voordracht over vet. Macklin zet een tropisch lied in op de opvliegende schipper Eno, een hommage aan kaptein Worsley, maar die weigert om zichzelf daarin te herkennen. Kerr wordt in zijn landlopersuniform als Spagoni de troubadour aangekondigd, maar vergeet zijn tekst en verandert in Stuberski de toreador, tegen wie het publiek fluistert: 'Hij zal sterven! Hij zal sterven! Sterven!' Marston wordt getekend, Wild reciteert Longfellows 'The Wreck of the Hesperus' en Greenstreet, die zichzelf speelt als dronkelap met dikke tomatenneus, is de laatste die we op het toneel toelaten voordat het damesprogramma begint: Hudson als Haïtiaanse, Rickenson als Londense tippelaarster en Bakewell als hinkend liefje dat aan één stuk door 'Aapje!' roept. 'Ach, mijn lief aapje!' Gelukkig heeft hij me om toestemming gevraagd. Het grootste applaus oogst McIlroy, en wel als Spaanse met diep uitgesneden decolleté en split in de jurk. Er volgen koude hapjes en een toost op de koning. Vier uur lang zetten we alle zorgen opzij, en als het middernacht is hebben we ons de tweede, de afnemende helft van de duisternis in gelachen.

5

Machinistenwacht

Ik begin steeds beter te begrijpen waarom de mannen van de Belgica op het laatst nog slechts een schim van zichzelf waren. Misschien was het de scheurbuik die hen ten slotte deed geloven dat ze vampiers waren en alleen konden overleven door elkaar naar het leven te staan. Maar wat was de oorzaak van de scheurbuik? Aan boord hadden ze genoeg vers voedsel waarmee de uitbraak van de ziekte verhinderd had kunnen worden. Maar de bemanning van de Belgica maakte zich er niet druk om. De groente bedierf in de vaten. In plaats van de dieren te slachten en met het verse vlees op krachten te komen, liet men ze in hun hokken doodvriezen.

Je hoeft maar één doorwaakte nacht van maanden mee te maken en er gebeuren de raarste dingen met je. Ik ben ervan overtuigd dat het niets anders dan slaapgebrek was wat Amundsen en de anderen van alle krachten heeft beroofd. Ik zie immers met eigen ogen hoe de poolnacht langzaam spookverschijningen van ons maakt. De meesten van ons zijn bleke, kouwelijke, norse figuren geworden, en als we niet allemaal dezelfde baard aan de kin hadden hangen, dan zou je ons inderdaad voor een uiteengeslagen stam bloedzuigers kunnen aanzien, zoals we met opengesperde oogleden stokstijf in onze kooi liggen. Dan is het goed om te weten wat Hurley ergens heeft gelezen, namelijk dat vampiers ten eerste geen baard hebben en dat ze ten tweede lichtschuw zijn omdat ze door licht tot as verbranden. Vampiers zijn we dus niet, want we smachten nergens zo naar als de terugkeer van de klaarlichte dag. Maar intussen kunnen we al weken geen oog dichtdoen.

Eerst is het te koud. De laatste tijd voor de terugkeer van de zon verblijven we bijna allemaal noodgedwongen benedendeks. Eind juni begint een verschrikkelijke blizzard die niet meer ophoudt, en in het aanzwellend en afnemend fluiten en gieren van de storm daalt de buitentemperatuur tot zevenenvijftig graden onder nul. Alleen de zeven mannen die de taak hebben de honden te voeren verlaten het schip nog. Shackleton staat erop dat ze aan gezekerde lijnen zitten, en om desondanks niet weggeblazen te worden kruipen ze op handen en voeten naar de honglo's. De sneeuw die de orkaanwinden voor zich uit drijven, is een droge, scherpe stof die door alle lagen van de kleding dringt en de naakte huid verbrandt als kokend water. Creans borstkas is zo rood als een kreeft wanneer hij rapporteert dat zich aan de loefzijde van de Endurance enorme sneeuwhopen hebben gevormd. Maar aan de lijzijde veegt de storm het ijs juist schoon. Marston vertelt dat, zo ver hij in het licht van de stormlantaarn heeft kunnen kijken, de deining dichtgevroren is, een zwartgroene zee van glas. Jimmy James' dwergparaplu, de zelfgebouwde windmeter op het dak van de brug, meet op een ochtend driehonderdtwintig kilometer per uur, waarna hij afbreekt en in de huilende duisternis verdwijnt.

Langzaam raken de voorraden traan en blubber uitgeput, en daarom geeft Worsley opdracht om de kajuitkachels zo zuinig mogelijk te stoken. Zo zitten overdag ten minste twintig van ons op een kluitje in het oververhitte Ritz de tijd te doden, tot we rillend onze kooi moeten opzoeken. Als we gaan slapen houden we al onze kleren aan. We trekken aan wat we hebben: truien, jassen, overjassen, mutsen, sjaals en laarzen. En minimaal één keer per nacht stiefelt iedereen, ondanks driedubbele kleding, bibberend en stram terug naar de kachel in het Ritz, waar men de poes op schoot neemt, zich warmt en het loon ophaalt waar de geest recht op heeft. De wacht moet iedere nachtelijke bezoeker van een beker hete thee en een koekje voorzien.

Op een van deze nachten berooft een droge hoest me bovendien van mijn slaap. Om Bakewell en Holness niet langer tot last te zijn kom ik knarsend en krakend overeind, ga staan en schuifel eindelijk, na een eeuwigheid, door het middenpad.

Wat is dat voor een rook hier? denk ik, voordat het tot me doordringt dat het de adem is die ik uithoest.

Ik heb er al zes wachten op zitten als het alfabet alweer bij de R is. Rickenson is aan de beurt. Zijn vriend en collega Kerr houdt hem gezelschap bij de kachel. Machinistenwacht. Ze drinken thee, delen gebroederlijk de snorrend van de een naar de ander verhuizende Mrs Chippy en wrijven in hun kleine oogjes. Vijf glazen voorbij, nog een uur tot de aflossing. En de blizzard huilt. Terwijl ik langzaam ontdooi, luisteren we naar zijn twee stemmen. Al weken raast de sneeuwstorm rond het schip, maar hoezeer hij ook langs de opbouwen schuurt en, ver daarboven in de duisternis, door het want jaagt – hij klinkt altijd eender, de ene keer lichter, de andere keer donkerder, lichter en weer donkerder. Soms heb ik het bijna met hem te doen, want zo eenzaam en zielloos zou niets op aarde mogen zijn, zelfs deze wind niet, die rechtstreeks van de sterren lijkt te waaien.

Inmiddels is mijn hoest in slaap gesukkeld. Ik slurp de thee die Rickenson voor me heeft gezet en doop het bonusbiscuitje erin. Zo volkomen voldaan door de weldadige warmte en de heerlijke smaak, is het zelfs mooi dat mijn spookkostuum een gespreksonderwerp voor Kerr en Rickenson vormt: wassen. Kleren wassen bij min vijftig… Kan dat eigenlijk wel?

Terwijl Kerr nutteloze gedachten verspilt aan de vraag hoe je je gewassen spullen weer droog kunt krijgen voordat ze tot planken bevriezen, blijkt Rickenson een aanhanger van droog wassen te zijn.

'Eenmaal in de twee weken keer je het zootje om – en klaar is Kees.'

Kerr kijkt hem vol onbegrip aan. Wat Rickenson hem daar voorstelt, of hij het nu meent of niet, lijkt voor hem onverenigbaar met het beroepsethos van de machinist. Je van olie en smeervet ontdoen, de sporen van je werk, dat hoort voor Kerr net zo bij de job als het onderhoud van klep en drijfstang.

Alleen: Rickenson is net als hijzelf machinist, en ook nog eens een goeie. Vermoeid en verward probeert Kerr uit de gelaatsuit-drukking van zijn vriend op te maken of die hem in het ootje wil nemen.

'Je bent niet goed snik,' probeert hij luchtig.

En Ricksenson: 'Neu, absoluut niet. Maar ik heb het ook alleen over de laatste fase, voordat het vuil je over de schoenen loopt, want als je nou geen schone kleren meer hebt?'

'Logisch. Maar we hebben nog genoeg kleren, en zo moet het blijven.'

'Laten we het hopen.' Rickenson nipt aan zijn thee. Terwijl hij de poes krauwt, rusten zijn roodgewreven ogen een moment op mij, en het begint me duidelijk te worden dat hij geen grap maakt. Hij spreekt uit ervaring. Er gaat een hevige trilling door de romp. De storm gooit zich tegen het schip, en we wachten tot de wind wegdraait, afneemt, opstijgt en voortjaagt.

Het oude huilen is terug, en Rickenson zegt: 'Je moet zelf weten hoe je het doet. Wat mezelf betreft, ik leg mijn vuile spul-len weg tot de kleren die ik aanheb nog vuiler zijn, dan lijken de oude bijna schoon en trek ik ze weer met plezier aan.'

Is dat nou een advies of een bekentenis? Kerr en ik twijfelen. Kerr knabbelt aan het topje van zijn duim, hij geeft me de kans om iets te zeggen, en als ik dat niet doe, zegt hij: 'Hm. Wat denk jij, Merce?'

Lastig geval. Wat ik ook zeg, ze zullen denken dat ik verklap wat ik zelf met mijn kleren doe. Dat we zo goed als geen moge-lijkheid hebben om andere kleren aan te doen, weten we alle drie. En ook dat dit gesprek zich naar een bepaald punt toe beweegt. Dus voor de draad ermee! Kerr en Rickenson kijken me aan. Opeens lijken ze niet meer zo moe.

Ik geef toe dat ik Rickensons maatregel vernuftig vind, en de twee knikken. Ik zeg dat overjassen, jassen, broeken, na ja, en sokken ook niet echt het probleem zijn. Er wordt geknikt.

'Waar het moeilijk wordt, tja, en dan moet je dus voor het een of het ander kiezen, dat is, zoals ik het zie, verbeter me als ik het mis heb, het ondergoed.'

Kerr: 'Helemaal juist.'

En Rickenson: 'Goed. Laten we het erover hebben.'
En ik hoest omdat ik de nacht toch al als verloren beschouw.
'Oké. Wie begint?'

'51° 17' westerlengte, 68° 43' zuiderbreedte, loding achttienhonderd meter boven de bodem, drift bij drie knopen: honderdvijfentachtigste dag in het ijs.' Zo luidt Worsleys aantekening in het logboek van 26 juli, de dag dat 's middags ruim een minuut lang de zon voor het eerst boven de horizon staat te knipperen. De orkaan is afgezwakt en nog slechts een geniepige, vlak boven het ijs zwiepende storm uit het zuidoosten: op enkele honderden kilometers afstand, even onzichtbaar als onbereikbaar en zonder twijfel op de plek waar Biscoe het heeft gezien, ligt het Antarctische Schiereiland. Langzaam maar zeker koersen we onder zijn oostelijke flank naar het noorden.

'Denk je eens in dat we op het strand van Sicilië staan,' zegt Bob Clark tegen me in de sneeuwjacht aan de reling, waar ik de heerlijk frisse lucht proef.

'Oké. Heb ik.'

'Mooi. En denk je dan in dat daarginds Egypte ligt, maar helaas heb je het hier over het Larsen-ijsplateau.'

Ik ben niet de enige wie het aan de nautische kennis ontbreekt om zich een levendige voorstelling van het verloop van onze odyssee te vormen. Enkelen bestuderen het deel met de kaarten van de encyclopedie, anderen, die er weken geleden nog bij in slaap zouden zijn gevallen, luisteren min of meer aandachtig naar een lezing met lichtbeelden die Worsley en Greenstreet op een avond in het Ritz houden. Om ook de rest van de bemanning op de hoogte te houden, geeft Shackleton een team met vertegenwoordigers uit meerdere vakgebieden opdracht om de Antarctische klok te maken, die geoloog Wordie, natuurkundige James, schilder Marston en fotograaf Hurley vervolgens ook werkelijk samen in elkaar knutselen. Hij werkt verbluffend simpel: een houten schijf ter grootte van een klein wagenwiel stelt de min of meer ronde omtrek van de Weddellzee voor. De cijfers op de wijzerplaat corresponderen met geografische punten waar de Endurance, de punt van de wijzer, zich steeds op een bepaald tijdstip heeft bevonden: Zuid-Georgië ligt op twaalf uur. Tussen half twee en half drie bevindt zich de reeks Zuid-Sandwicheilanden. En Coatsland, Shackletons overgeslagen kust, passeerden we om vier uur. Het schip werd om half vijf ingesloten, en sindsdien heeft de ijsdrift ons drieënhalf uur met zich meegesleept: het Larsen-ijsplateau ligt namelijk exact op acht uur.

Bij de plechtige ingebruikstelling wordt de sir wildenthousiast. Hij laat zich helemaal gaan: 'Moet je indenken! Nog twee uur. Dat moet ons toch lukken! Twee uur moet onze kleine wijzer het op zijn verdomde schijf uithouden en dan hebben we de noordelijkste punt van het eiland bereikt.' Hij zegt dat hij steeds vaker denkt aan het moment dat het ijs plotseling uiteenwijkt en de Endurance vrijkomt: 'Mocht het haar lukken, gentlemen, dan zal ze soepeltjes het water in glijden. Misschien dat ze nog even overhelt, en dat kan een machtige deining geven! Maar dan drijft ze. Dan drijft ze!'

We hangen de Antarctische klok bij de vlaggen van het Empire in het Ritz. Elke avond voor het eten duwt Wild of Worsley de wijzer een vingerbreedte vooruit. Maar we hebben het negenuurteken nog niet eens gehad wanneer het kabaal en de klappen beginnen waarmee de Weddellzee tegen ons schip begint aan te drukken.

6

Vijandschappen

We hebben de ergste kou nauwelijks achter de rug of ijspersingen houden de meesten van ons uit de slaap. Met het einde van de blizzard, begin augustus, stijgt de temperatuur tot een lentezoele twintig graden onder nul. Zonder muts, het gezicht enkel door baard en lange manen beschermd, ruimen zij die er de kracht nog voor hebben een week lang de bergen sneeuw van de dekken. Er is zoveel sneeuw dat die pas na een aantal dagen minder lijkt te worden. Wanneer ten slotte brug en hokken weer tevoorschijn komen, steekt de van haar duizenden kilo's zware gewicht bevrijde Endurance een hele meter hoger boven het ijs uit.

Aan de hemel dansen nerveuze bleekgroene sluiers. Ze zijn overal om ons heen tot aan de horizon, pulseren, zwellen aan en krimpen en versmelten met de duisternis. Fonkelende kopergroene stralenbundels zoeken zich tastend een weg van ster naar ster, en boven de masttoppen, zo op het oog vlakbij, flakkeren warmrode vlammen, waarvan er af en toe een de wolkeloze ruimte in kringelt. Over Bakewells gezicht glijdt, alsof hij begint te blozen, het licht dat in het oosten een sinaasappelkleurige nevel terugkaatst. En wanneer we ons hoofd omdraaien, staat boven de ijsrand in het westen niet één zon, maar zijn het er drie: de echte en twee valse zonnen.

Zelfs Bakewells kunst van het vloeken is er niet ongevoelig voor. Hij zuigt zijn wangen naar binnen en spert zijn ogen open. De huid om zijn ogen is droog en strakgespannen. Hij kan een geeuw niet onderdrukken, en toch is hij oprecht geïmponeerd: 'Kolere,' zegt hij en hij slikt de rest in.

Hoe onvoorstelbaar mooi ze ook zijn, in de uren van zuiderlicht en bijzonnen is het korte tijd licht genoeg om te zien in welke penibele situatie de sneeuworkaan ons schip heeft gebracht. Vóór de blizzard was het pakijs praktisch een aaneengesloten vaste massa. Nu is het in ontelbare stukjes uiteengevallen. Omgekeerd, opgetild en samengedrukt bieden ze miljoenen nieuwe aangrijpingspunten voor de wind. De 'behemothische beweging' noemt Hussey de kracht waarmee windvlagen en zeegang de bewegende schotsen verplaatsen, zonder dat valt te berekenen waarheen. Zichtbaar gevleid dat zijn vakgebied er steeds meer toe doet, vindt Hussey weliswaar dat het schip geen enkel risico loopt omdat het midden in een dikke, harde schots zit, maar hoe lang dat zo blijft weet ook de kleine Uzbird niet. Hij haalt zijn schouders op en pakt de banjo erbij. En door de bedwelmend lieflijke melodie heen hoor je het rommelen en donderen.

Hoe lichter de dag wordt, hoe duidelijker hij laat zien hoe groot de verwoesting is die het in beweging gebrachte ijs aanricht. De pylonenweg is er niet meer. Aan bakboordzijde hebben de uitlopers van een ijsberg hem weggefreesd, en aan stuurboordzijde, daar waar het op het voetbalveld uitmondde, loopt een soms grijs, dan weer melkachtig zilveren kanaal, al naargelang of het kapotgebroken of dichtgevroren is. Een zwart vlaggetje, een van de lappen uit mijn oliegoedkast, dat in een ijsblokkegel stak en ons de weg terug naar het schip wees, hangt nu honderden meters verder geknakt op een ijskam waar een blauw en een groen glanzende schots over elkaar heen zijn geschoven.

's Nachts, in de zestien nog altijd pikdonkere uren, kun je ze horen, schotsen die zich kreunend en steunend een weg door het oude ijs banen. Soms huilen ze harder dan de honden, die weliswaar nog in de honglo's zitten, maar al wel vermoeden dat ze binnenkort aan boord worden gebracht. En opeens is het overal doodstil. Tot de halfslaap in tweeën wordt gescheurd en het weldadige zwijgen in onze kajuit plaatsmaakt voor een oorverdovend kabaal.

Bakewell springt op en kreunt: 'Wat is dat? Wel alle duivels en demonen!' En terwijl we in het donker liggen te luisteren, hoor ik Holies tanden klapperen.

Er zijn nachten die zijn gevuld met het ratelen van een eindeloze trein met piepende assen, terwijl op hetzelfde moment een scheepshoorn loeit en het bulderen van een nabije branding klinkt. Eén keer meen ik op de schots zelfs de kreten van een oud vrouwtje te horen, en telkens weer klinkt een dof tromgeroffel vanaf een plaats waar helemaal niets kan zijn, aan de andere kant van de betimmering, ver beneden in het ijs naast mijn oor.

In een langverwachte nacht waarin je het zonder bonthandschoenen in de kooi kunt uithouden, bladeren mijn wanten in het schijnsel van de kaarsen door Shackletons exemplaar van de Belgica-verslagen. Ik lees nog eens wat Amundsen over de overwintering schreef: 'In de greep van de verlammende schemer ga ik op zoek naar een nis helemaal voor in de boeg, die ik met stinkende aardappelzakken barricadeer. Het hielp niets. Ik was de anderen nu wel kwijt, maar de herrie, het gebonk, mijn angst en de grenzeloze vermoeidheid bleven. Ze hielden me in mijn gat trouw gezelschap.'

Daar staat het: grenzeloze vermoeidheid. Toen ik de zinnen voor het eerst las, nam ik aan dat de herrie en de klappen van de andere mannen de oorzaak van Amundsens angst waren. Nu weet ik dat het de ijspersingen waren die hem ook in zijn nis zo'n huivering bezorgden dat hij niet meer kon slapen.

Aangegrepen door deze ontdekking pak ik boek en kaars en sluip naar buiten. In het middenpad is het verre kraken van het ijs nog te horen, pas in het Ritz zal het worden overstemd door het gemompel van de wacht en zijn bezoekers, het geknisper en gesis van de kachel.

Maar de stakkerd die er zit is alleen. Ik wil net zeggen wat alle spoken zeggen: 'Hé, wat voer jij uit? Heb je thee voor me?' maar dan zie ik hoe ver het alfabet inmiddels alweer is gevorderd. We zijn bij de V... Verdomme!

'Het tocht hier. Erin of eruit,' zegt Vincent en hij schuift zijn stoel opzij. 'Je hoeft niet altijd net te doen alsof ik je zal opvreten.'

Ik leg het boek op tafel en zet de kaars neer. Maar ik blaas hem niet uit. Best mogelijk dat ik meteen rechtsomkeert maak.

'Als dat zo lijkt, dan spijt me dat.' Ik ga naast hem zitten en kijk of ik Mrs Chippy zie. 'Ik doe het niet bewust.' Zelfs de kat is ertussenuit gepiept.

'Pleur op.' Hij opent de klep van de kachel – onmiddellijk slaat de hitte van de brandende blubber naar buiten – en hij sluit het deurtje weer door er een trap tegen te geven. Achter hem, pal naast Bobby Clarks batterij honingpotten, liggen langs de betimmering opgetast de spekrepen, die een muffe geur verspreiden, ons zuidpoolparfum. Vincent haalt zijn neus op en draait zich om. Allemaal, vermoed ik, om me niet te hoeven aankijken.

'En nu moet ik zeker thee voor je zetten?'

'Hoef je niet.'

Hij laat zijn tanden zien. 'Maar moet ik wel. Opdracht van de sir zeker, of is me iets ontgaan?'

'Weet ik veel wat jou ontgaat.'

Hij staat op, en een tijdlang kijk ik tegen zijn imposante derrière aan. Je zou haast medelijden krijgen met de stof die zich erover spant, zo machtig is Vincents achterste. IJs smelten, water aan de kook brengen, thee erbij, laten trekken, beker afvegen en thee in de beker gieten. Stille minuten.

'Hier.'

Ik slurp, en al slurpende verzink ik langzaam weer in de gedachten aan mijn boek, en ook de Bos'n gaat verder met de dingen die hij deed voordat hij uitgerekend door mij uit zijn overpeinzingen werd opgeschrikt. Hij rolt de sigarettenvoorraad voor morgen. Tabak op het vloeitje, hop, één keer naar links, hop, één keer naar rechts, vloeitje rollen en naar de mond. Zijn kolossale tong glijdt eroverheen. Hoe komt die man toch aan die onvoorstelbaar gladde tronie? Een huid als gegoten. Geen porie te zien, littekens of rimpels dan misschien? Niets. Vincents handen zien eruit als werkhandschoe-

222

nen, maar zijn gezicht is dat van de baby die hij ooit was.

'En... Die vis van je,' vraagt hij, 'wat doet-ie?'

'Geen idee. Hij spartelt in elk geval niet.'

'Altijd bij je, hè?' Zoals hij het zegt klinkt het bijna vertederd.

'Yep.'

Vincent grinnikt, zachtjes en vilein, en werpt een fonkelende blik in mijn richting.

Misschien zou hij zich hebben laten meeslepen en nog iets hebben gezegd. Maar de stilte is voorbij, in de verte klinkt kabaal, een fijne trilling van de drukgolf gaat door het schip en laat een paar klinknagels in hun schoren knarsen. Ieder ander zou ik op dit moment hebben gevraagd hoe hij de kansen inschat dat we nog aan het ijs ontsnappen.

Hij staat op en blaast de kaars uit.

'Of wil je ons soms levendig verbranden?'

'Vergeten. Het spijt me.'

'Pleur op.'

'Doe ik.'

'Dan is het goed, Blackboro!'

Het heeft geen zin om ruzie met hem te maken. Zoals we hier met z'n allen op een kluitje zitten, zijn we allemaal eigenzinnig. Maar hij, onze Bos'n, nog wel het meest. Ik kan me niet herinneren dat ik John Vincent wel eens over iets anders dan werk, plicht en gehoorzaamheid heb horen praten. Inmiddels praten ze allemaal openhartig over vrouwen, meisjes, en wat ze samen gaan doen of zouden willen doen. Maar hij niet. Er wordt gesmoesd dat onze bootsman van de andere kant is. Onwaarschijnlijk. Degenen die hem als een mietje wegzetten, maken er zich te makkelijk van af. Het zijn dezelfde mannen die denken dat Holie in werkelijkheid een meisje is, die indruk wekt hij tenminste, vinden ze. Dezelfde mannen die je adviseren om een nacht in de honglo door te brengen of, indien je geen teef blieft, om Chippy's kleine scheepstijgerin mee te kooi te nemen. Of een op maat gesneden stuk zeehondenvlees: 'Is warm, zacht en huilt niet.' Vincent weet ervan, maar hij roddelt niet mee, hij zwijgt. Wie een echte Bos'n is, die duldt geen geklets voor de mast, maar als ze geen wacht hebben, laat hij zijn matrozen begaan. Vincent pulkt in zijn neus, en achter zijn gladde voorhoofd lijkt hij te denken: zolang het geteisem zijn werk doet, vind ik het best.

'Als jij maar kunt lezen,' zegt hij, mijn gedachten onderbrekend. 'Boeken lezen en erover zitten pochen.'

Precies, dat is het punt. Het werk. Het punt waar het bij hem allemaal om draait. Je werk doen, je plicht vervullen. Plicht vervuld, nieuwe klus, aan de slag. Daarom mag hij me niet. Of misschien mag hij me stiekem juist wel – wie kan dat bij hem zeggen? En toch veracht hij me omdat hij me niet de fokkenmast in mag jagen, naar de plek waar het met dromen is gedaan omdat elke handeling die je uitvoert de goeie dan wel de laatste is.

'Mijn werk is om jullie eten te brengen.'

Daar maakt hij geen woorden aan vuil. Ook Vincent is moe. Een blik opzij verwaardigt hij zich nog, een opgetrokken lip, voordat zijn tong aan het volgende vloeitje likt. Ik moet het nemen zoals het is: ruzie met hem leidt tot niets, en met vriendelijkheid schiet ík in ieder geval bij John Vincent al net zomin iets op.

Hij kan doodvallen. Ik hou er gewoon niet van hoe hij zijn beledigingen opdient, namelijk alsof ze bij het gesprek horen. In het begin lijken zijn uitlatingen nog onpersoonlijk en strooit hij er af en toe een boosaardige grap doorheen. Maar opeens komen in volle ernst zijn lage streken. Hij vindt dat hij me iets moet vertellen. In Grytviken zouden een paar van zijn mannen me een lesje hebben willen leren. Helaas hadden ze het plan laten vallen, alleen omdat hij er lucht van had gekregen.

'Pech, mannetje.'

Het spijt hem dat ze me niet te pakken hebben genomen, en ik, ik moet hem nog dankbaar zijn ook.

Hij is klaar met zijn sigaretten en legt ze voorzichtig in een doosje, waar ze precies in passen.

'Maakte me eigenlijk geen moer uit of ze je in een zak zouden stoppen en je een paar keer de bodem van de baai lieten bekijken,' zegt hij. 'Neu, eerlijk waar, verstekelingen die zich inlikken en opdringen en die zich buiten de rangorde plaatsen, daar gaat het matrozenrapaille nou eenmaal zo mee om, dat weet iemand als jij ook, vermoed ik met mijn kippenharses.'

De ene stekeligheid na de andere, wat wil hij weten? Of ik iets doorhad? Als ik hem vertel dat Bakewell het me heeft verklikt, zit Bakewell, die ook bij Vincents mensen hoort, met de gebakken peren. En doe ik alsof mijn neus bloedt, dan ben ik weer het droomkoninkje dat van alles wat er echt toe doet niet het flauwste benul heeft.

Het was nog het slimst om te zeggen: Wat bedoel je, het plan laten vallen? In een zak overboord gegooid en drie keer gekielhaald, dat is nou net wat ze met me hebben gedaan! En dan maar zien wie morgen wegens insubordinatie slaag van de Bos'n krijgt.

'Ik had al zo'n idee,' zeg ik in plaats daarvan. En om de lucht een beetje te klaren, sta ik op, loop naar de tafel en pak het boek.

'Maar bedankt voor je openhartigheid, Vincent. En voor de thee.'

'Openhartigheid. Natuurlijk! Alsjeblieft zeg. Je bent niet helemaal goed bij je hoofd! Neem je kaars mee. Maar die blijft wel uit, begrepen?'

'Die blijft uit, beloofd. Goedenacht.'

'Beloofd. Goedenacht,' aapt hij me na. 'Daar stink ik niet in. En dat je het weet: het interesseert geen mens wat jij in die boeken leest. Kan ze geen bal schelen, komt dat een beetje over?'

'Is duidelijk.'

'Mannetje, ik zeg je dat waar het in het ijs om gaat niet in de boeken staat. Dat zit hierin, in het bloed. Mijn grootvader was in 1839 in de Zuidelijke IJszee en is hier verzopen, niemand weet waar, wanneer en al helemaal niet waarom. Maar ik weet waar ik het over heb, daarvoor heb ik geen boeken nodig. Oho, 1839, moet je horen! Wat een onzin! Ik ga over mijn nek van al dat ontdekkersgezwam.'

'Moet jij weten. Ach, Vincent, voor ik het vergeet: bij de volgende wacht de thee graag met een koekje. Lukt dat?'

En nu als de bliksem ervandoor!

'Volgende wacht!' brult hij me na. 'Dan is dit schip er niet meer. Ja, wegwezen, sodemieter op, halvegare die je bent!'

Nee, vrienden zullen we nooit worden. Maar moeten we daarom altijd vijanden blijven? Waarom niet? Veel kun je niet van het ijs leren, maar één ding wel: ook vijandschap is een vorm van verbondenheid.

7

Het bevende wrak

In de eerste oktoberdagen loopt de wijzer door het negenuurteken op de Antarctische klok in het Ritz. Buiten, op het ijs, zien
we duidelijke voortekenen dat het lente wordt: eerst leveren
Bobby Clarks dagelijkse watermonsters steeds meer plankton
op, dan spot Wordie een eerste eenzame keizerspinguïn. Hij
lokt de nieuwsgierige vogel uit het ijsvrije meertje, waarin hij
op zijn gemak voortpeddelt, naar onze schots. Daar doodt hij
hem met zijn mes, zoals Wild dat een paar dagen later doet met
de eerste krabbeneter die zich dicht genoeg bij het schip waagt
om zich aan Greens afval te goed te doen. De dieren zijn terug.
Een halfjaar lang zaten ze op de Zuidelijke Orkneyeilanden,
Zuid-Georgië of in Patagonië. Intussen hebben wij in het
duister rondjes gedraaid in het ijs, toneelgespeeld en onze honden doodgeschoten.

De neerslachtigheid die zich sinds de juliblizzard aan boord
heeft verspreid, wordt niet door de eerste warmteboden ver-
dreven. Wanneer we de honden aan boord halen, zijn er nog
maar negenentwintig in leven, ten minste twaalf zijn tot op het
bot vermagerd. En op een vroege ochtend, wanneer het schip
buiten ons toedoen plotseling vrijkomt en midden op zee in
een meertje omringd door schotsen drijft, lukt het ons niet om
de ketels aan te krijgen omdat door ijs in de pijpen een gat in
de waterleidingen is ontstaan. Uren verstrijken eer we alle
bevroren zeilen hebben gehesen. En we komen honderd meter
vooruit voordat de nauwelijks merkbare deining weer tot een

brij bevriest en ons doodgemoedereerd insluit.

De persingen nemen niet af, ze worden met de grotere speelruimte van de in het water drijvende stukken ijs alleen maar heviger. De sir, de schipper en de ijsheiligen blijven er onverstoorbaar in geloven dat we het toch zullen redden, en ze laten geen gelegenheid onbenut om iemand die zijn hoofd laat hangen moed in te spreken. Maar zelfs de koppigste en weerspannigste mannen, zij die altijd een eigen wil hebben, de goedgeluimde Hussey, de taaie Bakewell, tante Thomas, Marston, allemaal schudden ze het hoofd als je hen naar de kansen van het schip vraagt, ze zitten de hele dag te suffen, geeuwen zich door de wachten heen en hun stemming varieert van onverschilligheid tot laten-we-maar-opgeven. Bitter, maar het schijnt zo te zijn dat wanneer iedereen om je heen het noodlot tart, het praktisch onmogelijk is om in je eentje nog in een keer ten goede te geloven.

Waar moet je met je hoop heen als niemand er meer in gelooft? Ik heb er nooit aan getwijfeld dat de Endurance ongeschonden aan het ijs zal ontkomen – totdat Vincent me op die bewuste nacht in het Ritz vertelde welke kans op ontsnappen hij ons schip nog gaf: geen! Bij Bakewell, Holness of How, bij vrienden of kameraden, had ik dat als doemdenken afgedaan. Maar bij Vincent hoef ik er niet aan te twijfelen dat hij weet wanneer een vijand oppermachtig is.

Dus kom op, mensen, kom op! Laat alle hoop varen!

Op 10 oktober, dag tweehonderdnegenenvijftig in het ijs, wordt het schip getroffen door twee opdoffers die aankondigen wat ons te wachten staat. De ene is de eerste persing die de romp rechtstreeks attaqueert. Er zit geen enkele schol meer tussen als buffer wanneer binnen luttele seconden een ijskam de boeg een paar manslengten de lucht in tilt en op hetzelfde moment de aan de achtersteven bevestigde romp gillend en jankend samenperst. Benedendeks hoor je posten en spanten kreunen voordat ze met een luide knal breken. Of ze hem nu willen beschermen of juist bescherming bij hem zoeken, op de brug heeft een groepje mannen zich rond de sir geschaard. Terwijl ik het roer omklemd hou, zie ik hoe de fokkenmast buigt, buigt als een boompje in de wind. Greenstreet, in de wit-beschimmelde resten van zijn uniform van eerste officier, staat vlak bij me. Hij houdt zich vast aan een spil en kan zijn ogen niet afhouden van het schouwspel, tot Tom Crean op hem afspringt en hem wegsleurt.

Maar de mast breekt niet. Met de boeg boven de gekloofde horizonlijn uitgetild en de achtersteven diep in het ijs gedrukt – de Endurance houdt stand, tot de persing minder wordt. En met het invallen van de duisternis begint het vredig te sneeuwen.

De tweede opdoffer op deze dag treft ons nauwelijks minder hard, maar die wordt niet door het ijs veroorzaakt. Hij is van eigen makelij. Voorzien van de heel gebleven lantaarns hebben we ons over het schip verspreid om een schadelijst op te stellen. Green en ik ruimen op wat er van de keuken over is. We smijten de door de scheve wanden uit elkaar geknalde kasten, stellingen en alles wat erin stond en kapot is gegaan vanuit de kombuis in de galley. Aan planken en scherven kleeft een smurrie van meel en met glassplinters vermengde ketchup. De stapel die we in het flakkeren van het galleylampje maken, glanst rozerood en begint al snel te stinken.

Zoals gewoonlijk zeggen we tijdens het werk geen woord. Maar ik popel van ongeduld, ik wil iets weten, en daarom stel ik Green terloops een vraag die niets met koken of schoonmaken van doen heeft.

'Vincent heeft me verteld dat zijn grootvader op de pool is verdronken. Weet je daar iets van, mister Green?'

Mister Green reageert slechts met gebrom.

Ik doe een nieuwe poging. 'In 1839, zegt Vincent. Ik vraag me af of zijn grootvader met Ross onderweg was of…'

Green loopt gewoon naar buiten. En wanneer hij terugkomt, is het zoals altijd: tijdens het werk zeggen we geen woord.

Stevenson en McCarthy komen langs. Lusteloos nemen ze de toestand van de buitenwanden op en schuifelen met hun sneeuwschoenen door de saus op de planken om scheuren en verschuivingen op te sporen.

'Al gehoord?' zegt Stevenson wanneer ze klaar zijn. 'Er wordt verteld dat Sørlle in Stromness de ouwe met klem heeft afgeraden om met dit snertschip het ijs in te gaan. Ik dacht: dat interesseert jullie wel.'

Terwijl McCarthy al onderweg naar beneden is, stopt Stevenson, de stoker die niets te stoken heeft, een pijp. Hij grinnikt in zichzelf. Wat hij denkt hoeft hij niet kwijt. Hij heeft het altijd geweten.

'Aha.' Green is niet erg onder de indruk. 'En jij bent de kletstante die het allemaal wel lollig vindt, hè? Ga aan de kant.'

'Ik zeg alleen dat de schuit waarschijnlijk niet erg geschikt voor het pakijs zal zijn als zelfs de Noor dat vindt. Ze hebben ons geen klare wijn geschonken, de hoge heren, en nu zijn wij de pineut.'

'Eèèhh.' Greens handen zijn rood van de ketchup. 'Wat een smeertroep. Wil je niet mee aanpakken? Smeer 'm dan maar. Vertel je verhaal maar aan die andere huilebalken.'

Stevenson vertrekt zijn mond tot een lachje dat weerzin uitdrukt. Hij schuifelt nog een paar keer over de plankenvloer en verdwijnt dan zonder nog iets te zeggen.

'Wat sta je nou te grijnzen?' vraagt Green me. 'Heb je naar de appelmoes gekeken?'

Ik knik. 'Eén kist is heel gebleven.'

'Goed. Hebben we vanavond appelmoes. Die flapdrol. Komt hier om de baas zwart te maken. Bèhh. Ik stuur vannacht de ratten op 'm af!' Green veegt zijn handen af aan de door zeehondenbloed en ketchup roodbevlekte doek die tussen zijn riem en buik zit geklemd. 'Niets te vertellen en maar leuteren. Dat kunnen ze allemaal. Vincent en zijn grootvader. Ja, daarover kletst hij altijd op zee. Of hij met Ross onderweg was, weet ik niet. Vraag het hem zelf.'

Wat Thoralf Sørlle in Stromness werkelijk heeft gezegd, horen we enkele dagen later van Shackleton zelf. Op een van de weinige persvrije uren bij daglicht staan we met elkaar op het voordek. Ik vind de lucht bijna warm, het is maar min tien, zodat velen zelfs niet eens een capuchon ophebben. De sir draagt een vilten hoed en een witte trui. Hij is goedgemutst. En hij vertelt ons eerst dat hijzelf Wild, Crean en Greenstreet opdracht heeft gegeven om kapitein Sørlles mening over de geschiktheid van de Endurance onder de bemanning te verspreiden.

De mannen kijken hem nors aan. De fonkeling in hun ogen komt niet door het licht, het is ergernis. Onze gezichten zijn zwart van de blubberroet, enkele zijn opgezet door de vorstbuilen, en onder het luisteren plukken we aan onze verwarde, plakkerige baarden.

Shackleton praat zacht en bedachtzaam. Alleen als het ijs dreunt verheft hij zijn stem. Er is niemand die het schip beter kent dan Sørlle, begint hij, daarom heeft hij hem op Zuid-Georgië bezocht.

'Kapitein Sørlle was in Sandefjord toen de Polaris, onze latere Endurance, werd gebouwd. Oorspronkelijk zou ze in de Noordelijke IJszee worden ingezet, in het gebroken ijs voor Spitsbergen. Nu was de vraag in hoeverre de ijsomstandigheden in de Noordelijke IJszee vergelijkbaar zijn met die in de Weddellzee. Om kort te gaan: we waren het erover eens dat de Endurance elk type ijs aankan, mits ze manoeuvreerbaar blijft. Kapitein Sørlle was echter van mening... Nee, dat klopt niet. In werkelijkheid voorspelde Sørlle tegenover mij dat de Endurance in het pakijs zou blijven steken en verbrijzeld zou worden.'

'Waarom wilde hij dat weten?' vraagt de timmerman.

'Tja, Sørlle dacht dat omdat ze niet de afgeronde romp van Amundsens Fram heeft die tussen de ijskammen op en neer kan rollen. De kapitein zei letterlijk – Tom, jij was erbij, verbeter me als ik het mis heb – hij zei dat het pakijs ons in de tang zou nemen en samendrukken omdat...'

Alle ogen gaan in Creans richting. Hij haalt de pijp uit zijn mond, kijkt vermoeid om zich heen en zegt: '...omdat het ijs nooit teruggeeft wat het eenmaal heeft genomen.'

'Ik heb hem niet tegengesproken. Ik was alleen van mening dat we helemaal geen pakijs zouden tegenkomen, en als dat toch gebeurde, dan zouden we er op weg naar de Vahselbaai gemakkelijk omheen kunnen varen. Ik ben er altijd van uitgegaan dat we een gemiddelde Antarctische zomer zouden meemaken, ik heb er nooit bij stilgestaan dat het maandenlang twintig graden kouder zou kunnen zijn dan normaal! Gentlemen,' zegt Shackleton terwijl hij zijn handen heft en met beide duimen naar zichzelf wijst, 'hier heb ik een fout gemaakt. Ik moet ruiterlijk erkennen dat Sørlle wel aan deze mogelijkheid heeft gedacht.'

'Niemand kon dat vermoeden!' roept Wild. Hij staat even verderop tegen de verschansing geleund en laat er geen twijfel over bestaan dat de defensieve houding die Shackleton aanneemt hem niet bevalt.

Shackleton knikt. 'Dat is wel zo, Frankie. Maar het gaat me er niet om om de voors en tegens achteraf tegen elkaar weg te strepen. Vanaf het begin heeft alles tegen onze tocht gepleit. Het geld, de oorlog, het oponthoud in Buenos Aires, de maand in Grytviken en dan het ijs dat altijd overal was waar het niet moest zijn. Wat een pech! Maar doe het toch, heb ik tegen mezelf gezegd! Ik zal u vertellen, ook al zal het de meesten verbazen: ik heb nooit het gevoel gehad dat ik faalde. Zelfs nu nog niet. Want we hebben niets onbeproefd gelaten. En we zijn nog altijd onderweg. Dr. McIlroy, vindt u dat grappig?'

'Nee, sir. Ja, toch. Omdat het klopt, sir. De reis is echter anders gelopen dan de bedoeling was.'

Er klinkt een instemmend gebrom, en in de ogen van hen die een zondebok zoeken fonkelt woede.

'Jazeker. Wij zessen op onze sleden zouden dan allang dood zijn geweest. Met deze honden? Nog een fout, nog een voorbeeld van de miserabele planning, waarvoor ik als enige verantwoordelijk ben. Maar goed, daar zullen anderen zich mee bezighouden. Wat ik graag kwijt wil is het volgende: er is iets heel vreemds met deze reis aan de hand. Omdat hij nooit had mogen plaatsvinden, omdat alles wat verkeerd kon gaan ook verkeerd is gegaan, omdat alle bedenkingen achteraf juist bleken, heb ik niet het gevoel dat we helemaal naar de Zuidelijke IJszee zijn gezeild, maar dat we compleet van de wereld zijn verdwenen. Dat we vanuit elk denkbaar menselijk domein in een domein van een absolute onwezenlijkheid zijn beland. Soms zie ik iemand van ons en denk: dat doet die vent toch niet echt, het is maar een droom dat hij als een bezetene uren achtereen steeds opnieuw een spleet in het ijs hakt, alleen maar zodat die weer kan dichtvriezen. Of we het schip zullen kunnen behouden weet ik niet. Ik denk van niet, maar ik weet zeker dat ieder van ons zijn best doet om het te proberen. Ik wil dat we het, of we nu slagen of falen, op één punt eens zijn: we willen weer thuiskomen. We willen naar ons leven terugvaren. Opdat er een eind komt aan deze mistroostigheid. Zeg me, mannen, of we het daarover eens zijn. Elk ander voorstel is welkom.'

Drie dagen na Shackletons toespraak op het voordek trekken zware ijsmassa's die knarsend langs het hek rollen delen van de achtersteven los uit zijn balkenconstructie. Aan stuurboord stromen water en ijsklompen het schip binnen en zetten de ketelruimte en de meeste laadgaten onder water. Alle beschikbare mannen krijgen opdracht om zich naar de lenspompen te begeven, maar ze kunnen niets doen: leidingen en zuigopeningen zijn bevroren. Worsleys poging om samen met Hudson en Greenstreet in de kielruimte af te dalen, loopt stuk op een onneembaar bolwerk van kolen die uit de bunkers zijn gebarsten en zich hebben verspreid over de hier opgeslagen blubber van zestig zeehonden. McNeish, Vincent en anderen bouwen drie meter voor de achtersteven een cofferdam om de rest van het schip tegen het binnendringende water te beschermen. Hurley verzamelt een groepje mannen om zich heen die voor de boeg spleten in het ijs zagen om de druk van de romp weg te nemen. De rest van ons pompt. Vijftien minuten pompen, vijftien minuten pauze, twaalf uur achtereen, slechts onderbroken door een uur pauze waarin Green ons onder een havermout-papgrijze hemel van *porridge* en thee voorziet. Wanneer we verdergaan, geeft Shackleton opdracht om honden, sleden en twee van de drie sloepen gereed te maken voor het geval we het schip overhaast moeten verlaten.

Maar het duurt nog eens tien uur voor het zover is. We pompen. Wanneer het ijs het roer van het hek scheurt, zegt McNeish: 'Geen ramp. Ik maak een nieuwe.' Het ijs sluit de cofferdam in, drukt hem kapot en perst de brokstukken door de kermende middengangen. McNeish begint aan een nieuwe dam. We pompen. Aan bakboord wordt het ijs tot enorme hoogtes opgestuwd. Als het tegen de door elkaar geschudde romp rolt en de bolling van de verschansing omklemt, ontsnappen er dierlijke geluiden aan de Endurance, haar hout huilt en jankt, waarna alweer een dek bezwijkt en de balken knappen. Wanneer het hek uit het ijs omhoogkomt, steeds hoger tot het ten slotte zeven meter boven de schol uitsteekt, en als de bevriezende ijspap langs de scheepswanden omhoogkruipt en zich over de dekken begint uit te rollen, hoor je Vincent en McNeish nog steeds aan de tweede cofferdam timmeren. McNeish brult: 'Zo zou het moeten lukken!' Wild haalt de twee van boord. How en Bakewell treft hij aan bij de pompen. Honden, sleden, boten en alle waardevolle uitrustingsstukken zijn stuurboord naar een grote schots gebracht die veilig lijkt. Shackleton en Wild knikken tegen elkaar. Dan verlaten ook zij het bevende wrak.

8

Een berg met bezittingen

Waaraan de verwoesting van ons schip te wijten is staat allang vast. Bijgelovig als we zijn – dat word je nu eenmaal op volle zee – was het ons allemaal opgevallen dat de hevigste ijspersingen altijd beginnen wanneer iemand, of het nu uit verveling was of om vast te stellen of hij het nog deed, Orde-Lees' grammofoon aanzette. Ik heb het zelf meegemaakt toen Jock Wordie me vertelde dat hij een opname van liederen van Purcells opera over koning Arthur in zijn hutkoffer had. We hadden de plaat amper opgezet of er begon een verschrikkelijke persing, zo erg dat Wordie en ik het zonder iets te zeggen alleen maar rechtvaardig vonden wanneer, naast veel andere spullen, ook de plaat, waarop allemaal krassen kwamen, daaraan ten offer viel. Maar omdat niemand hardop durfde te zeggen wat iedereen dacht en elkaar toefluisterde, bleef de ijsgrammofoon staan waar hij stond. Daar in het Ritz werd hij weliswaar niet langer gebruikt, maar ook zwijgend oefende hij zijn macht uit. Kwam een persing aangerold, dan vroeg altijd wel iemand of er benedendeks misschien naar muziek werd geluisterd.

Worsley maakt een eind aan dit spookbeeld. Als bedroefde kapitein is hij de laatste die van het wrak van zijn ondergaande schip stapt en op een van de sleden gaat zitten die ons mee zullen voeren op het ijs. Voordat de karavaan zich in beweging zet, roept de schipper naar voren, zodat we het allemaal horen: 'Iemand nog behoefte aan dat jengelding? Het drijft boven in het luik. Nou, hoe zit het?'

Maar hij krijgt geen antwoord, zelfs niet van Orde-Lees. Worsley is een compleet schip kwijtgeraakt, dan zal Orde-Lees niet over zijn grammofoon beginnen. Ofschoon zijn blik verraadt dat hij minstens zo bedroefd is als de kaptein. Iedereen moet afscheid nemen, van bijna alles. Op tweehonderd meter van het wrak zetten we onze tenten op en brengen een eerste, afschuwelijke nacht door op het ijs. De matten op de grond zijn niet waterdicht en de tenten van stof zo dun dat het maanlicht erdoorheen schemert. Tot drie keer toe breekt de schots vlak naast het kampement, en elke keer moeten we de tenten afbreken en op een andere plek weer opzetten. 's Ochtends wekt sir Ernest ons door iedereen een beker hete melk in de tent aan te reiken. Worsley en Wild zijn in het schemerdonker naar het wrak gegaan, hebben een petroleumblik veiliggesteld en een provisorische kombuis gebouwd. Voor de meesten lijkt deze weldaad iets vanzelfsprekends te zijn, ze nemen zelfs niet de moeite om te bedanken.

Wild, die doodop is, springt uit zijn vel: 'Wanneer een van de heren nog graag zijn schoenen wil laten poetsen, zet die dan maar voor de tent!' Met rood aangelopen hoofd beent hij weg door de sneeuwregen.

Shackleton laat ons een kring vormen. Hij gaat in het midden staan en begint zijn zakken leeg te halen. Een gouden etui, zijn gouden zakhorloge, een paar gouden muntstukken, alles wat hij in zijn sneeuwpak heeft kunnen proppen om dit optreden zoveel mogelijk drama mee te geven, belandt op het ijs. Ik sta vlak bij hem, stokstijf, niet zozeer van uitputting en kou, maar omdat ik het niet waag om me met de bijbel in mijn handen te verroeren. Terwijl ik op een teken van Shackleton wacht om hem de bijbel te geven, verklaart hij met een ernstig gezicht dat het beslist noodzakelijk is om net als de draaglast van de sleden ook het gewicht van elke afzonderlijke man tot een absoluut minimum te beperken.

'Alleen zo zullen we misschien in staat zijn de boten te trekken. En ook voor de honden moeten we de sleden zo licht mogelijk maken. Ik zou niet weten hoe ver we moeten marcheren voor we in de boten kunnen overstappen, maar...'

Shackleton wenkt me en hij geeft me een knipoog op het moment dat ik naast hem sta en hij met een leugentje verdergaat: 'Maar nadat Blackboro en ik ons nog eens hebben verdiept in de verschillende expedities die te voet op het ijs onderweg waren, ben ik tot de slotsom gekomen dat degenen die zichzelf hebben opgezadeld met de zware last van uitrusting en instrumenten voor elke eventualiteit het er veel slechter van hebben afgebracht dan de mannen die ten behoeve van een zo hoog mogelijk tempo geen ballast meesleepten. Laat iedereen zichzelf dus de vraag stellen wat hij nou echt nodig heeft! Gooi de rest weg. U kunt meenemen wat u op het lichaam draagt, plus twee paar handschoenen, zes paar sokken, twee paar laarzen, een slaapzak en een pond tabak. Bovendien twee pond aan persoonlijke uitrusting! Laat u bij uw keuze niet leiden door de geldelijke waarde van de spullen. Vergeleken met uw en ons aller overleven valt alles in het niet. Merce, sla de bijbel open en lees voor wat de koningin-moeder als ten geleide voor ons heeft geschreven.'

Ik doe wat me bevolen is en lees voor, waarheidsgetrouw. Hoewel het een gunstige gelegenheid zou zijn om van mijn kant nu ook een leugentje in te vlechten.

Opgedragen aan de bemanning van de Endurance
door Alexandra, 31 mei 1914. Moge God u
helpen uw plicht te doen & u veilig
door alle gevaren te land en ter zee
geleiden. 'Moge u alle werken des Heren
aanschouwen & al Zijn wonderen in eeuwigheid.'

Shackleton neemt de bijbel, scheurt de bladzijde met de opdracht eruit en gooit het boek op het ijs. Acht uur geeft hij ons om te beslissen wat we nodig hebben en wat we willen achterlaten.

Ik hoef niet lang na te denken, ik heb immers niets behalve de spullen die ik aan mijn lijf draag en de paar dingen die Holie en Bakie op Zuid-Georgië aan me hebben vermaakt: trui, laarzen, sneeuwpak en bril. En omdat alle boeken die me zo dierbaar zijn geworden op het wrak achterblijven en ermee ten onder zullen gaan, blijf ik met gemak onder mijn twee pond. Alleen Ennids vis moet ik meetellen. Maar die weegt zo goed als niets.

Van alles en nog wat vindt zijn weg naar de berg met dingen die niet van levensbelang zijn: horloges, pennen, blikjes, schoenen, touwen, beitels, loepen, pannen en een kaartspel. Even bedenk ik wat ik van die bijzonder fraaie zaken zou kunnen meenemen om het later aan zijn eigenaar terug te geven; maar dan zeg ik tegen mezelf dat het niet eerlijk tegenover de anderen zou zijn om er maar één een plezier te doen, en daarom besluit ik om alles te laten liggen. Bob Clark huilt wanneer hij alle potten met watermonsters, korstmossen en beestjes die hij van het schip heeft kunnen redden nu toch moet prijsgeven. Dat geldt ook voor Marston, die op een schetsboekje na zijn hele uitrusting achterlaat: linnen, verf en alle voltooide en half voltooide prenten. Ook voor de prins wordt geen uitzondering gemaakt. Om op de slee ruimte voor zijn camera's te hebben, heeft Hurley de kisten met de negatieven aan boord achtergelaten, en nu moet hij ook camera's en spinstatief zwijgend op de berg met bezittingen leggen. Een kleine zilverkleurige handcamera, meer zit er voor hem niet in. Net als de meesten van ons heb ik in de bijna driehonderd dagen in het ijs geen band met hem opgebouwd, maar nu hoop ik dat het Hurley misschien troost biedt dat hij ziet hoeveel foto's er uiteindelijk in de sneeuw liggen: opnamen van vrouwen, kinderen, ouders, broers en zussen, vrienden. Ontelbare schepen. En daartussen ook de kleine tekening uit kaptein Worsleys kajuit, de ruiter die in galop het kind redt. Ik bekijk de prent een laatste keer en probeer de reden voor de panische schrik van de twee te ontdekken. Maar die geeft de tekening ook ditmaal niet aan me prijs.

De sir staat twee uitzonderingen toe: Mick en Mack kunnen vrijwel hun gehele medische uitrusting in de kleine sloep meenemen, en Uzbird mag zijn banjo in de walvisboot verstouwen.

Stornoway heeft drie brillen op zijn capuchon, en hij zit zo stevig ingepakt in sneeuwpak, jas en schoudermantel dat ik hem eerst niet herken wanneer hij op me toesluipt: 'Laat dat zakje eens zien dat je voor je forel hebt genaaid!' Hij geeft me een por met zijn elleboog.

Ik knoop de Grego open en laat hem het viszakje betasten. Hij is zichtbaar onder de indruk. 'Driedubbele naad, hè?'

'Yep.'

Ik krijg een idee. Ik bied hem aan om net zo'n zakje in zijn mantel te naaien wanneer hij me in ruil daarvoor informatie geeft.

'Nou vooruit. Wat wil je weten?'

Vijf minuten later is hij terug. Hij zegt maar één woord: 'Sabrina.'

'Weet je het zeker?'

'De naam van het schip waarmee zijn grootvader is vergaan. Vincent zei Sabrina.'

Ook anderen nemen mijn Gregozakje ten voorbeeld en naaien hun kostbare bezit op hun kleren: bestek, tandenborstel, kam en nagelschaartje, Orde-Lees zelfs extra pleepapier. Weldra zitten er overal zakken in hun opbollende Burberry's, binnenin hebben de pakken bulten en aan de buitenkant deuken, zelfs op mouwen en broekspijpen.

Shackleton, Hurley, Hudson en Wordie vormen een groepje pioniers. Ze rijden met een slee vooruit om de route te verkennen. Wanneer ze terug zijn, gaat de sir op de slee staan: 'Het is tijd om naar Robertsoneiland te vertrekken, gentlemen!' roept hij ons toe.

Het is waterkoud, winderig, en het sneeuwt. Onze juichstemming blijft binnen de perken. Crean en Macklin schieten drie pups af en een jong beest, Sirius, dat geen gelegenheid meer had om zich aan een van de teams aan te passen. Er wordt gestemd over de vraag of McNeish' kat in leven mag blijven. Dat mag ze. We doen de overgebleven honden in hun tuigen. Daarna spannen we onszelf voor de boten.

Met ons vijftienen trekken we de beide sleden voort waarop de walvisboot en de sloep zitten vastgesjord. We slepen per man een gewicht van bijna een ton. Twaalf mannen besturen de vrachtsleden of helpen, daar waar ijskammen en spleten moeten worden bedwongen, de honden bij het trekken. De sleden rijden heen en weer: wanneer ze een etappe hebben afgelegd worden ze gelost, gaan terug naar het kamp bij het wrak en halen de volgende vracht op. Om het uur wisselen bootslepers en sledebestuurders elkaar af. De sir gaat te voet. Hij controleert het ijsdek, inspecteert de plateaus die we over de ijskammen heen bouwen, voorziet ons van drinken en montert ons op met verhaaltjes. Wanneer een slee blijft steken, is hij meteen ter plaatse en helpt met duwen of trekken.

Op een keer hoor ik dat hij tegen Bobby Clark zegt: 'Kom op, mijn beste jongen, je kunt het. Nog tien minuten, dan is Frankies slee er om je mee te nemen. Ik heb hem genoeg koekjes voor iedereen meegegeven. Kom, ik help je en dan trekken we het laatste stukje samen. Of ga alvast vooruit en kijk of de schots het houdt!' Hij slaat een arm om zijn schouder. 'Lijkt je dat wat, Bobbybob?'

Robertsoneiland ligt ten noordwesten van ons voor de kust van het Antarctisch Schiereiland. Shackletons en Wilds plan voorziet erin dat we te voet die kant op proberen te komen, zolang het ijs sterk genoeg is. Nog altijd is de schots waarover we voortkruipen drie tot zeven meter dik. Wanneer de zomer vordert en het ijs breekt, moeten we in de boten overstappen en het resterende stuk door het drijfijs roeien. En wanneer we het eiland hebben bereikt, moet een kleine groep aan land op het schiereiland en daar over het gebergte marcheren tot aan de baaien in het westen, waar in de zomer talrijke walvisvaarders jagen. In de tussentijd bouwt de rest van ons een hut en weert zich tot de redders er zijn.

Een vermetel en elegant plan, echt iets voor Shackleton. Een plan met een piepkleine maar.

Robertsoneiland ligt driehonderdvijftig kilometer hiervandaan. Onze troep heeft er na drie dagen echter pas anderhalve kilometer op zitten. De schots waar we overheen kruipen drijft niet naar het noordwesten maar naar het noordoosten, hij verkort onze route dus op geen enkele manier. Opnieuw is het het weer dat een streep door onze rekening haalt: met drie graden onder nul is het veel te warm voor de tijd van het jaar. Het sneeuwt aan één stuk door, en de verse sneeuw vlijt zich nat en papperig laagje voor laagje op het oude ijs. Bij een poging om eroverheen te draven, zakken de honden er tot hun buik in weg. De sir op zijn ski's verdwijnt tot zijn knieën. En wij, ingespannen voor onze twee reuzennotendoppen, slepen onszelf, tot aan de navel weggezakt, centimeter voor centimeter voort.

Op 1 november, dag tweehonderdeenentachtig in het ijs en een kleine week na het opgeven van het schip, verklaart Shackleton ook het plan om op eigen kracht Robertsoneiland te bereiken voor onhaalbaar. We nemen het gelaten op. Temeer daar Shackleton geen reden ziet om de moed te laten zakken: met onmiddellijke ingang is Pauleteiland aan de noordpunt van het schiereiland ons doel, het kleine eiland waarop twaalf jaar geleden al Nordenskjölds Antarctic-expeditie zich in veiligheid had weten te brengen en waar de mannen destijds de gaffeltop van Biscoes Lively vonden. In de hut die de Zweden op het eiland bouwden ligt voldoende noodproviand opgeslagen, vertelt de sir enthousiast, daarvoor steekt hij zijn hand in het vuur. Per slot van rekening heeft hij zelf geholpen om de Paulethut in het kader van Nordenskjölds redding tot een noodbasis uit te bouwen.

Hoe moe en teleurgesteld ze ook zijn, hoezeer ze ook heen en weer worden geslingerd tussen hoop en vrees, nu laten de eersten openlijk hun twijfels blijken. McNeish de timmerman, Stevenson de stoker, Green de kok en nog een paar die eindelijk lucht willen geven aan hun boosheid geloven hem niet meer.

Shackleton gaat er niet op in. Hij overlegt met Worsley, Wild en Crean en even later haalt Greenstreet me bij het groepje mannen dat zich heeft teruggetrokken naar een van de bootsleden in de luwte van de wind.

Ik moet hun de bevestiging geven dat Shackleton in 1903 een van de redders van de mannen van de Antarctic was.

'Ja,' zeg ik en ik kijk Shackleton recht in de ogen, 'dat is wat ik heb gelezen.'

Van hoeragekroep is geen sprake als het commando klinkt om boten en sleden uit te laden en een vast kampement op te slaan. Als het ophoudt te sneeuwen zie ook ik aan de zuidelijke horizon spieren en een kromme zwarte pijp uit het ijs steken – jammerlijke restanten van masten en schoorsteen van onze Endurance. Drie dagen lang hebben we lopen slepen, onze redding tegemoet, en nu moeten we toch nog vanuit de verte aanzien hoe het schip beetje bij beetje door het ijs wordt geplet. Shackleton laat stemmen welke naam ons nieuwe thuis moet krijgen: 'kampement op het ijs' en 'kampement op de schots' krijgen maar weinig stemmen. Naar de zee waarop we wachten kiest de grote meerderheid voor 'kampement op zee'.

Wanneer de tenten en honglo's staan en het eerste avondeten is uitgedeeld, loop ik naar Shackletons tent. Hij ligt languit op de mat, de handen gevouwen onder zijn hoofd, en doet zijn ogen open. Als hij me ziet noemt hij mijn naam.

'Een simpele vraag, sir.'

'Over de Paulethut, neem ik aan. Kom erin, Merce, ik zal het je uitleggen.'

'Nee, sir. Dat hoeft u me niet uit te leggen. Maar kunt u me zeggen: bij welke expeditie hoorde in 1839 een schip dat Sabrina heette?'

9

De brandende pop

In de rondte, hé ho, in het rond!

De punten van zijn laarzen raken de mijne, de ene keer houden we elkaar bij de handen vast en dan weer bij de schouders, en zo zwieren we met andere, onder vuil en roet zittende paartjes door het kampement op zee, How en Holness, Hurley en Wordie, Cheetham en Crean, Bakie en Blackie: in de rondte, hé ho, in het rond! Uzbirds banjo riedelt, en Worsley en Greenstreet brullen een shanty ter ere van de orka die enkele dagen geleden uit een spleet opdook en twee van onze honden te pakken nam. Voorbij vliegen de warmer geworden novemberdagen die we hebben doorgebracht met het wachten op de ondergang van het schip. En voorbij vliegen in de verte het wrak en het sledespan dat tussen wrak en kampement pendelt om in veiligheid te brengen wat we voor de versteviging van ons smeltende onderkomen kunnen gebruiken. En de tenten voor de bemanning waaronder we een plankenvloer hebben gelegd. En de nieuwe kachel uit onderdelen van de vroegere kombuis, die zelfs een dak heeft gekregen. Hé ho! Tot grote vreugde van ons allen is het gelukt om, vlak voordat het ijs hem helemaal bedolf, ook de laatste jol te redden. We dansen eromheen. Welkom dinghy! Als het zover is, zullen we ons over drie boten verdelen en een derde aan voorraden méér het water mee op kunnen nemen. En we dansen om de sir heen, die ernstig kijkt maar in zijn handen klapt. In volgorde van grootte heeft hij de boten de namen van zijn gulste mecenassen gegeven: de walvisboot heet voortaan

243

James Caird, de sloep Dudley Docker en de kleine dinghy Stancomb Wills. Daar staat McNeish. Geef de timmerman een arm! Kom, Chippy, wees geen spelbreker. Maar hij wil niet. Moet aan het werk! De boten bestand maken tegen de hoge golven, hun verschansing verhogen, elke jol van een mast en drijfanker voorzien... Nee, Chippy, dat gaat niet vanzelf, je hebt gelijk, ouwe zuurpruim die je bent!

'Dans gerust! Dansen jullie maar.'

'Wat je zegt! Het is Guy Fawkes-dag! Kom, Chippy, laat toch liggen, straks brandt de pop!'

De van de boegspriet gebroken kluiverboom van de Endurance is te fors om op een van de boten te gebruiken, en toch heeft de sir hem naar het kampement laten brengen en Chippy er een stevig in het ijs verankerde uitkijktoren van laten maken. Vanaf het moment dat hij staat, zijn er weer uitkijkposten, die spleten en nieuwe orka's in de gaten moeten houden. Twee happen, en weg waren de beide honden. Zo snel werken zelfs Sailor en Shakespeare niet het karkas van een pinguïnjong naar binnen. De negen meter lange knaap moest ons wel aanzien voor een merkwaardige, ongetwijfeld smakelijke vogelsoort: geen konings- en geen keizers-, maar meer een soortement duivelspinguïn.

Want wat moet een door zijn lange reis over de Atlantische Oceaan uitgehongerde *killer whale*, die zijn als een koeienhuid geschakeerde bek door het ijs boort, wel van ons denken als hij ziet dat we aan een houten stellage een pop van kledingresten hebben opgehangen en aangestoken? Hij weet niets over een Guy Fawkesdag, weet niet eens wat muziek is en waarom de vreemde vogels die wij zijn bij elkaar hebben ingehaakt en juichend rond het brandende pakket springen.

'Och arme, arme orka, treur toch niet!
Ik drink een beker rum op jou!
En als het dunne ijs breken zou,
eet dan een ander, maar mij niet!
Och orka, kom, wil mijn leven sparen,
ik smaak naar rum van veertig jaren!'

Maar ook de man die het lied meejoelt heeft geen idee wat we nou eigenlijk vieren. Bakewell maalt er niet om: eindelijk kan hij zich eens vol laten lopen – 'knock-out gaan', zoals hij het noemt – kan hij het slepen en de kou vergeten.

'Zing mee, Chippy! Vooruit, zing mee!'

Met zijn handen op mijn schouders zwiert Bakie met me in de rondte, en in zijn ogen brandt de pop. Maar als ik hem zo zie hangen, terwijl ik om hem heen vlieg, word ik door heel andere gedachten besprongen: plotseling weet ik dat de ware reden om de toren te bouwen niet de gevaren zijn die in het ijs loeren. Want als Guy Fawkes nog niet aan het branden is, staat Shackleton, net als voorheen in het kraaiennest van ons schip, lange uren boven op het kleine platform boven het ijs. En telkens kijkt hij naar het zuiden, daar waar het wrak ligt.

Ik denk terug aan vorige 5 novembers. Guy Fawkes! Dat was de man die driehonderd jaar geleden het Engelse parlement, koning Jacobus I incluis, wilde opblazen. Zo heeft mijn vader het me verteld. Volgens Emyr Blackboro kan Guy Fawkes maar één reden voor zijn aanslag met buskruit hebben gehad: hij was Welshman. Op Guy Fawkes-dag zit je met het hele gezin aan tafel, bezoek je het volksfeest en maak je een wandeling in de vrije natuur, ook al komt de regen op Guy Fawkes-dag in heel Wales met bakken uit de hemel. De traditionele Welshe regen zorgt ervoor dat maar heel weinig Guy Fawkes-poppen in rook opgaan, zo kun je ze het volgend jaar weer gebruiken. Ik kan me geen enkele zonnige Guy Fawkes-dag herinneren, die van vandaag is mijn eerste. Het wordt zelfs zomer! Voor mama is Guy Fawkes het begin van de winterperiode, al het fruit is ingemaakt en elke rekening voldaan, of anders klopt er iets niet in Gwens kas. Bakewell, aan wie ik het allemaal vertel, hapt naar lucht. Een Amerikaan zegt onze poppenfeestdag niets, hij vindt het de zoveelste gril van geschifte eilandmonarchisten. Maar toch, er is ook iets wat hem met de datum verbindt: op 5 november vorig jaar kwamen we met de Endurance in Grytviken aan.

'Waar was die pop van jullie toen dan, nou? Jullie zijn toch niet de Guy Forks-dag vergeten?'

Blijkbaar wel. En ik denk dat ik ook weet waarom: destijds hebben we aan niets anders dan de vreemde kusten gedacht, kusten die op ons leken te wachten. Vandaag zijn we echter op weg naar huis. Maar dat kan ik Bakewell niet uitleggen. Want hij weet immers helemaal niet wat dat is, een thuis.

Maar ik weet het maar al te goed! Voor het eerst in lange tijd geef ik me over aan droevige gedachten over mijn familie wanneer Bakie en ik aan het begin van de avond Guy Fawkes achter ons laten om ons met Hurleys slee naar het wrak te laten brengen.

Gelukkig word ik al snel afgeleid. De rit over de schots vergt uiterste concentratie. Telkens opnieuw moeten we afstappen en een verdachte sneeuwbaan onderzoeken. En meer dan eens blijkt dat een met losse sneeuw gevulde spleet op ons heeft liggen wachten. We glijden in een grote boog om deze valkuilen heen, en na een aantal uren komen we eindelijk bij het wrak. Alleen nog de honden uitspannen en de lijnen vastpinnen. Dan staan we voor het zachtjes kreunende slagveld dat ooit ons schip was.

Hurley denkt alleen aan zijn negatieven. Hij weet precies waar hij de afgesloten en dichtgesoldeerde blikken waar ze in zitten moet zoeken: in de 'stallen', de oude officiersmess tussen midscheeps en boeg. Helaas is het hele tussendek niet meer op de plaats waar het ooit lag. Delen van de galleywanden steken boven de in elkaar gedrukte bak uit in de open lucht, een paar kale kooien liggen bij het hek op het ijs, en de trap die naar het benedendek leidde, leidt nergens meer naartoe. Hij staat recht-op tussen de vermorzelde hokken, en alleen het ijs kruipt er zonder haast tegenop.

'Oké,' zegt Hurley, 'ik waag het erop. Kijken wat er nog te doen valt.' Een greep, een trap, en hij zit al op de verschansing. De scheepswand van de Endurance is niet veel hoger meer dan die van onze dinghy.

'Veel succes!' roepen we hem na, en Hurley wuift alvorens hij de bril over zijn ogen trekt en voor de eerste klap met de pik-houweel uithaalt.

Bakewell had zich voorgenomen om een paar warme kleren te redden. De toestand van de onderkomens van de bemanning doet hem er snel van afzien. Wanneer we zelf nog op het hoofddek staan, heeft Hurley zich al een weg naar beneden gebaand. We horen hoe hij op weg naar de officiersmess in het Ritz en de middengang alles kort en klein slaat. Maar dat je bij de kajuiten van de matrozen kunt komen is uitgesloten. Sprakeloos staan we aan de rand van een krater die de verdwenen fokkenmastboom, die kennelijk door het ijs de diepte in is gesleurd, heeft achtergelaten. We kijken in een vernielde ruimte waarin een grijze ijsbrij klotst en waar stukken van de schots kooien en kasten hebben verpletterd. Ik verbied hem om er naar beneden te gaan.

Er staan ook nog andere opdrachten op zijn lijstje. Voor McNeish moet Bakie latten van een bepaalde dikte meenemen die voor de aanpassing van de boten nodig zijn. Kerr heeft een tekort aan moffen en klemmen om zijn tentkachel af te maken. Hoewel hij betwijfelt of hij bestaat, heeft Green de kist cornedbeef besteld die door een van de laatste groepjes pendelaars aan dek zou zijn gezien. En ten slotte hebben de makers van de Antarctische klok de wens geuit dat hun creatie naar het kampement wordt overgebracht. Bakewell wil de houten schijf zien terug te vinden, vooral om Marston een plezier te doen. Onze tekenaar bezit zo goed als niets meer van de dingen die hem zo dierbaar waren, en daarom hangt hij als een baardig fantoom met grote glazige ogen in het kamp rond en zit iedereen in de weg. De klok herstellen en verfraaien, ja, dat zou Marston zeker opvrolijken.

Waar wil hij beginnen met zoeken, vraag ik Bakewell, en hij haalt zijn schouders op. Maar ik merk dat hij popelt om benedendeks te gaan, naar het oude Ritz en naar Hurley, die er hamert en hakt en wel een beetje hulp kan gebruiken.

'Ik denk dat ik eerst maar naar onderen ga, achter de klok aan. Je weet nooit hoe lang dat nog kan. En jij?'

'Och,' zeg ik minstens zo achteloos als hij, 'misschien ga ik kijken wat er van de troep op het ijs over is.'

'Je hebt het op de bijbel voorzien, geef maar toe, kleine royalist!'

Bakewell bukt en gluurt over de rand van het gat naar de donkere verblijven onder hem. Ik had het moeten weten: waar ooit mijn kooi was, heeft een ongedurige schots zijn stoottand door de scheepswand geboord. Vochtige kou stijgt op. Het ruikt als in de krochten van de St. Woolo's kathedraal.

'Ja, de bijbel, waarom niet,' lieg ik. 'En misschien neem ik ook nog dat gouden spul van Shackleton mee.' De klok, het etui, de munten, ze konden me nu werkelijk gestolen worden.

Hij klimt over de rand.

'Bakewell! Je gaat daar niet naar beneden!'

'En of ik dat doe. De gang is volgens mij helemaal vrij. En doe jij ook wat je wilt! Als je maar uitkijkt dat je je niet te grazen laat nemen. Kijk uit voor spleten, oké? Neem een ijsstok mee. Tot straks!'

Hij laat zich zakken. Het laatste wat ik van hem zie zijn de vingers van zijn handschoenen en hoe die zich aan de bevroren dekplanken vastgrijpen. Dan laat hij los.

De bijbel van de koningin-moeder, Shackletons gouden horloge en alle andere uitgeschifte dingen zijn er niet meer. De schots heeft ze in de tien dagen die sinds de evacuatie zijn verstreken opgeslokt en met zich meegevoerd. Alle prenten, alle souvenirs: verdwenen. Ik ga met lege handen terug naar het schip.

Ik heb nog iets anders te doen, en eindelijk is er niets wat me daarvan weerhoudt.

Om bij het hek te komen moet ik eerst van het wrak naar beneden. De weg naar achteren wordt aan dek versperd door een barrière van lelijk, grijsgroen ijs. De ijswal heeft spanten, touwen, spieren en allerlei niet meer herkenbare rommel ingesloten en met zich meegesleurd. Het ijs is twee manslengten hoog tegen de hoofdmast aan gekruid, en bovenin klappert in de sneeuwwind het van de top gebroken, eenzame kraaiennest.

Voorzichtig zoek ik op de schots tastend een weg naar achteren en loop om het hek heen. Het verkeert in een beklagenswaardige toestand. Waar spriet en roer uit de romp werden getrokken, gaapt een brede, scheve wond. Hij is wit omdat het gehele achterschip vol zit met ijs dat alle kanten op drukt. Naar de boeg toe breekt het door het schip heen, aan de zijkanten duwt het de scheepswand kapot en hier, voor mijn ogen, wil het er aan de achterkant weer uit. Het ijs heeft de fraaie hekspiegel van ons schip veranderd in een wanstaltige uiteengereten houten wand, en de naam die erop staat is al voor de helft uitgewist:

End nce
Lo on

Ik klauter de achterste bakboordvalreep op en kom zoals gehoopt achter de ijswal op het achterdek. Verschansing, spillen en opbouwen zijn net als de midscheeps en de boeg verwoest. De kruismast ter hoogte van de mars is afgeknapt. Boom en ra's hebben het achterhuis bedolven, het dak van Worsleys kajuit is ingestort. Maar tot mijn grote vreugde heeft het ijs het dek nog niet bereikt en lijkt bij de achterreling Shackletons kajuit ongeschonden te zijn gebleven.

Van Bakewell en Hurley is hier achter helemaal niets te horen, de ijsmanchet boven de midscheeps absorbeert alle geluiden vóór me. Het wrak produceert een gekraak en een steeds sneller wordend geklop wanneer een persing komt aanrollen. De Endurance trilt en schudt onder mijn voeten, en in de pauzes tussen de persingen klinkt van alle kanten een schuren en ploffen. Het ijs is heel dichtbij. Waarschijnlijk is de vingerdikke plank waarop ik sta het enige wat ons van elkaar scheidt, en ik huiver als ik denk aan de twee gekken daarbeneden in hun spierwitte mijn.

De eerste blik in de gang tussen Shackletons en Worsleys kajuiten doet weinig goeds vermoeden. De gang is verwrongen, alsof hij in elkaar is gedrukt en weer uit elkaar getrokken, bijna overal is de witgeschilderde betimmering van de wanden gebarsten, en een dak is er niet meer. De neergesmakte kruisbramsteng die het dak heeft vernield en Worsleys kajuitdeur uit slot en hengsels heeft geslagen tekent zich af tegen de hemel. De vloer is glibberig. Ik buk me en aai over het flinterdunne laagje dat de ijsmassa door de planken perst.

De kajuit van de schipper is veranderd in een ruïne vol troep.

Hij reikt nauwelijks nog tot borsthoogte en er hangt een schemerig licht in de scheve tochtige ruimte waarin ik nat – alsof ik overboord was gevallen – ingepakt in een wollen deken ophield verstekeling te zijn. Waar is Worsleys schrijftafel beland? En zou hij de map met het krantenknipsel hebben meegenomen?

Mannen voor gevaarlijke expeditie gezocht

'Zou je zo goed willen zijn om je eindelijk af te drogen? Ik zal het niet voor je doen.'

In de ijssoep deinen pagina's uit boeken en handdoeken, waaronder misschien ook de handdoek die hij me destijds, dertien maanden geleden, aanreikte.

De ruimte is te laag om er een kijkje te nemen, en niets wat ik voor de kaptein zou kunnen meebrengen lijkt heel te zijn gebleven. De half doorweekte, half bevroren pagina's komen uit *David Copperfield*.

Bovendien kan ik niet langer wachten. Ik wil eindelijk weten wat er van Shackletons boeken is geworden.

Maar de deur naar zijn kajuit klemt, hij is kromgetrokken en vanbinnen lijkt er iets tegenaan te drukken.

Het gaat niet, nee. Ik geef het op.

Zowel aan stuurboord als aan bakboord is de patrijspoort stevig vergrendeld en vanbinnen uit zijn verband getrokken. Wat te doen? Ik loop naar voren het hoofddek op en speur de ijswal af naar een lang stuk metaal. En als het me gelukt is een deel van het beslag van de dekreling uit het ijs te trekken, kruip ik met dit breekijzer op handen en voeten over de hangbrug van de kruismast naar het halve dak van de kajuit. Shackletons deel is inderdaad intact. Er ligt zelfs geen ijs op.

Even bijkomen.

Hierboven hoor ik de prins iets roepen, en Bakie brult iets terug. Het gaat goed met die twee.

Het kampement in het noorden is in sneeuw en mist gehuld, alleen op de plaats waar aan de uitkijktoren de resten van de pop smeulen, kringelt in de verte een dunne rooksliert de hemel in. Maar die kan ook van een kachel afkomstig zijn.

Green heeft gedreigd blubberpudding te maken.

In het oosten, westen en zuiden niets dan ijs.

IJs. Wanneer ik drie planken heb losgewrikt en een voldoende brede isolatielaag voor een toegang heb weggebroken, valt er licht in de ruimte, en het is me onmiddellijk duidelijk dat het beter zou zijn geweest om deze graftombe niet te openen, maar haar aan het ijs prijs te geven.

Tranen schieten me in de ogen. Wat een aanblik! Het ijs, naar boven geduwd vanaf het vernielde hek, heeft alleen wanden en dak van Shackletons kajuit intact gelaten. Tot even onder de dakplanken vult de blauwachtig witte massa het gehele interieur, zodat ik – ik heb mijn benen nauwelijks door het gat gestoken – meteen op het ijs sta.

Ik trek nog meer planken uit het dak, en als het gat groot genoeg is begin ik, meer uit woede dan om het plezier van het zoeken, te graven. Hoe dieper ik kom, hoe losser het ijs wordt. En er zitten alleen dingen in die het heeft ingesloten en door de ruimte heeft gewalst. Ik stuit op Shackletons hoed en zijn schrijfmachine, en ik leg de eerste boeken bloot, drie delen van de encyclopedie. Daarna nog twee, die uitgerekend aan Dalrymples *Historical Collection of the Several Voyages and Discoveries in the South Pacific Ocean* zitten vastgevroren en een ongelijke drieling vormen. Ik was kort nadat we het ijs hadden bereikt aan de pil begonnen en had hem al snel weer aan Shackleton teruggegeven, verontwaardigd dat Dalrymple ondanks Cooks ontdekkingen over een bewoond en warm zuidelijk continent blijft schrijven. Nu hou ik het boek weer in mijn handen, maar kan er niet meer in lezen. Het ijs heeft de bladzijden tot een massief blok bevroren. Een deel ervan is afgebroken en verdwenen. Maar ik kan toch maar weinig meenemen. Eigenlijk moet alles hier blijven, de boeken die mijn relingijzer opdelft evenals Shackletons overschoenen en het kleine blikken paard dat zijn kinderen hem als talisman op reis meegaven. Ik zet het paardje op het ijs, geef het een zetje, en het glibbert omlaag naar een donkere hoek van de kajuit.

Ik heb een heupdiep gat in het kajuitijs gegraven als ik links van me op een boekenplank stuit die in zijn geheel uit de verankering is geslagen en helemaal naar boven is gestuwd. Nadat ik het ijs laagje voor laagje van de ruggen van de boeken heb geschraapt, stel ik met bonkend hart vast dat het de goede plank is: de ontdekkers uit de negentiende eeuw. Maar kennelijk zijn niet alle boeken er op hun zwerftocht door het ijs op blijven staan – ik ontdek Von Bellingshausen, Weddell, Dumont d'Urville en Ross, maar daar tussen zitten gaten. Twee boeken die ik nog maar kortgeleden heb gelezen ontbreken: het verslag over Kemps tocht over de Zuidelijke IJszee met de Magnet in 1833 en het logboek van de Amerikaanse zuidpoolexpeditie onder leiding van luitenant Wilkes. En helaas ontbreekt ook het boek dat ik zo graag had meegenomen.

Een blik door het gat boven me leert me dat het tijd wordt om terug te gaan. De schemering zet in. De honden zijn veel harder gaan janken, alsof ze aan het resterende licht en de af te leggen afstand de mate van gevaar afleiden die de rit over het ijs met zich meebrengt. Ik klim naar boven. En boven op het dak rek ik me uit, zet mijn handen voor de mond en roep.

Niets. De twee mannen zijn nog beneden.

Een laatste poging dan!

Ik ruk de boeken van de plank, slinger ze allemaal door het gat naar buiten en probeer dan zo diep mogelijk in het ijs achter de lege plank te komen. Wilkes' boek vind ik na een paar seconden. Voorzichtig schraap ik het ijs rond het boek weg en leg het bloot. Het ligt tegen een andere, een geelrode band aan, en op de rug herken ik al meteen het jaartal.

oh al ny
D over s in t e A arcti O   ,
in F ruar 1839

1839, dat moet het zijn! Ik krab de witte korst er af, blaas en zie hoe de letters door het ijs beginnen te schemeren.

John Balleny,
Discoveries in the Antarctic Ocean,
in February 1839

10

Achtentwintig vissen voor
het kampement van het geduld

Iemand die van de schots glijdt en in het drie graden koude gat valt waar kaptein Worsley zijn dieptemeting doet, die weet wel hoe laat het is, want hij voelt aan zijn eigen lijf hoe tergend traag de tijd verstrijkt. De kleren hebben veertien dagen nodig om te drogen.

Dag in dag uit lig ik op mijn langzaam verdwijnende mat in de tent en klamp me vast aan het boek. In een halve cirkel zitten ze om me heen: Clark, Hussey, Bakewell, zwarte, uitgemergelde en langharige gedaanten met kiespijn en vorstbuilen. Ze vertellen elkaar moppen, verzinnen liedjes en bedenken recepten, en deze spookgerechten, die van onze tent een attractie maken, zodat iedereen wel een keer komt binnenvallen en een hapje woorden proeft, ze worden met de dag vetter, romiger en zoeter.

Komt Vincent binnen, dan moet ik snel de rug van het boek bedekken, zodat hij niet ziet wat ik lees. Dan benut ik de gelegenheid om mijn benen te strekken, stop het boek in mijn broeksband en ga de tent uit. Was zijn grootvader er echt bij toen kaptein John Balleny, zonder er erg in te hebben, de passage naar de Rosszee en zo de enig mogelijke toegang tot de pool ontdekte? Of heb je gelogen, mijn Bos'n? Ik ga op de voederkist bij de honglo's zitten en lees door totdat dokter Macklin me daar ook wegjaagt.

'Boek in veiligheid gebracht, Merce? Sorry, maar de stakkers hebben honger als een paard.'

Macks span is als enige overgebleven. Nadat we ook het kampement op zee hebben afgebroken en vijftien kilometer verder noordwaarts over de schots zijn getrokken, heeft Wild op één middag eerst zijn eigen en daarna ook Creans, Marstons en McIlroys honden doodgeschoten. En toen Hurleys resterende zeven honden ten slotte ook de laatste spullen voor ons uit het kampement op zee naar het nieuwe 'kampement van het geduld' hadden gesleept, moest Wild ze eveneens achter de ijsheuvel brengen, vijfendertig honden waarvoor geen voer meer was en die nu als voer voor ons dienen. Macklins zes scharminkels – mager en met ruige en vervilte vacht – kijken me met hun grote vragende ogen aan.

Vincent komt de tent uit. Verzadigd door een fantoompastei sleept hij zijn pens vol lucht naar onze kleine scheepswerf. Daar is zijn vriend en vaderlijke trooster Chippy McNeish met een pijp in zijn mondhoek bezig om de dinghy op te kalefateren. En daar leunt zijn loopjongen en zondebok Stevenson tegen de opgevijzelde Dudley Docker en steekt zijn praatjes af, waar alleen de graatmagere scheepstijger naar luistert. Maar Mrs Chippy kan het gestolen worden wie er voor haar staat te snoeven, zolang hij maar een stukje zeehond voor haar heeft. Ik wacht tot Vincent bij zijn kornuiten is, dan slenter ik terug naar de tent en maak het mezelf en John Balleny gemakkelijk op mijn mat in het smeltende ijs.

Bakewell: 'Weet iemand van jullie wat donuts zijn?'

Hussey: 'Natuurlijk! Wat denk je wel!'

Bakewell: 'Kun je heel eenvoudig maken. Ik heb ze het liefst koud en met aardbeienjam besmeerd.'

Wordie: 'Aardbeienjam, nee, doe hem mij maar met een omelet.'

Het is een doorsnee ochtend in het kampement van het geduld, een ochtend dat ik voor het eerst de naam van Balleny's scheepsjongen lees: hij heette niet Vincent maar, uitgerekend, Smith, wat echter nog niets wil zeggen.

Maar het is ook de ochtend dat voor ons allen de tijd stil blijft staan. Op deze 21 november 1915, de driehonderd en eerste dag sinds het pakijs ons voor de kust van Antarctica insloot, zinkt de Endurance.

De zomer is terug. De warmte laat het ijs smelten, en waar zijn almaar dunner geschuurde schotsen breken, komt het water tevoorschijn, zo zwart als drop. Al weken heeft Shackleton koortsachtig uitgekeken naar het moment dat de ijstangen opengaan en de klem die ons schip in elkaar heeft gedrukt het wrak loslaat. Wanneer het zover is staat hij alleen op de toren, en zijn schrille kreet is zowel een klaaglijke schreeuw als een commando dat we alles moeten laten staan en liggen, de tenten uit moeten komen en naar het zuiden moeten kijken.

'Ze zinkt! Ze zinkt!'

Dus weer naar buiten. Ja, ze is er nog. Heeft het hek uit het ijs getild. Maar boeg en midscheeps zitten al helemaal onder water en wachten het moment af dat ze in de diepte mogen verdwijnen.

'Moet je haar zien.'

'Ze zinkt,' komt het nogmaals van boven, en deze keer klinkt het tevreden, zoals iemand die aan het sterfbed zegt: 'Nog even en ze heeft het gehaald.'

Sir Ernest daalt de ladder af en gaat in ons midden staan.

'Bid voor haar,' zegt Alf Cheetham. 'Ze heeft ons beschermd als een moeder, ze was een goed schip.'

'Een goed schip,' valt de timmerman hem bij, 'wis en waarachtig, dat was ze en dat blijft ze!'

En we luiden haar hartstochtelijk uit: 'Hiep, hiep, hoera! Hiep, hiep, hoera!'

Met de achtersteven hoog in de lucht maakt ze pas op de plaats, alsof ze ons de kans wil geven om ten volle te genieten van dit laatste beeld van haar en het in ons geheugen te prenten.

'Hou vol!' zou je haar willen toeroepen, want ze is aan het verdrinken.

Je knippert met je ogen, en weg is ze, als een kind op de glijbaan de diepte in gesuisd. Er gaat een kreet door onze rijen terwijl daarginds, kilometers ver weg tussen de ijsrichels, niets meer is en terwijl ik niets anders kan doen dan me het wrak voor ogen te houden dat onder ons de zwarte diepte in glijdt.

Hou je haaks, Endurance.

Bras de ra's!

Zo hebben we ons in veiligheid gebracht op het ijs en hebben we alles wat we nodig hadden om te overleven van boord gehaald, maar ons schip, dat hebben we niet kunnen redden, dat is vergaan. Het nieuwe kampement biedt een merkwaardige aanblik: het oogt als een schip zonder schip. Want alles is er: dekhuis, kombuis, schoorsteen, boten en mast. Macks honden liggen al weer net zo te luieren als vroeger aan dek, en wij blijven onze kleine en grote dingen doen. Ook al heeft Shackleton ons met inlevingsvermogen en overtuigingskracht over de tenten verdeeld, net als aan boord vormen matrozen, stokers en machinisten een groep, artsen, onderzoekers en kunstenaars een tweede en de bazen, de schipper, de officieren en ijsheiligen de derde groep. En op dezelfde manier zijn Green, de knorrige kok, en ik, zijn lummelende steward, een klasse apart: we koken voor iedereen, brengen iedereen eten. Het is geen fantoommaal van louter woorden, het is echt, dat wil zeggen, het smaakt dan wel afschuwelijk, maar het houdt ons in leven. Af en toe is er hond, en niet iedereen verkrijgt het over zijn hart om zijn tanden te zetten in een stuk van Sailor of Shakespeare. Maar voor de rest is het hetzelfde eten als op het schip, met dit verschil dat het schip er niet meer is.

Toen ik een jongen was werd in Pillgwenlly's buurdorp Mynyddislwyn de oude Bethelkerk gesloopt voor de uitbreiding van de Newport Docks. Ik herinner me het verwarrende gevoel wanneer ik over het terrein rende dat een hele zomer lang braak lag: met de kerk leek daar ook de tijd verdwenen. Vooral het geëgaliseerde kerkhof aan de oever van de Usk, waarover de hete wind streek, ervoer ik als een tijdgat waarin elke stemming eindeloos duurde, of ik nu verdrietig was of blij. Tussen de ligusters kleedden Regyn en ik ons helemaal uit. En de kreeften die we uit de rivier haalden, leken met hun rode laarzen op roverhoofdmannen.

De stank van de liguster en de smaak van de wilde aardbeien op de glooiende oever zijn we nooit meer vergeten, ook niet toen de herinnering aan Mynyddislwyn pijnlijk voor ons was geworden. Hoezeer in elk geval Regyn ook wenste dat ze de tijd kon uitwissen, het gevoel van deze zomer verdween niet, niet bij mij en niet bij haar.

Wanneer de tijd lijkt stil te staan, ben je van de toekomst afgesneden. Je vlucht dan van het ene moment in het andere door te wachten en te hopen dat iemand genegen is om de tijd met je te delen, of je droomt jezelf terug naar het verleden, naar de toetjes, de aardbeien, rood als de laarzen van de rivierkreeften, of naar een scheepsjongen die Smith heet. Destijds, als het kind dat ik was, betekende het heden niets voor me. Ik voelde alleen dat de tijd stilstond en ik was niet eens verbaasd. Maar in het ijs is er nauwelijks iets ergers dan te voelen dat de toch al vertraagde tijd blijft hangen en bevriest. Daarom noteren de mannen die op de Endurance een dagboek bijhielden, in het kampement elk woord en elk kwaaltje van hun slaapzakgenoten. Aan de tentstokken bungelen, slechts voorzien van vreemde tekens, kalenders die de evacuatie hebben doorstaan, en Wild en Worsley laten zich de kans niet ontnemen om nog altijd elke dag exact de positie, looddiepte en het tempo van onze schots in het logboek in te vullen. Een dikke inktstreep verdeelt het boek in een voor en een na: hier verging ze!

Zo gaat december voorbij. De adventszondagen versmelten tot één middag waarop er vier keer zeehondengebraad en pinguïnpudding op het menu staat. En telkens spelen de spookkoks daarna in mijn tent een kennisquiz met dezelfde uit de encyclopedie gescheurde paar bladzijden die Hurley ter opvulling in de blikken jerrycans met negatieven heeft gestopt om ze zo tegen het ijs te beschermen: Wat betekent Ormulu? Waar ligt Ormoc? En het kerstmaal van zeehondenragout en de pinguïnpastei zijn nog maar net achter de kiezen wanneer Bob Clark naar de belangrijkste aanwijzingen in het lastigste raadsel vraagt. Wie was Eleanor A. Ormerod?

'Was ze wetenschapster?'

'Ja,' zegt Jimmy James.

'Ik wist het! Biologe?'

'Ja,' zegt Jimmy James.

'Ha! Deed ze geen onderzoek naar de sauriërs?'

Gerechtigheid valt Mrs Ormerod ten deel op oudejaars-avond: ze was niet alleen insectenonderzoeker, ze was de natuurvorser bij uitstek, ja, leest Jimmy James voor, 'ze was de Demeter van de negentiende eeuw'.

Daarop klinken we bij zeehondenbiefstuk en pudding van pinguïn. En dan is het al 1916. Maar dat doet er niet toe.

In de eerste zes weken na nieuwjaar drijven we ruim tweehon-derd kilometer noordwaarts. Pauleteiland bevindt zich nog maar tweehonderdvijftig kilometer verder naar het noord-westen, maar er liggen toch nog vele duizenden richels en sple-ten tussen ons en het vasteland. De afstand zou net zo goed een dikke vijfentwintighonderd kilometer kunnen zijn. Zolang het ijs niet openbreekt en we in de boten kunnen overstappen, zit-ten we aan onze schots gekluisterd en drijven we mee met de pakijsdrift waarheen het hem belieft.

'Dingen die er zijn, maar niet in of op het ijs' heet een spel dat ons tijdens deze warme zomerdagen in januari en februari bezighoudt. Het idee is van sir Ernest, die de amusementswaarde en het verbroederende effect van het encyclopediespel niet onbe-roerd heeft gelaten. Wanneer ik Hurley en hem op een keer thee in hun tent breng en tijdens een partijtje poker over hun schou-ders meekijk, zit het Shackleton flink mee en wint hij op papier – na een zijden paraplu, een spiegel en het verzameld werk van Keats – van Hurley nu ook het fel bevochten diner in het Londense Savoy. Uitgelaten geeft sir Ernest toe dat hij quizzen in welke vorm dan ook verafschuwt. Maar om de mannen een ple-zier te doen wil hij graag door deze zure appel heen bijten.

Het spel is zo simpel als wat: iemand neemt een voorwerp in gedachten dat je ergens vindt maar niet in het ijs en de anderen proberen het om beurten te raden. Aangezien we met ons acht-entwintigen zijn, kunnen we over elk begrip zevenentwintig vragen stellen om het af te bakenen en te raden. Degene die wint mag kiezen uit een koekje of een stukje van de laatste twee tabletten chocola. Weet niemand het, dan wint degene die het woord heeft ingebracht.

Al in de eerste ronden stuiten we op problemen. Er ontbrandt een felle discussie over de vraag of je in het ijs dennen hebt. Jock Wordie is van mening dat er binnen de poolcirkels geen bomen zijn, en dus ook geen dennen. Orde-Lees brengt daar tegen in dat delen van het schip en de sleden van dennenhout zijn gemaakt, en in zijn ogen blijft een den een den.

Zo gaat het ook met het begrip waarmee Greenstreet de strijd om een stuk chocola aangaat: 'Gras.' Het wordt niet geraden, maar vierkant afgewezen, tot dokter McIlroy zijn ijzeren voorraad uit zijn borstzak tevoorschijn haalt, een kwart sneetje witbrood uit de bakoven van Stina Jacobsen in Grytviken.

'Het bevat goed Noors graan, en graan, beste mister Greenstreet, is niets anders dan gras.'

Het spel gaat wekenlang door en zo heeft Shackleton het graag. Een paar keer is er een hevige woordenwisseling, bijvoorbeeld tussen Vincent en Orde-Lees rond het begrip 'grammofoon'. Vincent beweert dat er geen grammofoon in het ijs is nadat de onze gelukkig met de Endurance ten onder is gegaan. Orde-Lees spreekt dat tegen. Niemand kan volgens hem weten waar zijn grammofoon nu is. Misschien drijft hij op een schots op zee. Misschien vindt men hem op een dag terug, helemaal intact.

'Nee,' zegt Vincent. 'Hij is weg, voor eeuwig. Satan heeft hem teruggehaald.'

We komen tot de slotsom dat het spel niet werkt. Maar de volgende dag al zit er weer een groepje bij elkaar, en als de eerste koekjespremies zijn uitbetaald, voegt iedereen zich er langzamerhand weer bij om zijn geluk te beproeven.

Hussey wint als hij Cheethams 'horzels' goed raadt, Holie weet zijn 'Tower Bridge' erdoor te slepen en bemachtigt een stuk chocola, en voor de meeste beroering zorgt uitgerekend de sinds het doden van zijn honden zo goed als verstomde Tom Crean wanneer hij na zevenentwintig vruchteloze vragen zijn woord onthult: Amundsen.

Shackleton kondigt het einde van het spel aan door een extra ronde uit te roepen. Deze mag maar aan één thema zijn gewijd: vrouwen.

'Iedereen die meedoet en de naam van een vrouw noemt die hem dierbaar is,' zegt hij, 'krijgt een koekje of chocola. En omdat dit biscuitje, waar geen tandje aan ontbreekt, me zo lief aankijkt, zal ik de eerste zijn die er een wint.'

En dus doet hij een greep in de met kleurige ruiters, honden en bossen beschilderde trommel.

'In naam van mijn vrouw, Caroline Shackleton,' zegt hij en hij hapt onder onze verbaasde blikken in het gouden koekje. 'En in naam van mijn minnares, dezelfde Caroline Shackleton.'

De eerste die het hem nadoet is de schipper.

'Theodora Worsley,' zegt de kaptein en hij pakt een koekje. 'Mwhh! Jazeker, gentlemen, zo lekker ruikt zij ook!'

En terwijl we nog lachen, graaien Marstons vingers al in de trommel en ook die zitten onder de kleurige verf. Geen dag verstrijkt zonder dat Marston namen, cijfers en voorstellingen schildert om de bij hem terugbezorgde Antarctische klok te versieren.

'Hazel Marston, God behoede haar.'

'Ja, George, dat doet Hij,' zegt Shackleton. 'Daar ben ik van overtuigd.'

Een voor een vallen de namen van echtgenotes, verloofdes, moeders en dochters. Sommigen halen zelfs foto's van de betreffende lady's en jongedames tevoorschijn. Maar er zitten ook mannen bij die geheimzinnig doen.

Zo zegt Holie slechts: 'Rose.'

En Wordie zegt: 'Wie ze is verklap ik niet, alleen dat ze Gertrude Mary Henderson heet. Telt dat?'

Elke naam telt. Bakewell krijgt zijn stuk chocola voor een barmeisje uit Brooklyn dat Lilly heet. Crean blijft Stina Jacobsen trouw, en Mick McIlroy kent alle zeven voornamen van Hare Majesteit, de gemalin van onze koning: Mary Augusta Louise Olga Pauline Claudia Agnes prinses Von Teck.

Een van de laatsten die nog een koekje bemachtigen ben ikzelf. Nadat ik lang heb geaarzeld of ik wel een naam moest noemen, is mijn begeerte naar iets zoets toch groter dan mijn twijfel, en zo volg ik de stem van mijn hart en noem tot mijn eigen verrassing de naam van mijn zus, Regyn.

Met spelletjes gaan de dagen van de zomer voorbij, en dat de tijd verstrijkt merken we alleen doordat we steeds magerder worden. Daarin lijken we op het ijs van de schots waarop we drijven over de eindeloze Weddellzee. Meren van smeltwater vormen zich op alle plekken waar we langer dan een paar dagen koken en slapen, en niet zelden breekt, net nadat we een tent hebben verplaatst, de zee door het ijs en vreet een nieuw gat in ons bevroren vlot.

De gaten die ontstaan hebben zo hun voordelen: af en toe duikt uit het water een van de weinige krabbeneters op die in deze dagen bij de poolgrens zijn verdwaald, en voordat de verbaasde zeehond doorheeft dat hij midden tussen zeehondeneters verzeild is geraakt, heeft Wild zijn geweer al in de aanslag. Frank Wilds trefzekerheid redt op een dag in het begin van april Stornoways leven wanneer hij, in de overtuiging dat hij een prachtige weddellzeehond heeft ontdekt, met getrokken mes op een wak afstormt. Nog geen tien meter voor hem en vermoedelijk gedreven door dezelfde misleidende overtuiging werkt een grijs en zwart gevlekt monster zich het ijs op. Verdwaasd kijkt het om zich heen, het heeft vinpoten en het stoot snerpende kreten uit een bek vol naalden uit.

'McLeod! Terug! Stornoway, kijk uit!'

Twee keer zo groot en twee keer zo snel als hijzelf schiet de zeeluipaard in een mengeling van glijden, kronkelen en waggelen af op de als een kind brullende Stornoway, en de roofrob heeft onze over het ijs struikelende volmatroos bijna te pakken als Frank Wild zijn karabijn afvuurt en niet één keer hoeft te herladen.

De buik van de zeeluipaard, ontdekken sir Ernest, Green en ik, zit vol met vreemde, volkomen witte vissen. Het zijn ijsvissen, legt Bob Clark ons uit, die geen rood maar wit bloed hebben. En het zijn er eenendertig in totaal, maar als je de drie half verteerde weglaat, blijven er precies achtentwintig over, zodat ieder van ons een vis krijgt.

Een kleine zeeluipaard, zilver met zwarte spikkels, daarnaast de datum en het cijfer voor onze vierhonderdvijfendertigste dag in het ijs… Liefdevol legt George Marston ons feestmaal in het kampement van het geduld op de Antarctische klok vast.

Hoeveel zorgen we ook hebben omdat we aan niets anders meer kunnen denken dan aan eten, aan de andere kant is het ook heerlijk om met volle maag over het ijs te lopen langs een van de meren in de schots en je een open zee voor te stellen. Ver kan het niet meer zijn! Temeer daar de zee er de hele tijd gewoon is. Drieduizend meter diep en zo zwart als drop ligt ze aan mijn voeten.

11

Witte vlek in de sneeuw

'Wat is er nou zo erg aan dat je geen zee ontdekt? Hm, vertel me dat eens.'

Hij begrijpt niet wat mijn probleem is. Natuurlijk, hij kan zich goed voorstellen dat ze een zee naar hem vernoemen, de Bakewellzee, maar als dat nou niet gebeurt?

'Nou en. Daar kan ik mee leven.'

We stoppen de ijshouwelen in onze broekzakken en nemen ieder het blok dat we uit de ijsrichel hebben gehakt op de schouders. We lopen terug naar het kamp.

'Nou, luister,' zeg ik tegen Bakewell. 'Onderbreek me niet, dan leg ik het je uit.'

Ik begin bij het begin: als Cook degene was die het huis van de Zuidpool ontdekte, dan was het Ross die de deur vond waardoor Scott, Shackleton en Amundsen uiteindelijk naar binnen gingen – de Rosszee. Maar de ontdekker van het sleutelgat was die oude en overigens zeer vrome robbenjager genaamd John Balleny.

Aan boord van zijn schoener Eliza Scott, vertel ik Bakewell, schoot Balleny op 1 februari 1839 met de sextant de zon. Hij rekende uit dat hij zich vierhonderdvijftig kilometer verder naar het zuiden bevond dan enig ander voor hem. Verborgen achter de horizon, bij heldere zee op twee dagen varen, bevond zich, zonder dat Balleny het vermoedde, de toegang tot de zee die tegenwoordig Ross' naam draagt.

Pakijs en mist dwongen de Eliza Scott en de kleine Sabrina

om verder te zeilen naar het noordwesten. Na een tocht van tien dagen ontdekte Balleny een groep vulkaaneilanden. De commandant van de Sabrina liet zich naar een van de troosteloze eilanden roeien om gesteentemonsters te nemen. Thomas Freeman was de eerste mens die land aan de andere kant van de poolcirkel betrad.

Ik vertel Bakewell ook over de twee dagen waarop over het lot van Vincents grootvader werd beslist, 13 en 24 maart 1839. Op 13 maart tekende Balleny in zijn logboek op: 'Vanochtend kwam kapitein Freeman aan boord, bracht de scheepsjongen Smith mee en nam de scheepsjongen Juggins mee terug.' Elf dagen na deze verder niet toegelichte ruil op volle zee raakten beide schepen even ten noorden van het poolfront in stormachtig weer verzeild. De Sabrina stak 's nachts een noodfakkel aan. Maar Balleny voelde zich niet bij machte om Freemans mannen te hulp te schieten. Het blauwe licht was het laatste wat hij van zijn begeleidingsschip zag. De Sabrina zonk, en met haar vergingen kapitein Freeman en de scheepsjongen met de bijnaam Juggins.

De Eliza Scott zeilde naar Londen terug, juist op tijd om Ross haar logboeken te laten kopiëren en ze op zijn eigen expeditie mee te nemen: zijn schepen Erebus en Terror volgden Balleny's koers, en zij slaagden erin de zee binnen te varen die voor de robbenjagers verborgen was gebleven.

'Zo!' zeg ik. 'Dat is het hele verhaal.'

Bakewell laat zijn blok voor de ingang van de tent vallen. De dooismurrie spat alle kanten op, zo nat is de sneeuw.

'Pech! Maar ze zijn in elk geval heelhuids thuisgekomen. En weet je zeker dat die Juggins Vincents opa was? Hoe oud was hij eigenlijk? Hij was immers al vader.'

Volgens de monsterrol was Jacob 'Juggins' Vincent even oud als ik toen Bakewell en ik elkaar ontmoetten, zeventien jaar. En hij kwam uit Birmingham, net als onze bootsman. Of Balleny wist dat zijn scheepsjongen al vader was, of dat Juggins het zelf wist, daarover vind je niets in de logboeken.

Terwijl het elke dag duidelijker wordt dat onze schots verdwijnt en wij langzaam verhongeren, lees ik Balleny's bericht meerdere keren door om alle belangrijke details in me op te nemen. Ik vraag me af waarom ik het eigenlijk doe. Uit Vincents gezicht is het gladde verdwenen, net als zijn hoogmoed. Een slappe, smerige bezorgdheid heeft zich erin gevreten, zoals in alle gezichten. Wat moet ik tegen hem zeggen? Dat ik zijn bewering heb onderzocht en, tja, in zijn familiegeschiedenis heb nagelezen hoe zijn grootvader aan zijn einde kwam? Moet ik zeggen: Het spijt me, Vincent, maar de afschuwelijke waarheid is dat Juggins door een noodlottig ongeval is verdronken, vijfenzeventig jaar geleden?

Zouden we nu niet in afvalhopen moeten wroeten naar vleesresten waar zelfs de honden en de kat hun neus voor ophalen, en zouden we ons er niet dag en nacht van bewust moeten zijn dat de schots onder ons slaapverblijf breekt en dat we in een zee vallen waarboven het ijs zich weer sluit, maar zaten we in plaats daarvan voldaan en vrolijk met cognac en tabak in de hut bij de Vahselbaai te wachten op de mannen die van de roemrijke oversteek-te-voet terugkeren, misschien zouden we dan met John Vincent kunnen praten om hem van de waarde van dat boekje te overtuigen.

Sinaasappelkleurig ligt het in mijn hand. Wekenlang was het bevroren, en al die tijd heb ik het naast de vis op mijn hart gedragen om het te ontdooien en te drogen. Wie hij was, Juggins, de scheepsjongen van John Balleny, weten alleen zijn kleinkinderen, ik, mijn vriend Bakie en dit boek. Ik gooi het over de rand van het ijs, en in een oogwenk is het gezonken.

Bakewell heeft gelijk: wat kunnen me de doden schelen als het enige wat telt is dat we in leven blijven? Een richel die elke dag smaller wordt, scheidt ons van verhongeren, bevriezen of verdrinken. Tot nog toe teerden we op de zekerheid dat het ons gelukt was te overleven, maar nu moeten we langzaam inzien dat we eigenlijk al maanden met niets anders bezig zijn dan onze dood uit te stellen. Het is begin april. De volgende winter staat voor de deur. Nog altijd vliegen er stormvogeltjes en zuidpooljagers, een betrouwbare aanwijzing voor open water. En 's nachts horen we hoe walvissen de schotsen breken en aan de oppervlakte blazen. Maar de dames en heren zeehonden dartelen op andere breedten rond. Onze voorraden zijn bijna uitgeput. Aangezien er geen blubber meer is, kunnen we de ovens niet meer stoken, daarom eten we de overgebleven stukken pinguïn- en zeehondenvlees rauw, half bedorven, half bevroren. Hoe afschuwelijk het ook smaakt en hoe vernederd je je ook voelt, de honger is sterker en nog sterker is de angst dat je bezwijkt en op het moment van vertrek te zwak bent om van het ijs in de boot te komen. Honger en angst, met elkaar leiden ze tot pure vertwijfeling, en geen enkel uitgekiend recept, geen spel en geen sir Ernest Shackleton kan ze tegenhouden. Gedurende al die maanden, al die tijd aan boord en in de beide kampementen op het ijs, is er ooit ook maar één stukje cacao uit de voorraadkisten verdwenen. Maar wanneer de schots breekt en we onszelf terugvinden op een overstroomde plaat die zo klein is dat, al hadden we er de kracht voor, we er niet op zouden kunnen voetballen, ontbreken op een morgen de laatste stukken vlees in Greens ijskist. En zelfs Wilds gebrul verandert niets aan het feit dat de dief niet wordt herkend. We zien er immers allemaal eender uit, droefgeestig en ontsteld en bang en hongerig.

Wild schiet de laatste honden dood. En na lang treuzelen vertelt McNeish waar de kat zit. Wild schiet ook haar dood. Vanaf dat moment bestaat ons dagrantsoen uit tweehonderd gram gedroogd hondenvlees, drie klontjes suiker, een koekje en een halve beker in water opgeloste poedermelk. Het overige water is taboe. Het wordt opgespaard voor de boottocht en er wordt bewaking ingesteld. Wie wil drinken, neemt een tabaksdoos met ijs mee in de slaapzak en laat het door zijn lichaamswarmte smelten. Eén nacht levert één eetlepel water op.

De tijd van het hartverwarmende gekibbel is voorbij. Er zijn openlijke, grimmige ruzies. Jimmy James wordt ervan beschuldigd dat hij nooit ergens voor bedankt, Orde-Lees vinden ze gierig. Wanneer hij op een middag uitgeput omvalt omdat hij de helft van zijn dagrantsoen voor de avond heeft bewaard, laten Vincent, Stevenson en McNeish hem op het ijs liggen. Shackleton ontneemt Vincent nog dezelfde dag zijn rang van bootsman en degradeert hem tot gewoon matroos.

'Ze schelden me uit voor Jood,' zegt Orde-Lees 's avonds in de tent, 'en Wild laat het gebeuren.'

Op de ochtend na een regennacht zijn de boten tot de helft weggezakt in de week geworden schots. McNeish weigert mee te helpen om de James Caird weer het ijs op te trekken.

'Wat gebeurt er?' schreeuwt Shackleton naar ons vanaf de plaats waar de Dudley Docker ligt. Met een paar passen is hij bij onze hoofdboot.

Worsley doet verslag: 'McNeish hier vindt…'

Shackleton valt hem in de rede, voor het eerst: 'Zet uw mannen aan het werk, kaptein. Schiet op, dat is een bevel!'

McNeish verroert geen vin. Het enige lichte in zijn gezicht is het wit in zijn ogen waarmee hij de sir aanstaart.

Hij zegt: 'U hebt geen enkele bevoegdheid.'

Shackleton: 'Praat me niet van bevoegdheden! Wie heeft jou de bevoegdheid gegeven om hier twintig mannen te laten niksen en bevriezen? Ben jij bevoegd om het leven van deze mensen op het spel te zetten omdat jij ons zo nodig moet laten weten wat jij denkt?'

McNeish: 'Ik denk dat de boot uit elkaar zal vallen.'

Shackleton opnieuw: 'Wat maakt mij die verdomde boot uit! Mij gaat het om de verdomde mannen en dat ze in leven blijven! Daarvoor ben ik verantwoordelijk.'

'Tja, ik ben alleen verantwoordelijk voor mijzelf,' zegt McNeish, 'en dat betekent dat het me koud laat als een klootzak die vlaggetjes in de sneeuw zet, mij wil voorschrijven wat ik moet doen.'

Vincent loopt om de boot heen naar de timmerman. 'Geen schip, geen contract. Met uw bevelen hebben we geen reet te maken.'

Shackleton stapt op de beide mannen af. Hij stopt pas als ze uiteenwijken, en snauwt hen toe: 'Ik ben de leider van deze expeditie! Jullie contract is er een met mij, en niet met het vervloekte schip. Doe wat ik jullie zeg, en ik zorg dat jullie in leven blijven. Maar als jullie het leven van de mannen in gevaar brengen, schiet ik jullie ter plekke dood.'

Maar het kan ook anders. In de tent krijgen eerst Macklin en

Clark ruzie en even later ook Orde-Lees en Worsley, waarbij Greenstreets beker met melk op een bepaald moment op de grond valt. Hij ontsteekt in woede en geeft Clark de schuld van het incident, en als Bob Clark protesteert, gaat Greenstreet nog harder tegen hem tekeer.

Daar staan we met z'n allen, met ruige haardos en baard, en staren naar de plek waar de melk in de sneeuw is weggesijpeld. Clark is de eerste die een slok uit zijn beker in die van Greenstreet giet, en allemaal volgen we zijn voorbeeld.

De prins probeert gelijk gebruik te maken van de ontdooide stemming. Hij wil zoveel mogelijk van zijn negatieven in de boot kwijt.

Sir Ernest wil precies weten hoeveel opnamen van de Endurance Hurley in veiligheid heeft kunnen brengen.

'Vijfhonderd, sir. Vijf kisten.'

'Oké, misschien nemen we er honderd mee,' zegt Shackleton.

En Hurley: 'Dat is te weinig. Tweehonderd. En u mag kiezen.'

Shackleton houdt zijn beker op in de neerdwarrelende sneeuw. 'Nou, minder wordt het niet,' zegt hij. Hij kijkt in zijn beker en nipt aan de melk. 'Laten we zeggen honderdvijftig, we zoeken ze samen uit, en ik stel een document op waardoor de rechten aan jou vervallen indien ik sterf.'

Tevreden glimlachend gaat Hurley akkoord.

En Shackleton zegt: 'Je hebt de truc niet door, hè? Ik ben namelijk helemaal niet van plan te sterven.'

Vierde deel

DE NAAMLOZE BERGEN

Drie boten
De handschoen
Op het zwarte strand
Instructies voor de tijd van afwezigheid
Golf
De onzichtbare vierde
Spoken

1

Drie boten

Vierhonderdeenenveertig dagen nadat ons schip in het ijs werd ingesloten en zestien maanden sinds we Zuid-Georgië achter ons hebben gelaten, krijgt de uitkijk op de morgen van 9 april land in zicht. In het noordwesten, zo'n honderd kilometer bij ons vandaan, steken duidelijk grijze rotsen uit boven de vlakte van gespleten ijs en water waarop we drijven.

Terwijl hij in de hevige regen geknield op de schots zit, vastgehouden door twee mannen met wijd opengesperde ogen, schiet Worsleys sextant de zon. Zijn berekening laat maar twee mogelijkheden toe: de toppen zijn ofwel die van Joinville Island, het noordelijkste eiland van het Antarctische continent, ofwel we zien daar aan de horizon Clarence Island en Elephant Island, die al in open zee liggen. Deze drie laatste buitenposten van het zuidpoolgebied hebben gemeen dat tussen de eilanden de golven woeden alsof ze door een brede poort gaan. We weten allemaal: mocht het ons niet lukken om op een van de eilanden aan land te gaan, dan zal de stroming ons naar Straat Drake voeren met zijn wereld van orkanen.

Shackleton laat er geen gras over groeien. Na een haastig ontbijt worden de tenten afgebroken en de boten gereedgemaakt om het water op te gaan. Er gelden dezelfde instructies als toen we het schip verlieten: de kaptein mag zijn navigatiebestek, de artsen hun medische uitrusting, Hurley zijn handcamera en afgesproken hoeveelheid negatieven en Hussey zijn banjo meenemen; de rest van ons moet het doen met wat we op ons lichaam dragen.

De plaatsen in de boten worden toegewezen. In de grootste, de James Caird, varen de sir, Wild en nog eens elf mannen mee. Worsley vormt met negen anderen de bemanning van de Dudley Docker, en Crean krijgt het commando over de kleine dinghy, de Stancomb Wills. De vier mannen die met Tom Crean meevaren zijn Vincent, Holness, Bakewell en ik.

Aan het begin van de avond zijn we zover. De boten liggen met hun kiel naar boven op een veilige afstand van de rand van de schots. We wachten tot het plenzen overgaat in miezeren, dan draaien we de boten een voor een om, slepen ze naar het water en laten ze zakken. Op sir Ernests commando stappen Worsley, Crean en hijzelf als laatsten in. Het water in de geul is zwart, en het begint weer harder te regenen. Na een laatste blik over de schots leggen we af.

'Ben ooit als hobo met de trein door Alaska gereisd,' zegt Bakewell naast me aan de riemen. 'Moet je kijken. De verlaten negorijen van goudzoekers in Klondike, die zagen er precies zo uit.'

Mijn hoofd staat niet naar praten. Omdat wij de kleinste boot hebben, moeten we tussen de beide andere blijven, en die houden een flink tempo aan. Roeien! Niet echt iets voor mij. Maar alles beter dan nog langer op het ijs te zitten wachten tot het onder je wegsmelt. Dertig centimeter, dikker was de schots op het laatst niet meer. Over Creans schouders tuur ik in het gordijn van mistslierten waardoor de regen stroomt en in mijn gezicht zwiept. Waar is de schots? Verdwenen. En met hem het kamp, het kampement van het geduld.

'Rustig,' zegt Tom Crean plotseling. 'Je vaart met Shackleton, niet met Scott. Rustig aan, Merce.'

Het is de eerste keer dat ik Scotts naam uit zijn mond hoor, en ik word er inderdaad rustig van.

De donkergrijze, woelige zee is bezaaid met stukken ijs. Schommelend in de deining kreunen en kraken de schotsen. Onze kleine vloot houdt inmiddels een rustig maar strak tempo aan, en een paar uur lang roeien we gelijk op door de avondregen over de ijszee. De sir geeft alleen een commando om langzamer te varen als de geul ál te smal wordt en een van de sloepen dreigt klem te zetten, of als van een ijsberg waar we niet snel genoeg omheen kunnen een sneeuwbank in het water glijdt en een flinke golf komt aanbruisen met allemaal blauwe ijsstekeltjes.

'Handen binnenboord! Bukken!'

De golf slaat over ons heen, stort zich uit in de boot en maakt alles en iedereen drijfnat. Brokken ijs raken nekken en ruggen en blijven op de bodem van de boot liggen nadat we het water eruit hebben geschept. Kletsnat verder. Halen en aan het ijs likken. En opnieuw Shackletons stem uit de voorop varende Caird.

'Bukken! Handen binnenboord!'

Een wonder dat er geen enkele riem breekt. Achter me vloekt Vincent en hapt Holie naar adem. Bakewell zegt niets meer, en het is zo donker geworden dat ik niet eens kan zien wat voor gezicht hij trekt.

Shackleton laat stoppen. Eerst komt onze en dan Worsleys boot langszij. We zijn weer samen. Over de met dikke lagen ijs bedekte verschansingen heen worden handschoenhanden geschud, gezichten geaaid, moppen getapt.

Een schots voor de nacht. Wild laat zijn roeiers nog even doorhalen en ontdekt een vlakke plaat van zo'n vijftig passen in de lengte die spits toelopend op de deining ligt. Green en de kleine traankachel worden erop afgezet, vervolgens manoeuvreren mijn roeiers de Stancomb Wills naar de rand en hijsen ook mij omhoog. Het ijs is stevig en prachtig schoon.

'Hé!' Green spuugt een fluim pruimtabak uit. 'Sta niet te lummelen. Blubber erin en vuur aan.'

Wanneer de geloste boten met de kiel naar boven op de schots liggen en de tenten zijn opgezet, is het avondeten klaar. Het eenpansmaal van hond verwarmt het stramme lijf, en in twee tenten klinkt gezang en gelach. Terwijl Uzbird banjo speelt, speuren Bob Clark en ik de nachtelijke hemel af en zien een zwak zuiderlicht en een sterrenregen.

Maar deze eerste nacht op het ijs wordt een nachtmerrie. Nog maar nauwelijks in slaap gewiegd door het zachte deinen van de zee, worden we door een luid gekraak gewekt. Met flakke-rende stormlantaarns zwermen we uit en stellen vast dat een ijsberg de schots heeft geramd en een andere kant op heeft gedraaid, zodat hij nu, ongelukkigerwijs, dwars op de branding ligt. Bovendien zijn we niet alleen. Een zwaardwalvisfamilie ligt vlakbij op de loer naar een middernachtelijk maal; in het don-ker hoor je de grote orka's blazen, en de kleintjes reageren braaf door te snuiven.

Midden in de nacht treft een zware roller de plaat. Hij schom-melt een keer op en neer en breekt dan. De scheur in het ijs schiet door de tentbodem, rukt de tent los van de paaltjes en is binnen luttele seconden een gapende, metersbrede spleet vol zwart klotsend water.

Iedereen die zich op zeehondenmanier met de slaapzak in veiligheid heeft weten te brengen, brult: 'Spleet! Help! Spleet in tent vier!'

Wild en Worsley komen aangestormd. Ze willen dat iedereen wordt geteld. Maar het tumult is te groot. En Shackleton wacht niet af tot het is bedaard. Hij loopt langs de breukrand en schijnt in het water.

'Het tentzeil! Trek het weg zodat ik kan kijken!'

Drie man sjorren het zeil op het ijs.

Wild schreeuwt: 'Zesentwintig! We missen er twee!'

Op hetzelfde moment valt de lichtkegel die over de golfkam-men glijdt op de contouren van een man.

Holie. Het is Holness die daar zwemt. Met de arm die hij uit zijn slaapzak heeft kunnen bevrijden slaat hij om zich heen. Shackleton valt op zijn knieën. De lantaarn belandt in het water. Hij grijpt de slaapzak en trekt Holness in één ruk op het ijs.

Een nieuwe telling leert dat Wild zich in zijn opwinding heeft vergist. Met de geredde Holie erbij zijn we voltallig. En vermoe-delijk zouden we ook geen kans hebben gekregen om nog een vermiste te redden. Want we hebben ons nog maar net in vei-ligheid gebracht, of daar beuken de beide delen van de schots weer op elkaar. Een schuimende streep nevel in het schijnsel van de lantaarn, meer blijft er van de spleet niet over.

Ik help mee en til Holie in zijn volgezogen ijswaterzak door de nevelsluier.

'Moet je horen,' zegt hij. 'Wou net een sjekkie draaien. Nou is al mijn tabak naar de haaien.'

Zijn grote, glinsterende ogen zijn rood doorlopen, en van zijn schedel hangen verwarde slierten haar neer.

Maar hij kan weer lachen. Want Hussey zegt: 'Mooie aanleiding om met dat gepaf te stoppen.'

Om het gewicht van de boten te verlagen nemen we met een bezwaard gemoed afscheid van een hele ris spullen die we aan land vast en zeker goed hadden kunnen gebruiken: houwelen, schoppen, lattenpanelen en drie kisten gedroogd fruit blijven op de schots achter. Daarvoor hebben we die troep dus al die tijd met ons meegezeuld, en dat terwijl niemand de pruimen en dadels kon verdragen.

Er waait een stevige oostenwind die zelfs nog aanwakkert. De sir geeft opdracht om de riemen binnenboord te halen en de zeilen te hijsen. McNeish' wekenlange gezwoeg om de drie notendoppen van masten te voorzien komt nu van pas, en iedereen is de timmerman dankbaar dat we niet nog een dag aan de riemen hoeven.

Met de wind komen zware zeeën aangerold. De golven beuken op de randen van de schotsen, en de zich terugtrekkende schuimende branding bevriest al onder het neerkomen en hagelt neer op onze slingerende boten. Alles wordt met een laag ijs bedekt. Ik zie hoe Creans nachtblauwe overjas geleidelijk aan wit wordt en bevriest, en zelfs bij de kleinste beweging waarmee hij het roer corrigeert, hoor ik Tom Creans jas knappen en kraken.

Terwijl de landmassa in het westen in nevel en duisternis oplost, vluchten wij in de tweede nacht voor ijsbergen en orka's op een schots die over een grote, ijsvrije zee drijft. Met uitzondering van Holness, wiens benen en voeten bevriezingsverschijnselen vertonen, moet iedereen een keer twintig minuten wacht kloppen. Zo kunnen we allemaal een paar uur slapen en 's ochtends in elk geval uitgerust het schouwspel bekijken dat de druilerige nieuwe dag voor ons in petto heeft.

We zijn bij de uiterste noordelijke punt van de Weddellzee aanbeland. Voortgedreven door de snelle zuidelijke stroming en teruggeworpen door de sterke deining van de open zee in het noorden, wervelt het ijs in stukken en brokken rond onze schots en voert hem schommelend en wiegelend met zich mee. Zover het oog reikt gaat het zeeoppervlak schuil onder een op en neer golvende en met een hels kabaal tegen elkaar schampende drijfijsmassa die in brede cirkels uiteindelijk naar buiten wordt gedreven, naar de verten van Stille en Atlantische Oceaan. Eindeloze ijsstromen, door Antarctische gletsjers en ijsschollen de Weddellzee in geduwd en naar het noorden gestuwd, stuiten op de snelle warme stromen van Straat Drake, en al het ijs dat zich van niets en niemand iets aantrok, wordt nu door de maalstroom van de golven in stukken gestoten, gewreven en geknaagd.

Geen enkele schots ontsnapt aan de imposante ijsmolen. Toevlucht zoeken op een ijsberg, zoals een groepje rond Greenstreet en Hudson oppert, wijst Shackleton nors af, terecht zoals blijkt: drie tafelijsbergen, de ene na de andere, kapseizen voor onze ogen en steken nog urenlang diepblauw de hemel in voordat ze inzakken en hun ijsmassa's in zee uitstorten. Opnieuw is onze vlucht een kwestie van het juiste moment, en zo laat de sir ons uur na uur op de schots wachten en toekijken hoe die langzaam maar zeker de ijsmolen binnendrijft.

We houden de drie boten gereed, wachten tot ons smeltende vlot breekt, en al snel hurken we neer op een smalle witte tong waarop golven slaan en drijfijs strandt.

'Weet je wel zeker dat je nog wilt wachten?' vraagt Wild op het laatst zelfs, wanneer hij van een patrouille terug is. 'De randen zijn bros. Wordt lastig om de boten daaroverheen te tillen.'

'Ik wacht.'

Twee uur later staat Wild weer naast hem, en Shackleton zegt: 'Ik wacht tot die aanminnige schone daarginds ons ontdekt.'

De schone is een smalle geul met open water die zich brekend een weg baant door het schotsenlandschap. Steeds verder uitwaaierend en al snel duidelijk hoorbaar versplintert de scheur het ijs en biedt ons zicht op het donkere water eronder.

Sneller dan verwacht is de scheur bij ons.

En even snel schalt Greenstreet: 'Hij breekt!'

We kantelen de boten. Shackleton geeft bevel om de rand van de schots zo ver af te slaan tot we bij ijs komen dat stevig genoeg is. We hakken een baai in de schots, waar we de drie boten in laten zakken, en als de geul de schots bereikt krakt hij doormidden.

Maar wij zijn al onderweg, varen ineens op open water, misschien nog honderd riemslagen verwijderd van de zee en het einde van de ijsstroom.

De in de mist verdwenen landmassa duikt niet weer op, en damp en sneeuwvlagen maken een nauwkeurige positiebepaling voor Worsley onmogelijk. Een dag en een nacht lang heeft het er alle schijn van dat ons plan – in noordelijke richting langs de rand van het pakijs op Clarence Island en Elephant Island aankoersen – opnieuw zal worden gewijzigd. Shackleton overweegt in plaats daarvan Hope Bay op het Antarctisch Schiereiland aan te houden. Wanneer we in noordwestelijke richting naar de kust van het vasteland zouden zeilen, zou dat als voordeel hebben dat we zonder twijfel op land zouden stuiten. Maar aan de andere kant moeten we dan in de onstuimige zee met boten die geen hoge uitkijk hebben twee – onooglijke – rotseilanden zien te vinden, donker als de nacht en de zee, en omringd door kransen van riffen die zelfs Cook niet in kaart heeft gebracht. En mochten we ze missen, dan wacht daarachter niets dan het geweld van de om de poolkap razende golven.

Bevreesd dat we op een schots weer de maalstroom in worden gedreven, brengen we de nacht door in de aan een ijsberg vastgemaakte boten – 's morgens liggen we half bevroren onder een laag sneeuw en ijs. Uren vergaan voordat van alle riemen de dijbeendikke ijsmanchet is afgebikt. Green en ik zijn in de weer op een plateau boven de hoofden van de anderen. We hijsen de traankachel en alle spullen die nodig zijn om een verkwikkend ontbijt klaar te maken aan een touw omhoog, maar het lukt ons niet om het vuur met onze armetierige blubberresten heet genoeg te stoken. Alles moet terug in de boten, waar de kleine primusbranders hun best doen om melk en hond op z'n minst nog lauw op onze lepels te krijgen.

Shackleton wordt geplaagd door aanvallen van ischias, maar de pijn wordt snel minder als Mick of Mack hem een spuitje geeft en ik of een ander die hij daarom vraagt hem masseert. Crean, Worsley, Wild, Bakewell en ik voelen ons als enigen nog redelijk goed. Het nevelige licht van de ochtend verdeelt de rest van de tronies in gezichten vol zorgen en pijn en gezichten vol wrok en verharding. Holies voeten lijken niet meer te willen genezen. Zijn laarzen zijn te dun en kunnen niet drogen, en als de sir het bevel geeft om hem naar de Caird te brengen zodat een arts zich over hem kan ontfermen, stelt Mack vast dat al drie van Holies tenen bevroren en reddeloos verloren zijn.

'Hijs de zeilen!' klinkt het bevel door de regen die zo hard is als hagel.

We komen uit de lijzijde van de ijsberg gevaren en zien al meteen hoe dicht het drijfijs ons op de hielen zit. Het plan om op Hope Bay aan te koersen wordt losgelaten. De ijsstroom kruipt de kust op en sluit het schiereiland hermetisch af. Hij laat ons geen andere keuze dan naar het noorden te zeilen, en zo zetten we toch weer koers naar de twee in de oneindigheid van de zee verborgen eilanden.

2

De handschoen

Wat is het heerlijk om langs de rand van het ijs over het open water te suizen. Zeevogels vergezellen ons op zee, en op voorbij gondelende schotsen slapen in een zacht wiegend ritme her en der zeehonden en groepjes pinguïns. Eindelijk kunnen we onze snelheid weer zelf bepalen en hebben we onze voortgang weer zelf in de hand.

In alle drie de boten houdt de mast stand tegen de windvlagen. Zodra we aan een ijsberg aanleggen om te eten en Holies voet te verzorgen, klimt Chippy McNeish van boot naar boot en controleert met strakke blik en met zijn over het hout aaiende klauwen de verankering van de bomen, ophanging van de spieren, de deugdelijkheid van de roeren, spilloop, enzovoort. Wijdbeens staat Chippy te brommen in de schommelende boot, en er zijn altijd ten minste twee mannen die hem bij zijn benen vasthouden en hun armen om hem heen slaan – alsof hij een eerbiedwaardige wijze grijsaard is – wanneer hij aanstalten maakt om te gaan zitten en ondertussen zijn toonloze 'Dat moet houden' mummelt. McNeish de timmerman, onze schipper en navigatiegenius Worsley en de sir zijn de drie die over ons overleven beslissen. Met argusogen waken we over hen, en als we tegen elkaar aan geschurkt zitten en van kou en vocht de slaap niet kunnen vatten, draaien onze spaarzame gesprekken onder zeildoek en dekens bijna uitsluitend om deze drie en het wonder van het samenspel van hun vaardigheden.

Sinds zijn kat is afgemaakt en sinds de ruzie met sir Ernest op de schots heeft McNeish zich volledig afgezonderd; hij zegt alleen het hoogstnoodzakelijke. Shackleton slaat al zijn handelingen gade, en hij voelt zich niet te min om de timmerman voor iedere van diens onnavolgbaar simpele maatregelen te bedanken. Maar de band tussen de twee is doorgesneden, net als die tussen de sir en zijn gedegradeerde bootsman, en al is de bewondering nog zo groot, ze kan niet verdoezelen dat de bemanning van de Endurance niet meer de oude is. Ons gezamenlijk doel, overleven, heeft ons ten slotte toch verdeeld en van elkaar vervreemd. En misschien dringt het niet tot de meesten door, maar Shackleton verspilt een flink deel van zijn kracht en uithoudingsvermogen omdat hij ons in een goed humeur moet zien te houden.

Ook de vierde aprilnacht sinds het verlaten van het kamp brengen we op de boten door: veertig kilometer voor de eilanden van onze bestemming drijven nog slechts half overstroomde schotsen in zee, en ook de ijsberg waaraan we de boten vastleggen wordt door Wild en Crean, die hem grondig inspecteren, als een bedrieglijk toevluchtsoord beschouwd.

Als de duisternis valt, daalt de temperatuur tot twintig graden onder nul. Slapen kun je wel vergeten. Als schakels uit een ketting liggen de boten achter elkaar tegen de ijswand aangemeerd, sneeuwbanken denderen omlaag en bedelven ons, het regent, hagelt en sneeuwt beurtelings en wild door elkaar, en wanneer in het donker een andere berg voorbijdrijft, komen golven aangebruisd die in de boten neerplenzen en ons, ondanks presenning, zeildoek, dekens en jassen waar we onder zijn gekropen, drijfnat maken.

Voor de arme Holness in de plaats heeft Shackleton de bange en dodelijk vermoeide How in de Stancomb Wills gezet. Hij, Bakewell en ik zitten dicht tegen elkaar aan onder verschillende lagen textiel en zeil, we verroeren ons niet en proberen zo min mogelijk warmte te laten ontsnappen. Ik hou Bakie stevig omklemd; tussen ons in, op de kale bodem van de boot, zit How, die we warm houden en uur na uur fluisterend troosten, tot kou, honger, uitputting en het gruwelijke slaapgebrek hem op een bepaald moment overmannen. Rillend valt How in een bewusteloze slaap.

In het begin vraagt Crean elk uur of we nog leven.

'Ja!' antwoordt iemand, en we luisteren of Tom Creans bas nog een keer klinkt.

'Mooi!' roept hij even later.

Ik informeer naar Vincent, die bij Crean zit. 'Leeft hij nog?'

'Maak je om mij maar geen zorgen, Blackboro,' komt het per kerende post door de dekens terug.

In de tweede helft van de nacht vallen we stil, en zelfs de kreten van de drie bootcommandanten waarmee ze naar onze toestand informeren verstommen. Het enige wat nog tot me doordringt is het gekletter van de regen, het geweld van de golven en het neerploffen van de sneeuw. In een roerloze roes blijf ik zo een eeuwigheid zitten, hou me vast aan mijn vriend en bibber met zijn rillen mee.

Ik wil mijn ogen niet sluiten. De boze slaap die op me wacht is een afgrond, jammerend met mijn stem ligt hij op me te loeren. Hownows warme schedel tussen mijn dijbenen schuurt mijn huid open. Maar ik wil zijn hoofd niet verleggen. En al zou ik willen, ik zou het niet kunnen. Ik kan geen vinger bewegen.

Bakies mond zit dicht bij mijn oor. Een tijdlang snurkt hij, maar meestal hoor je alleen zijn gereutel. Het klinkt bijna als het zachte jammeren van de wind.

Slechts één keer, van grote afstand, meen ik twee woorden op te vangen.

'De vis!' fluistert Bakie. Droomt hij? Of was het toch gewoon de wind?

De vis! Ja, dreint het door mijn hoofd, ik haal Ennids vis tevoorschijn. Als het toch moet, waarom dan niet nu? Lees haar groet, houd goede moed, en dan is tenminste de stilzwijgend ondergane ellende voorbij.

En in gedachten tast ik naar hem, met vingers waarop alle bulten en schrammen zijn genezen. Snel knoop ik het zakje los en hou de forel in mijn handen. Helder licht valt op zijn kleurige hout, en mijn hart klopt in mijn keel wanneer ik het klepje opendoe. In zijn buik ligt helemaal geen briefje, er zit een rood boekje in. Aan de piepkleine kopie van mister Muldoons kasboek herken ik de boze droom, en toch kan ik de zeven bladzijden – meer heeft het boekje niet – duidelijk voor me zien en lezen wat erop geschreven staat:

> *De hel is niet heet, hij is ijskoud,*
> *duivel die je bent,*
> *en ik, die ooit Juggins heette,*
> *mijn god,*
> *ik heb het nog altijd koud! Vertel me daarom,*
> *duivel die je bent,*
> *waarom ik eigenlijk gestorven ben!*

's Ochtends fladdert er zo'n dichte nevel boven zee dat ik de gezichten van de mannen voor in de boeg van de Caird niet kan onderscheiden. Holies zachte gekerm dringt door de stilte heen. Tom Crean onderzoekt How op vorstbuilen, dan gaat hij achter hem zitten en sluit de matroos in zijn jas. In de blik van beiden, in die van Vincent en in die van Bakewell, in elke verwilderde blik zie ik sporen van nachtmerries net als die van mij.

Shackleton laat de mannen tellen. Hij heeft een arm om de mast van de James Caird geslagen en luistert naar elke naam.

En allemaal, zoals we onze wenkbrauwen van pijn hebben samengetrokken, zozeer dat je zou denken dat onze ogen dichtzitten, allemaal roepen of hijgen we of doen op z'n minst een poging tot krassen.

We zijn er zelf verbaasd over, maar we leven allemaal nog.

Door vorstbuilen getekend, lippen en gehemelte opgezet, doodmoe en gekweld door de angst dat we het land hebben gemist, zeilen we door nevel en sneeuw. Wanneer het 's middags even opklaart, draait Worsley de Dudley Docker bij en bepaalt de stand van de zon. Het zijn bange minuten waarin niemand in de drie aan elkaar vastgemaakte en op de lichte deining vrijwel stilliggende boten een woord durft te zeggen. Al net zo zwijgend herhaalt de kaptein zijn berekening. Maar dan richt hij zich tot de sir, en de gezichten van beide mannen klaren op.

We zijn op koers, slechts veertig kilometer scheidt ons van Elephant Island. Als we ons tempo aanhouden, zullen we het eiland bij het aanbreken van de nacht bereiken. Gejuicht wordt er niet. We wisselen blikken, en menigeen kijkt naar de hemel. Die is bewolkt. De artsen wekken Holie uit zijn schemerslaap.

'Land, Holness! Over een paar uur zijn we er! Holness!' Macklin houdt Holies gezicht in zijn handen, en na een tijdje geeft hij antwoord.

'Ja,' zegt hij zwakjes, 'Land. Aye, aye. Begrepen.'

We hebben de fout gemaakt om vanwege gewichtsbesparing veel te weinig smeltijs in de boten mee te nemen, en betalen daarvoor een zware tol met ondraaglijke dorst. Even biedt het verlichting om aan een rauwe, onder de jas ontdooide lap zeehondenvlees te sabbelen en het bloed te drinken, maar omdat het vlees zout is, zijn de dorst en de pijn in je keelholte niet veel later dubbel zo groot. Wanneer McCarthy in de Docker en McLeod in de Caird kort na elkaar in gekrijs uitbarsten en met woedende armgebaren water eisen, geeft Shackleton opdracht om het rauwe vlees alleen nog tijdens maaltijden te verstrekken, tenzij iemand door de dorst krankzinnig dreigt te worden. McCarthy en McLeod krijgen ieder een stuk, en terwijl hun mond en hun vingers rood kleuren van het bloed en ze in het water staren met een verwezen blik die ontzetting over zichzelf lijkt te verraden, wordt de rest van de proviand in de dinghy overgeladen en onze inmiddels te zwaar geworden boot door de Caird op sleeptouw genomen.

Aan het begin van de avond scheurt een straffe wind de hemel open. Tussen de sneeuwwolken verschijnen tegen het rozerode firmament zeven zachte, geheel door ijs en sneeuw bedekte toppen. Ze laten er geen twijfel over bestaan. Voor ons ligt Elephant Island. Een zwerm stormmeeuwen komt ons inspecteren. De prachtige vogels duiken omlaag, vliegen een tijdje op ooghoogte naast de boten mee en kantelen plots in een windvlaag die hen in het donker meevoert en wegdraagt. Onze boten hebben grote moeite met de aflandige luchtstroom die de meeuwen zo behendig weten te benutten. Want hoe aangenaam het ook is om de diepzwarte contouren van de eilanden almaar duidelijker te zien worden, behalve aan de wind zijn de boten overgeleverd aan de getijdenwoelingen die, naarmate we het eiland dichter naderen, met steeds heftiger stortzeeën links en rechts om de riffen woeden.

Met het invallen van de duisternis dalen er nieuwe dichte sneeuwbuien neer. Worsley en Shackleton overleggen brullend van boot tot boot, en uiteindelijk krijgt de schipper toestemming om met de Dudley Docker vooruit te varen en een plaats te zoeken om aan land te gaan. In de boeg van de Caird richt Shackleton het lichtschijnsel van de kompaslamp op het zeil om Worsleys boot een oriëntatiepunt te geven. Een tijdlang flakkert van de Docker een licht terug, en door de stuivende vlokken boven de golfkammen zie ik het aangelichte zeil waar de klippen en hellingen van het eiland vele keren boven uitkomen. Maar dan houdt het lichtsignaal op. Nog lange tijd staat Shackleton aan de mast en tuurt door de sneeuw. Het licht komt niet meer terug. Shackleton draait zich echter pas om en loopt naar achteren wanneer Greenstreet brult dat Wild aan het roer is flauwgevallen.

De Caird haalt de zeilen binnen. Daarmee raakt het contact met Worsleys boot verloren. Alleen als de boot rustiger vaart, kunnen de mannen in de Caird de stijf bevroren Wild bij de roerpen weghalen en naar het midden van de boot tillen. Op verdoofde benen staan Bakewell en ik aan de mast en spieden naar de hoofdboot voor ons. Verschillende mannen masseren Wild warm vanaf zijn borstkas naar beneden voordat ze lijf en ledematen uiteen kunnen buigen.

Hij komt bij. Naast hem, half opgericht en met grote ogen het donker in starend, ligt Holness. Wanneer Wild kreunt, kreunt Holie mee en begint te huilen.

'Die man zit al twaalf uur aan het roer,' zegt Tom Crean tegen ons, schijnbaar vergetend dat dat voor hem ook geldt.

'Mister Bakewell!' roept hij. 'Maak het sleeptouw los. We gaan langszij.'

'Langszij, aye.'

Wild ligt languit in de boot en knippert met zijn ogen van

onder zijn capuchon. Zijn Burberrypak fonkelt van de sneeuw-kristallen. Hij draait zijn hoofd om en kijkt naar ons vijven in de Stancomb. Als Wild Crean herkent, wil hij opstaan.

Shackleton houdt hem tegen. 'Jij blijft verdomme nog aan toe net zolang liggen tot je van mij mag opstaan!'

'Hou op met die onzin!' zegt Wild kwaad en hij gaat rechtop zitten. 'Het gaat prima met me. We moeten verder.' Zijn stem is hees, en met zijn opgezette tong kan hij alleen langzaam pra-ten.

Shackleton is niet minder kwaad: 'Laat me je handen zien!'

Wild wil niet; in plaats daarvan kijkt hij opnieuw naar Crean, alsof hij absoluut niet begrijpt hoe die het voor elkaar krijgt om aan de andere kant van de boot te zitten.

'Je handen. Laat ze zien, stijfkop die je bent!'

Crean knikt. 'Laat ze aan hem zien, mister Wild,' zegt hij kalm.

Een stortzee stroomt over de boten en levert ons voor de zoveelste keer een nat pak op. Wanneer het schuim is verdwe-nen, richt Shackleton de lamp op de handen die Wild in de lucht steekt. Slechts om één zit een handschoen. De andere is bloot. Hij is rood en blauw aangelopen, en doordat hij door knobbels en bulten is opgezwollen, lijkt hij meer op een stomp dan op een hand.

Shackleton trekt een handschoen uit en houdt hem zwijgend voor Wild, zodat hij zijn hand erin kan steken.

Wild wil de handschoen niet.

'Pak aan, Frank!' roepen een paar mannen tegelijk.

En Shackleton: 'Pak aan, Frank, of wil je je hand kwijt?'

'Ik hoef hem niet,' zegt Wild. 'Ik heb de mijne verloren, en moet een van jullie boeten omdat ik zo stom ben? Komt niks van in. Jij houdt je handschoen, Ernest, en ik ga terug aan het roer. Het gaat prima met me.' Wild wil opstaan.

Shackleton houdt hem aan zijn schouder op zijn plek. 'Ga voor mijn part terug naar het roer. Maar je gaat niet zonder deze handschoen. Aan jou de keuze: of je trekt hem aan, of ik gooi hem in zee.'

Maanlicht ligt op de golven waar onze twee boten doorheen ploegen. Tussen mistbanken en sneeuwvlagen is het zo helder dat ik in de zwarte klippen waar we voorbijbruisen de afzonderlijke rotsen kan onderscheiden. Ik duw mijn gezicht over de reling in de wind. Mistflarden slaan me tegemoet. De James Caird vaart in een halsbrekend tempo, en hij sleurt onze dinghy aan de lijn achter zich aan, steeds dichter naar het eiland toe. Blauwachtig zwarte steenmassa's reiken met puntige wiggen tot in de branding. Ik buig me voorover naar het water en zoek tevergeefs hun toppen. Donkere, smalle, gekloofde dalen en grotten duiken op, vormen een opening en zijn in het duister achter ons weer verdwenen, gletsjerbeken en watervallen, wit stuivend en geluidloos, zo dichtbij dat ik de adem van hun koelte op mijn gezicht meen te voelen. Maar ik weet dat het zoute schuim van de golven elk briesje dat van land komt ter plekke opslokt.

Een paar uur lang schieten we zo langs de noordkust van Elephant Island door de nacht. Frank Wild zit weer aan het roer van de Caird. Aan het roer van de Stancomb Wills zit nog altijd Tom Crean. Hij neuriet. Zijn tong moet net zo opgezet zijn als de mijne, en de stortzeeën slaan evenzeer op hem neer als op mij. Het zout vreet de laatste huid in ons gezicht weg, en dik en zwart, als naaktslakken in het natte gras, zijn onze lippen. Crean neuriet. Hij is de held van mijn broer. Als Tom Crean, zegt Dafydd, zo moet je je Setanta voorstellen, de Keltische Achilles, die een bal sloeg en daarmee de hond van Culain doodde en uit vertwijfeling daarover Culain aanbood voortaan zijn hond te zijn. Cuchulain, de hond van Culain, werd de grootste held en nam het in een eerlijke strijd zelfs op tegen de ridders van de ronde tafel. Maar, zegt Dafydd, een eerlijke strijd is voor een Engelsman natuurlijk iets te veel gevraagd.

Crean is ook degene die Worsleys boot ontdekt. Hij pakt me bij mijn schouder en laat me zijn positie zien. In de schuimnevel en de mist voor de steile wand nauwelijks te onderscheiden, deemstert een schrale streep licht over de toppen van de golven onze kant op.

'De schipper!' krast Crean. 'Naar de boeg! Ga het melden,

Merce. Maar bind jezelf goed vast, begrepen? Knik wanneer je me hebt begrepen!'

Ik knik. Met het veiligheidstouw om mijn borst geknoopt laat ik me op de bodem van de boot zakken en kruip als een zeehond onder de roeibanken door naar de boeg. Wanneer ik daar opduik, rukt de wind de capuchon van mijn hoofd. Ik krijg nauwelijks lucht. Maar achter in de Caird zie ik, alsof hij het sleeptouw waaraan we hangen eigenhandig vasthoudt, op gehoorsafstand de omtrekken van Frank Wild. Vlak boven zijn hoofd klappert de wind de boom met het gebolde zeil heen en weer.

Ik weet dat ik maar kracht heb voor één schreeuw.

Wat te schreeuwen? Ik moet tegelijk de aandacht op mijzelf en op de teruggevonden boot vestigen; bakboord van ons zeilt hij op minder dan een kilometer voor een donkergrijze gletsjerwand, hij koerst aan op een mistbank die hem weer zal opslokken voordat een van Shackletons mannen in de Caird hem kan zien.

Ik trek mijn handschoen van mijn linkerhand en brul, zo hard ik maar kan: 'Hé ho!'

En op hetzelfde moment dat Frank Wild zich bij de roerpen omdraait en zijn ogen openspert, steek ik mijn blote arm over de reling van de dinghy en geef aan: bakboord, op de uitkijk!

In de rustiger branding voor een ijshelling die vlak uitloopt, komt de Dudley Docker langszij. Haar zeil is provisorisch opgelapt, de boot lekgeslagen. Worsleys mannen zijn al uren achtereen aan het hozen. Alleen Greenstreet en Orde-Lees zitten roerloos tegenover elkaar in de witbevroren boeg en staren onze kant op. Orde-Lees heeft een voet van Greenstreet onder zijn trui gestopt en zo heeft hij voorkomen dat de voet is bevroren.

De schipper heeft nog ander nieuws. Aan de noordoostpunt van Elephant Island heeft de Dudley Docker een landingsplaats ontdekt. Niet meer dan een smalle, stenige oeverstrook aan de voet van ontoegankelijke klippen, een troosteloos hoekje waar de storm vrij spel heeft, maar het ís een landingsplaats.

'We moeten het proberen, sir!' vertaalt Cheetham Worsleys gekras. 'Sir, wat denkt u ervan?'

Shackleton kijkt over de door een dikke laag mist bedekte zee naar het oosten. De dag breekt aan, de vierhonderdvijfenveertigste onvrijwillige Weddellzeedag. Dan knikt hij en gaat akkoord.

Kaptein Worsley krijgt opdracht om met de Docker vooruit te zeilen, maar daarbij altijd op zichtafstand te blijven. Dicht onder de in zee schuivende gletsjers varen onze drie boten naar het noorden. Het is een ochtend met vlagen van dikke, wollige sneeuw bij min tien. Telkens opnieuw striemen buien vanaf zee die nog veel kouder zijn en zo hevig dat ook het zeil van de Caird verschillende keren van de mastboom klapt en we bescherming in een gletsjerbaai moeten zoeken. Daar drijven klompen zoetwaterijs in de deining. En de volgende uren zuigen we op de heerlijke onverwachte dorstlessers en duwen de verdovende stukjes ijs in onze mond van wond naar wond.

Een verraderlijke rifboog schermt het strand waarop we willen landen af tegen de aanrollende brekers. De sir beslist dat de dinghy als eerste boot de nauwe passage tussen de riffen moet nemen en in de erachter liggende baai een dieptemeting moet uitvoeren. De Stancomb Wills wordt van het sleeptouw losgemaakt. Weer roeien. We gaan naast de Caird liggen en nemen Shackleton aan boord.

Wanneer we langs het rifportaal zijn, komen we in de baai, onder de rotswanden halen we de riemen binnenboord. Van het huilen van de storm en het bulderen van de branding is tussen de klippen nog slechts een spookachtige echo te horen. Hij zwelt aan en neemt af, bijna net zo snel als het bloed van het roeien in mijn handen klopt.

Uit Creans meting blijkt dat het er diep genoeg is, ook voor de twee grote boten, en zo krijgen Wild en Worsley het gehoopte signaal met de stormlantaarn. Langzaam komen ze de baai in gevaren, sluiten zich bij ons aan, en naast elkaar glijden onze boten door het plotseling volkomen kalme water.

Niemand zegt iets. Alleen Shackleton geeft soms op halfluide toon de koers aan. En op hetzelfde moment dat onder mij de kiel van de dinghy over het zwarte kiezel schuurt, wijst hij degene aan die als eerste mens Elephant Island dient te betreden. In de richting van de James Caird roept hij: 'Gentlemen! Beur mister Holness dit strand op.'

3

Op het zwarte strand

Nergens is een boom te bekennen, geen struik, geen kreupel-
hout, zelfs geen bosjes van het bleke gele boendergras dat op
Zuid-Georgië groeit en tussen de rotsen zachtjes in de wind
lispelt. Op Elephant Island is geen plantaardig leven, tenminste
geen dat zich voor de ogen van gewone schipbreukelingen aandient. Bobby Clark ontdekt, terwijl hij zich laat zakken, al
meteen mossen en korstmossen op de schoongespoelde kiezels.
Met zijn spillebenen gespreid zit hij op het strand en krast met
een nagel over de stenen die hij voor zich heeft opgestapeld en
die net zo donker zijn en net zo glanzen als de ogen achter zijn
bril. Enkele maanden per jaar, vertelt hij ons, leven er keelbandpinguïns en ezelspinguïns in reusachtige kolonies op het
eiland. En het eiland draagt zijn naam niet voor niets. Hier zouden zulke onvoorstelbaar grote kolonies zeeolifanten overwinteren dat het tot op heden zelfs met fabrieksschepen niet is
gelukt om ze uit te roeien. Wijd en zijd is geen dier te bekennen.
Een verkennergroep, bestaande uit Crean, Hussey en Bakewell,
keert terneergeslagen in het kampement terug. Zelfs de zuidpooljagers hebben ons in de mist boven de zee alleen gelaten
toen ze merkten dat er bij ons niets te halen viel. Misschien is
het dus wel zo, zegt Vincent spottend, misschien is de wereld
gewoon verder gedraaid terwijl wij ervan af zijn gevallen, en
hebben de oorlog en de vooruitgang de zeeolifant ten slotte
toch de das omgedaan. Tja, best mogelijk. Afgezien van onszelf,
zoals we op het strand rondhangen en genieten van het gevoel

dat we vaste grond onder onze voeten hebben, roert zich op het eiland helemaal niets. De wolkenschaduwen trekken over lege klippen en door lege kloven. Niets dan steen. Daaroverheen een tientallen meters dik pantser van sneeuw en ijs. Olifanteiland. Heet het daarom niet zo?

In het westen de zonsondergang en tegen de donkere hemel in de gouden halve cirkel op zee de ingekeepte vuurschijf die het eiland weldra in breedte overtreft. Hadden we hout, dan konden we op ons strand rond een kampvuur zitten. Maar het enige stuk hout op het eiland dat niet bij de boten hoort, tenminste niet bij die van ons, is een scheepsplank die door het rif de baai in wordt gespoeld en door Frank Wild uit het water wordt gevist. De plank is zo licht dat Wild genoeg heeft aan zijn gezonde, van de handschoen bevrijde hand om het mee te nemen en voor de tenten te leggen. De plank is groen, hij moet maandenlang in de golven hebben gedobberd, en toch laat het hout er geen twijfel over bestaan. De plank was ooit een stuk van een kersenboom.

Wild loopt terug naar het water.

'Frank, blijf bij het kamp!' roept Cheetham hem achterna en hij zegt dan zachtjes tegen niemand in het bijzonder wat we allemaal al weten, namelijk dat er een storm, om niet te zeggen een orkaan op til is.

'Dat is te veel voor hem,' zegt Orde-Lees, niet voordat hij om zich heen kijkt of Shackleton in de buurt is en hem kan horen.

Shackleton is met Chippy McNeish bij de boten en bespreekt daar vermoedelijk de noodzakelijke maatregelen om de schade te verhelpen.

Zoals Frank daar beneden weer bij het water staat, herinnert hij me aan iets vertrouwds en dierbaars. Met zijn hand in Shackletons zwarte bonthandschoen op zijn rug lijkt hij op de Napoleon op de reproductie in het kantoor van mijn vader.

'Wat is volgens jou te veel voor hem?' wil Hurley weten. Hij houdt zijn ogen daarbij op de ondergaande zon gericht, de camera in zijn handen, klaar om af te drukken.

'Weet ik veel.' Orde-Lees is zoals altijd gelijk beledigd. Hij pakt een steen en sluit zijn vuist eromheen.

Hurley maakt de foto niet. Na de foto's van de landing heeft hij nog maar materiaal voor minder dan twaalf opnamen. Hij zegt tegen Orde-Lees: 'Frank weet precies wat hem te wachten staat. Of heeft hij tegen jou wat anders gezegd?'

Orde-Lees werpt Hurley een donkere blik toe. Maar hij spreekt hem niet tegen.

Hurley legt zijn camera neer. 'Dus doe niet of je een orakel bent.'

Shackleton en de timmerman komen in het schemerduister terug van de boten. Halverwege gaan ze uiteen, en Shackleton loopt naar Wild bij het water.

'Chippy, kom bij ons zitten,' bromt Vincent tegen McNeish, zonder de sigaret uit zijn mondhoek te nemen. 'Het is hier een vrolijke boel!'

Maar McNeish blijft even staan, zwaait een keer en duikt dan zijn tent in. Ik had zijn onderhoud met sir Ernest dolgraag mee willen maken. Ik weet zeker dat hun gesprek in werkelijkheid maar om één ding draaide: de kat. Maar iedereen die meende bij de boten te moeten zijn, werd door Greenstreet of Shackleton weggebonjourd.

Orde-Lees pruilt. Het zou de eerste keer zijn dat hij een lesje kreeg van iemand anders dan Shackleton of Wild. Vincent is, zelfs als eenvoudig matroos, lucht voor hem sinds hij hem in de sneeuw heeft laten liggen. Hurley stond daarentegen in de rangorde altijd onder Orde-Lees, die zichzelf nog altijd als ingenieur of proviandmeester ziet. En allemaal vinden we het schijnbaar moeilijk om respect op te brengen voor iemand die zijn taken een voor een kwijtraakt. Want er zijn geen machines waaraan tante Thomas onderhoud kan plegen, er is geen eten dat hij kan controleren, beheren en eerlijk verdelen.

Hij laat de steen van zijn ene in zijn andere hand rollen, terwijl hij luistert, of niet luistert, wie het volgende slachtoffer van Vincents spot is.

Marston is aan de beurt. 'Wat is dat eigenlijk, kunst?' vraagt Vincent terwijl hij Marston een klap op zijn schouder geeft.

Die zegt: 'Hard werken, John, verdomd hard werken.'

En Vincent opnieuw: 'En altijd harde ballen, hè? En waarvoor? Uiteindelijk sterft iedereen als een hond. En als een stinkend mormel word je vergeten.'

Cheetham komt Marston te hulp. Je moet de doden laten rusten, zegt hij tegen Vincent.

Vincent jouwt. 'Weet jij waarom we de doden vergeten, pientermans? Omdat we ze niet meer nodig hebben.'

Pas als het weer stil is, misschien omdat we allemaal toekijken hoe de zon tot een sikkel op het zeeoppervlak in elkaar smelt, pas dan valt Orde-Lees aan. Hij stormt zo pardoes op Hurley af dat die zich bukt en afwerend een arm heft.

'Het heeft zo zijn redenen als ik vind dat ik je op iets attent moet maken, mister Hurley!' schreeuwt Orde-Lees en hij verheft zich op zijn lange stelten. 'Ik wens voortaan van een dergelijke insubordinatie verschoond te blijven als het even kan. Jij bent de scheepsfotograaf, hou je zoals het je beroepsklasse betaamt op de achtergrond of, indien je geldingsdrang dat niet toelaat, trek je mond alsjeblieft alleen open wanneer je onder je gelijken bent!'

Klaar om korte metten te maken met Hurleys verzet, heeft Orde-Lees zijn mond wijd opengesperd. Hij is degene die de meeste tanden heeft verloren, hoektanden en snijtanden heeft hij nauwelijks meer. De prins ziet er daarentegen nog betrekkelijk ongeschonden uit. Van de vorstbuilen is zijn gezicht maar een beetje opgezet, en op zijn hoofd, dat hij me toekeert, is al zijn haar uitgevallen.

Hurley heeft niet de kracht om Orde-Lees partij te bieden. Hij zwijgt en vouwt op zijn schoot zijn handen om de camera heen.

Uit het duister aan de oever maken zich de contouren van Shackleton en Wild los; ze hebben het plotselinge kabaal bij de tenten gehoord en komen naar ons toe. Iedereen gaat staan. Enkelen, onder wie tot mijn verbazing ook Vincent, zorgen dat ze uit de vuurlinie komen.

'Problemen, Alfred?' richt Shackleton zich tot Cheetham wanneer Wild en hij voor onze donkere troep blijven staan.

'Mag geen naam hebben. Er was een misverstand, maar dat is, voor zover ik zie, uit de wereld.'

'Klopt dat, mister Orde-Lees?'

'Sir, dat moet u Hurley vragen, sir.'
'Ik vraag het aan u allebei. Vindt u dat goed?'

Op Elephant Island kunnen we niet overleven. Bob Clark slaagt er weliswaar in om Shackleton ervan te overtuigen dat we ons bivak beter op een andere plaats kunnen opslaan, eentje van waaruit we op pinguïns en zeeolifanten kunnen jagen, maar het uitzicht op een einde aan de honger verandert niets aan onze onmacht tegenover de stormwinden die daags na onze landing over het eiland beginnen te razen. Hussey kan de windsterkte alleen maar schatten. Hij schat haar op groter dan twaalf, wat meteorologisch gezien helemaal niet mogelijk is. Uzbird bekent dat hij niet eerder van zulke windvlagen heeft gehoord. De hoofdtent wordt aan flarden gereten en waait over baai en rifbocht de zee op, waar we hem als een grote vogel zien verdwijnen. IJsplaten zo groot als de delen van de encyclopedie zeilen dwars over het strand en slaan stuk tegen de klipwanden. Potten, pannen en een rooster verdwijnen uit Greens rotsniskeuken en komen uren later weer langsgevlogen, alsof ze een rondje om het eiland hebben gemaakt. Ook mister Green zelf wordt omvergewaaid en voortgerold, de wind rukt en trekt hem mee naar de baai en wil zijn buit al het water in slingeren, maar dan zijn Crean, Vincent en Bakewell ter plaatse en zetten zich met vereende krachten schrap tegen de roof van onze kok. We verplaatsen de tenten tot vlak onder de rotsen. De grote boten worden op hun kop gezet. Voortaan dienen ze als behuizing voor de mannen uit de vernielde hoofdtent. Allemaal hebben we de troost van de warmte nodig, maar deze acht verdienen hem in het bijzonder. Fijne, prikkende sneeuw dringt door de kieren tussen kiezel en boten, omhult de mannen en hun spullen en neemt hun gevoelloze voeten keer op keer te grazen.

Hoewel Frank Wilds hand nog geenszins is genezen, krijgt hij van Shackleton opdracht om samen met vier andere mannen met de Stancomb Wills een verkenningstocht in westelijke richting te ondernemen zodra de blizzard afzwakt. Shackleton wijst Crean, Marston, Vincent en Bakewell als zijn begeleiders aan. Wild vat de opdracht op als een bestraffing, een reactie die ik nog steeds raadselachtig vind wanneer hij tegen Shackleton zegt dat hij gehoopt had dat hij nog een paar dagen kon uitrusten, zodat zijn hand weer op tijd in orde is.

Op tijd voor wat? In het huilen van de storm krijg ik die vraag niet meer uit mijn hoofd.

De derde dag op Elephant Island, de dag dat de dinghy zee kiest om aan de westkust naar voedsel en een bivak te zoeken, is de zestiende april. Het is de vierhonderdachtenveertigste dag in het ijs. Vijf dagen lang konden we eraan ontkomen, maar op deze dag is het ijs weer terug. Vanaf de uitkijk op de klippen ziet Greenstreet het als eerste. Hij schreeuwt als een waanzinnige, alsof zich daarginds het meest onwaarschijnlijke van alle dingen op deze breedten vertoont. Maar wat hij ziet is geen schip, maar een grijze, in zichzelf golvende muur. Het drijfijs trekt zich samen tot een band.

'Antarctica wil in winterslaap,' zegt Shackleton achter me. In de zingzang van de wind die over het strand strijkt, heb ik hem niet aan horen komen.

Hij is alleen. Verrassingscontrole. Kachelsteekproef.

'Daar lijkt het op, sir. Goedemorgen.'

'Je maakt de traankachel schoon, Merce, dat valt te prijzen. En het getuigt van hoop dat we snel weer iets te koken zullen hebben. Ik moest net aan onze boeken denken. Je zult wel niet meer lezen?'

'Sir? Nee. Er zijn geen boeken meer.'

'Afgezien van logboek, navigatietabellen en de dagboeken van de mannen heb je gelijk.' Hij rekt een arm uit en probeert te glimlachen. 'Loop een stukje met me mee, Merce.'

De wind kan weer worden berekend. En de sneeuw valt niet meer van alle kanten op ons neer. Bij het water beneden komt hij bijna loodrecht uit de volmaakt witte hemel. Greenstreets aflossing klautert tegen de klippen op, het is de broodmagere Rickenson, die via rotspunten op de tast een weg naar boven zoekt; hij is gemakkelijk te herkennen aan de naar buiten gekeerde naden van zijn sneeuwpak.

Shackleton geeft het tempo aan, een slentertempo. Hij wil weten of ik mijn naspeuringen over Balleny en de Sabrina nog tot een goed einde heb kunnen brengen, en ik bevestig dat.

'En heb je het al met mister Vincent over je ontdekking gehad?'

Ik wil mijn verbazing over het feit dat hij op de hoogte is niet laten merken. Waarschijnlijk kon McLeod het niet voor zich houden dat ik hem naar Vincent heb gestuurd. Tenzij Green iets van mijn gevraag heeft laten doorschemeren.

Ik antwoord ontkennend: ik was van gedachten veranderd. Vincents familie is niet mijn zaak, zeg ik. 'Balleny's boek is op de schots achtergebleven, sir.'

Hij blijft staan. We blijven allebei staan. Voor ons, op het deel van de baai dat zich naar de zee toekeert, ligt het rifportaal. Een paar uur geleden is daar de Stancomb Wills uitgezeild, en nog steeds, terwijl er niets is dan water, is daar Bakewell voor mijn geestesoog en hij wuift vanuit de zich snel verwijderende boot.

'Het ijs blijft ons parten spelen,' zegt Shackleton. 'Het zou hier nu helemaal niet mogen zijn. Maar het is er wel.' Hij perst zijn lippen op elkaar. 'Over vier weken, misschien maar drie, is het eiland ingesloten. Hebben we genoeg tijd om een vleesvoorraad aan te leggen waarmee we de winter door kunnen komen? Wat denk je?'

'We hebben zelfs nog geen dieren ontdekt, sir.'

'Laten we hopen dat Bob Clark gelijk krijgt. En mochten er op dit eiland dieren zijn, dan zal mister Wild ze vinden.' Ik zet twee grote stappen en ben alweer op gelijke hoogte met hem. Shackleton legt zijn gehandschoende handen op zijn rug en zegt: 'Ik kan niet blijven wachten tot we voldoende vlees bij elkaar hebben. Het risico dat we voor die tijd worden ingesloten is gewoonweg te groot. Hier overwinteren zonder voorraden, ik moet er niet aan denken. Verschrikkelijk. De voet van mister Holness moet nodig worden behandeld. Meer dan twaalf mannen zijn aan het eind van hun Latijn. Allemaal redenen waarom ik heb besloten om met een boot naar het oosten te zeilen om hulp te halen voor we opnieuw invriezen.'

Na zwijgend een paar passen te hebben gedaan, geeft hij me een tikje op mijn rug en laat zijn hand liggen. 'Ben je daar zo verrast over? Je trekt wit weg.'

'Ik zie de zeekaart voor me, sir. En als ik me niet vergis, is er in het oosten in de verste verte geen land te bekennen.'

We zijn het strand inmiddels overgestoken. Voor een grote rots die nog helemaal glinstert van de golven keren we om. Shackleton wil niet langs de waterlinie terug. Hij wijst schuin over het strand naar de hogergelegen tenten.

'Kom,' zegt hij. 'Ik laat je wat zien.' Zijn hand ligt nog altijd op mijn rug.

Greenstreet springt van de laatste rotspunt in de kiezels. Tandenklapperend en buiten adem meldt hij kort dat het ijs voor het eiland niet noemenswaardig in beweging is geweest. Het uur uitkijk op de klippen heeft hem getekend, hij rilt en kan maar met moeite overeind blijven. Voor het eerst voel ik bijna vertedering voor onze eerste officier. Er school al die tijd nooit ook maar een greintje minachting in het optreden van mister Greenstreet, en dat is nu ook zo, terwijl ik met de sir naast me naar hem toe loop.

'Probeer wat te slapen, Lionel,' zegt Shackleton, en Greenstreet beent met stijve passen naar de boten en kruipt eronder.

Mij voert Shackleton de andere kant op, naar een weliswaar geheel droge, maar voor een tent te kleine nis tussen de klippen. In het kiezel dat daar veel lichter is, ligt een cirkel van stenen en steentjes, zo neergelegd dat ze figuren, voorstellingen en zelfs getallen vormen. En buiten de cirkel is zeker een dozijn bergjes van andere, steeds sterk op elkaar lijkende bouwstenen opgestapeld. Nog voordat Shackleton iets zegt, weet ik wat ik zie.

'Niet te geloven. Hij heeft hem opnieuw gemaakt, maar dan van stenen.'

'Tja,' zegt Shackleton, 'en nog wel uit zijn hoofd. Volgens mij heeft Marston geen schetsen meegenomen.'

'Ja, hij wilde per se alles op het ijs achterlaten. Het is prachtig, sir.'

Ter hoogte van het kwart tussen negen en twaalf uur hurkt Shackleton voor de Antarctische klok.

'En kijk nou eens hier, Merce,' zegt hij en hij wijst naar de twee kleine zwarte stenen in het kiezel. 'Dat is Clarence Island, en hier zitten wij, op Elephant Island. In het zuiden ligt de

Weddellzee, waar we vandaan komen; ze is een en al pakijs, tot waar wij zitten aan toe. Een weg terug is er niet. En het noorden zit ook op slot, hier. Met een kleine boot als de James Caird komen we nooit ofte nimmer via Straat Drake naar Vuurland of de Falklands.'

'Maar in het westen, sir, ligt het schiereiland, westwaarts om de punt zouden we het tot de walvisjagersbaaien moeten kunnen rooien,' zeg ik vol enthousiasme voor mijn inval, want ik snap echt, écht niet waarom hij niet inziet wat het meest voor de hand ligt, maar altijd, áltijd weer met alle mogelijke complicaties op de proppen komt, alleen om uiteindelijk toch weer op de moeilijkst denkbare oplossing terug te vallen.

Shackleton staart een tijdje naar het kiezel, alvorens hij zijn gezicht naar me omdraait. Hij is oud geworden. Dat valt me op als hij tegen me zegt: 'Ik zou je dat plezier graag doen, maar we kunnen niet naar het westen zeilen, Merce. Het gaat niet.'

'Waarom niet? Ik begrijp het niet. Cook heeft het eerder gedaan. Hij is…'

'Cook is naar het westen gezeild, dat klopt. Maar hij kwam niet uit de Weddellzee, hoefde dus niet in westelijke richting door Straat Drake. Met een schip als de Endurance en met een uitgeruste bemanning zouden we misschien nog tegen de westelijke stroming kunnen opkruisen. Met een zeven meter lange sloep is dat ondenkbaar. Heb je me niet zelf verteld dat je wist wat een killerstorm aanricht?'

Ons gesprek over de ondergang van de John London vond anderhalf jaar geleden plaats; hij is het niet vergeten.

'Hier,' zegt hij en hij wijst op de platte, langwerpige steen in de vorm van een veer die George Marston onder de aanduiding voor twaalf uur heeft neergelegd. 'Hiervandaan zijn we vertrokken. Dat is Zuid-Georgië. Hoe ver denk je dat het daarheen is?'

Ik heb geen idee. Maar ik heb een vreselijk voorgevoel. Daar wil hij dus naartoe varen. Dominee Gunvald heeft gelijk gehad: hij is waanzinnig. Tussen Elephant Island en Zuid-Georgië ligt op de Antarctische klok anderhalf uur, een handvol steentjes. In werkelijkheid is het een onvoorstelbare afstand, die uit niets anders dan water bestaat.

'Vijftienhonderd kilometer over zee,' zeg ik en ik staar hem aan.

En Shackleton: 'Achttienhonderd, goed geschat. Stroming en wind zullen de boot er praktisch uit zichzelf naartoe brengen. De bemanning – ik zal vijf man meenemen – dient slechts aan twee voorwaarden te voldoen: we moeten zorgen dat de boot blijft zeilen en dat we de navigator in leven houden. Lukt ons dat, dan is de reis in zeven dagen te doen. En over dik twee weken kunnen we allemaal gered zijn.'

Je kunt medelijden met ze hebben, de vier die met Shackleton en kaptein Worsley – niemand anders komt als navigator in aanmerking – deze levensgevaarlijke missie gaan ondernemen. Maar ik maak me nog grotere zorgen om mijzelf als een van de tweeëntwintig die in de troosteloosheid van Elephant Island achterblijven en maar moeten zien waar ze het vlees en blubber vandaan halen om te kunnen overleven. Om nog maar te zwijgen van het feit dat, mocht de Caird Zuid-Georgië niet halen, geen mens ter wereld ooit zal weten waar wij tweeëntwintig achtergelatenen achtergelaten zijn. Met de beste wil van de wereld kan ik deze vrees niet zomaar wegslikken en me schikken in een lot dat deze op het kiezel hurkende man me heeft opgelegd.

'Sir!' zeg ik luid en ik ga staan. 'Het gaat me niet om mezelf, maar u laat tweeëntwintig man aan hun lot over?' Het ontbreekt me aan moed om de zin niet als vraag te formuleren.

Shackleton haalt diep adem. Hij gaat eveneens staan. 'Nee,' zegt hij. 'Ik laat de tweeëntwintig niet aan hun lot over, maar aan het commando van mister Wild en mister Greenstreet. Frank Wild zal, hoe erg hij dat ook mag vinden, vanwege zijn gewonde hand op het eiland moeten blijven. Hij zal tot mijn terugkeer de leiding hebben over de mannen.'

Dat was het wat Orde-Lees 's avonds op het strand bedoelde: dat je vanwege een verloren handschoen niet mee op reis kunt, dat is te veel voor Frank Wild. Vandaar zijn neerslachtigheid vanochtend. Wild hoopt dat zijn hand helemaal kan genezen, en in plaats daarvan wordt hij door Shackleton op verkenning uitgestuurd. Was hij eigenlijk wel van plan om Wild mee te nemen?

Ik krijg het warm en koud tegelijk, en terwijl we vanuit de rotsnis de wind in stappen die over het verlaten strand waait en mijn capuchon over mijn hoofd klapt, voel ik hoe het bloed naar mijn hoofd stijgt. Zijn de vier die Wild in de Stancomb Wills vergezellen per definitie dezelfde vier die met Shackleton en Worsley naar Zuid-Georgië zullen zeilen? Crean, Marston, Vincent en Bakewell! Is de verkenningstocht tegelijk als proefvaart bedoeld?

'Mag ik u iets vragen, sir? Hebt u de bemanning voor de overtocht al gekozen?'

'Ja. Op één na is iedereen op de hoogte en iedereen – niemand wordt ertoe gedwongen – is het ermee eens en wil mee.'

Op één na! Mocht Bakewell zijn gekozen, dan is hij die ene die nog geen weet heeft van zijn lot. Want dan zou hij het me hebben verteld. Hij zou het me in elk geval hebben gezegd.

De sneeuw wordt weer dichter; boven bij de tenten begint hij al te stuiven en omhult de groep magere gestalten die zich er verzameld hebben. In bonthandschoenen houden ze hun nap en beker voor de koude hondensoep en de slok melk.

'Nou even rustig, stelletje strontvliegen!' hoor je Green tekeergaan, gevolgd door het gemopper van degenen die hem van repliek dienen.

'Ik kan niet zes mannen aan zo'n gevaar blootstellen en zelf hier op mijn redding gaan zitten wachten,' zegt Shackleton. 'Daarom zal ik de onderneming leiden. Kapitein Worsley is de belangrijkste man. Als iémand deze notendop naar Zuid-Georgië kan navigeren, dan is hij het. Als stuurman en als de bekwaamste zeeman die ik ken, neem ik Tom Crean mee. Jij zat met hem in de dinghy en weet dus tot welke prestaties Crean in staat is, ook op menselijk vlak, en daarop zal het vooral aankomen. Een week lang met z'n zessen opeengepakt in een krappe ruimte, dan worden onze zenuwen tot het uiterste op de proef gesteld. De matroos die gedurende de hele expeditie heeft laten zien dat hij elke belasting aankan en aan wiens loyaliteit en gemeenschapszin ik nooit hoefde te twijfelen is…'

'…Bakewell,' zeg ik toonloos.

'Je vriend, juist.' We blijven staan voor de twee bootrompen die ingesneeuwd raken. 'Het doet me deugd dat ook mister Bakewell bereid is mee te varen.'

'Daar ben ik blij om, sir.'

Hij gelooft me geen moment. 'Ik heb geen keuze. Om iedereen te kunnen redden, moet de boot Zuid-Georgië halen, en dat lukt alleen als de bijzondere kwaliteiten van de zes positief op elkaar inwerken en volledig met elkaar harmoniëren. Maar dat is de ene kant van de medaille, Merce. Je hebt namelijk absoluut gelijk: die tweeëntwintig die hier blijven mag ik daarbij niet vergeten.'

Shackleton kijkt om zich heen. Hij vergewist zich ervan dat niemand ons afluistert. Met een vlammende blik kijkt hij me aan. En op gedempte toon zegt hij: 'Vincent, McNeish en Stevenson kan ik niet samen achterlaten, tenzij ik het risico wil nemen dat ze elkaar hier de hersens inslaan. Ik neem het risico niet, Merce! Ik neem de grootste onruststoker mee. Mister Vincent is een sterke vent, misschien de sterkste van ons allemaal, en hij heeft het niet voor niets tot bootsman geschopt. Ik weet zeker dat hij van nut zal voor de reis, mits men zorgt dat hij goede zin houdt.'

'Ja, sir. Dat wordt geen gemakkelijke opgave, maar Crean en Bakewell kunnen hem met hun tweeën wel aan.'

'Mister Crean en mister Bakewell hebben andere taken. Jij, Merce, zorgt dat Vincent goede zin houdt.'

Zijn arm schiet naar voren en pakt me bij mijn schouder vast. En dat is maar goed ook. Ik tuimel. Tranen springen in mijn ogen. Ik tuimel voorover, en hij vangt me op en sluit me in zijn armen.

'Merce,' zegt hij kalm; hij houdt mijn hoofd voor zijn gezicht en schudt me zachtjes door elkaar. 'Ik heb je nodig! We hebben je allemaal nodig! Jij bent de enige in wie Vincent een persoonlijk belang heeft. Jij bent de doorn in zijn vlees, en ik wil dat jij een week lang flink in dat vlees gaat zitten porren. Je zult zien, zijn woede helpt ons te overleven. En afgezien daarvan, m'n beste, hebben we je nodig als kok. Tja, en bovendien ben je een fantastische roeier.'

4

Instructies voor de periode van afwezigheid

Het strand dat Frank Wilds zoekteam heeft ontdekt, ligt vijftien kilometer naar het noordwesten aan een windluwe baai. Bob Clarks inschatting blijkt volkomen juist: niet ver ervandaan leeft een kolonie ezelspinguïns. Maar de vogels met de twee grote witte vlekken boven de ogen en de rozerode dolksnavel lijken het met hun nestelplaats niet erg nauw te nemen. Want ook het stille en verlaten strand beneden de kale en ongelooflijk gladde rotsen ontpopt zich onder de sneeuwlaag als een beerput. Hoe diep we ook graven, de spaden stuiten alleen maar op slijkerige gele stront, en er stijgt zo'n verschrikkelijke stank op uit de gaten en kuilen voor de tenten dat je er niet veel langer dan een paar minuten in kunt staan scheppen.

Van de mannen aan de schoppen regent het vloeken en van de anderen krijgt Frank Wild bittere verwijten. Maar dat heeft ook zijn voordelen. Want voor het eerst in lange tijd gebruikt dwerg baas zijn ellebogen weer en weert hij zich in plaats van te zitten mokken.

Shackleton is mild gestemd door de eerste twaalf buitgemaakte pinguïns. 'Toegegeven,' zegt hij en hij grijpt Wild bij de arm, 'het ruikt scherp! Maar, gentlemen, de ezelspinguïn is niet voor niets een van de vleesrijkste in zijn soort. Laten we blij zijn!'

'Neus dicht en blij zijn. Begrepen,' hoest Green, en zelfs Wild moet lachen. Hij noch de sir lijkt te merken dat Greens gekscherende woorden geen galgenhumor zijn. En zelfs ik, die dag in dag uit aan zijn verbittering was blootgesteld, heb nu pas door dat de inspanningen van de boottocht Green kennelijk meer hebben aangegrepen dan de rest van de bemanning. Ik merk het doordat hij een aantal keren op mijn arm steunt als we op het punt staan om de rotskombuis op te bouwen.

'Gaat al weer,' hoest hij. 'Hééé, laat me nou maar los!'

Dertig meter vanaf de voet van de rotsen tot de waterlijn en zo'n tweehonderd meter lang is de stenige en met ijs bedekte vlakte in de vorm van een sikkel waarop we onze tenten opslaan. Hoewel het kampement aan zes man minder plaats zal hoeven bieden, klinkt opnieuw het commando om de twee kleinste boten om te keren; sokkels van rolstenen moeten de behuizingen bij storm houvast bieden; met het half dozijn zeehondenhuiden dat we nog hebben en de zeilen van de boten die niet meer worden gebruikt dichten we ze af. Bij het invallen van de duisternis aan het begin van de avond is het bivak klaar, en de mannen die het op het eiland moeten zien te rooien zoeken hun slaap- en etensplaatsen voor de komende twee weken op. Ze doen het zonder morren, onverschillig bijna.

Wat zijn nou twee weken! Twee weken zijn verstreken sinds we de schots hebben verlaten. Het is de vierhonderdvierenvijftigste dag in het ijs, Goede Vrijdag 1916. Chippy McNeish schat dat er nog twee dagen nodig zijn om de James Caird reisklaar te maken. Op paasmaandag moet ze zee kiezen. Ik probeer er niet aan te denken, maar verkeer toch in een roes, bijna net als destijds voor het vertrek van de John London uit Newport. Bakewell heeft gelijk: schijnbaar heb ik niks bijgeleerd. Wanneer ik hem vraag waarvoor hij banger is – dat hij zijn kameraden aan hun lot moet overlaten of dat hij met een opgekalefaterde sloep het ongewisse tegemoet zeilt – schudt hij slechts zijn hoofd en zegt: 'Geen van beide. Ik zit alleen in de rats dat ik het niet volhoud. Dat de boot het daardoor niet haalt. En dat Wild en de anderen daardoor geen kans hebben ooit nog terug te komen.' Zijn stem is hard en vlak, hij is nerveus, gejaagd en gespannen; ik stoor hem in zijn mentale voorbereiding. Nog even en hij zal niets meer zeggen. Dan zal hij er klaar voor zijn en is zijn rats niet meer de moeite waard.

Maar zover is hij nog niet. Hij neemt mijn gezicht in zijn handen.

'Kom, kleintje, bekijk het eens zo: wij zessen hebben het zelf in de hand. En wat we er ook van bakken, het is altijd beter dan hier nagelbijtend in de pinguïnstront te zitten wachten op een dag die misschien nooit komt. Vertel het niet verder, maar daardoor zal ik van elk godvergeten moment op Frank Wilds strand genieten, ondanks dat ik gek zal worden van weemoed.'

Shackleton laat aantreden voor de ochtendmelk in de hoofdtent. Hij maakt de rangorde en de verdeling van de functies op het eiland en aan boord van de boot bekend. Ik hou me aan mijn opdracht en kijk hoe Vincent reageert. Het nieuws dat de sir niet hem maar Bakewell als Bos'n kiest, treft hem recht in zijn gezicht, hij krijgt zo'n dreun dat er niets overblijft van zijn voldoening een van de zes uitverkorenen te zijn. Worsley navigator, Crean stuurman, Bakewell bootsman en ik nu zelfs proviandmeester – Vincent vaart gewoon als matroos mee. Als matroos, dat weet hij, dient hij vanaf nu elk bevel van ons vijven op te volgen. Wanneer het gezelschap uiteengaat, flonkert in zijn ogen de toorn van iemand die zich gepasseerd voelt, maar als ik me niet vergis, glanst er in zijn ogen ook droefheid, de droefheid van het zeuntje.

Shackleton is Vincents gemoedstoestand niet ontgaan, hij werpt me een uitnodigende blik toe en knikt in Vincents richting.

'Mister Vincent,' zeg ik dus met trillende stem, want het is het eerste bevel in mijn leven dat ik uitdeel, 'je meldt je bij de timmerman om hem een handje te helpen. Geef me een seintje zodra de boot bevoorraad kan worden.'

In de tentopening laat Vincent zijn tanden zien, maar tot een reactie laat hij zich niet verleiden. In plaats daarvan bromt Crean dat Vincent mijn order moet bevestigen. Vincent bevestigt. En hij is nauwelijks buiten of Crean geeft me een knipoog.

Met Bakewell, die opdracht heeft gekregen de ballast in te laden, loop ik in de motregen de boot na. McNeish en Vincent hebben de walvisjager in een volmaakt miniatuurzeilschip getransformeerd. De James Caird meet nog geen zeven meter, maar beschikt nu over hoofdmast en kluiverboom. McNeish heeft de verschansing opgehoogd, en van slede-ijzers en zeildoek een afdekking gemaakt waaronder bemanning en proviand nog enigszins tegen stortzeeën beschermd zullen zijn.

De boot heeft twee openingen om binnen te komen. De eerste bevindt zich achterin bij het roer, de andere in het voorschip tussen de masten. Daar laat ik me zakken en bekijk voor het eerst mijn verblijfplaats voor de komende tijd. De ruimte is zo donker, zo krap en zo laag dat het me de adem beneemt. Hoe moeten de Hunnen Vincent en Crean, de slungel die ik ben en nog drie andere mannen hier een plekje vinden? En dan is er nog geen stuk proviand aan boord. Nu al lijkt het me uitgesloten dat je vanaf de boeg helemaal naar achteren kunt, of je moet kruipen, op handen en knieën. Want op halve hoogte steken overdwars in de schemerige ruimte de vier roeibanken, die inmiddels alleen nog steunbalken vormen en hooguit als planken voor het kleinere spul kunnen dienen.

Bakewell hurkt in de instap achterin. 'Niet echt de luxe cabine waarvan we gedroomd hebben, hè?'

Nu de ombouw is voltooid, is de James Caird nog even van ons tweeën. We benutten de korte tijd die we onder elkaar zijn om dierbaar geworden vloeken op te frissen. En net wanneer Bakewell bezig is de hoeveelheid ballast op basis van de grootte van de stouwplaats te berekenen, informeert hij naar Ennids vis en of ik van plan ben hem mee te nemen.

Ik zeg: 'Ja, natuurlijk,' hoewel ik er nog helemaal niet over heb nagedacht. 'Waarom vraag je dat?'

'Zomaar. Twee jaar is een flinke tijd, lijkt me.'

'Het was oorlog. Er zullen er heel wat lang van huis zijn geweest.'

Hij staat paf. 'Dus je denkt echt dat ze op je wacht?'

Ik haal mijn schouders op, schud mijn hoofd. 'Geen idee. Zeg, dat gezeur begint me de keel uit te hangen.'

'Nou, sorry hoor. Sorry!' zegt hij overdreven. Maar meteen daarop is hij weer bloedserieus. 'En als het je net zo vergaat als die Juggins van je? Als je een kind bij haar hebt gemaakt? Heb je daar wel eens over nagedacht?'

'Wel duizend keer.'

'Laten we het hopen.' Hij legt het meetlint uit, en allebei weten we dat we van onderwerp moeten veranderen.

Het is nooit bij me opgekomen dat ik inmiddels vader zou kunnen zijn.

Ik begin een lijst met dingen te maken die we allemaal op zee nodig hebben, hurk op een lichtvlek bij de voorste instap, waar de regen geen vat op me heeft, en noteer. Bakewell kruipt aan mijn voeten door het schemerlicht en stapelt de stenen op die Hussey, Kerr en Cheetham om de paar minuten op de afdekking leggen. Wanneer het tapijt van ballaststenen klaar is, komt Bakewell uit op een trimgewicht van een halve ton. Tussen bodem en roeibanken is er nog net genoeg ruimte over om je doorheen te persen. En de meeste stenen hebben gemene scherpe randen, we moeten ze bedekken. Toch vraag ik me af hoe we daar bij ruwe zee op moeten liggen, of zelfs slapen.

Shackleton en Worsley controleren de trim, ze keuren hem goed. Bakie gaat slapen, maar niet voordat hij op mijn borst slaat.

De klap op de vis doet pijn, en Bakewell is nog altijd serieus: 'Laat hem hier!' zegt hij en hij springt in het kiezel. Hij kijkt grijnzend naar me op. 'Gewoon een advies van man tot man, Merce.'

'Ben je klaar? Prima,' zegt Worsley.

'Yesser.' Mijn lijst is aan de beurt. Shackleton leest elke post hardop voor en wacht op Worsleys goedkeuring voordat hij met de volgende verdergaat. Gedrieën staan we in de kleine opening, en telkens opnieuw bukt Worsley om zich een idee te vormen van het genoemde uitrustingsstuk op de juiste plek, een noodzakelijke maar eindeloos lijkende procedure gedurende welke de hemel aardedonker wordt, zodat er een man met stormlantaarn bij moet komen om op mijn briefje te schijnen:

Voedsel:
300 slederantsoenen, 200 rantsoenen notenpasta, 30 pakketten
melkpoeder, 600 beschuiten, 1 doos suiker,
1 bus Cerebos-zout, 1 blik Bovril-bouillonblokjes, daarbij
60 kilogram ijs en 200 liter water in vaten

Uitrusting:
1 Nansen-kookstel, 2 primusbranders, kousjes
en reserveonderdelen, 40 liter petroleum, 1 bus spiritus, 10 kisten
met fakkels, 1 kist met noodfakkels, 7 kaarsen, 30 doosjes lucifers,
6 slaapzakken, 6 paar reservesokken

'Geweldig!' zegt Worsley ten slotte. Zo-even heeft hij in gedachten de reservekousjes in de boeg verstouwd. 'Je hebt overal aan gedacht. Alleen de nautische spullen ontbreken nog. Of adviseer je om zonder kompas en sextant te gaan varen, mister Blackboro?'

'Nee. Ik heb de spullen in mijn hoofd: kompas, sextant, verrekijker, zeekaarten, navigatieboeken, ijsbijl, aneroïdebarometer. Ligt allemaal klaar, sir.'

Maar dat is nog niet alles wat we mee aan boord nemen. Bij het ontbijt op paasmaandag vraagt Shackleton ieder van de achterblijvers om een voorwerp uit hun persoonlijke bezittingen. Iedereen moet iets kleins met zo min mogelijk gewicht mee op reis sturen, en iedereen die dat wil kan een brief schrijven, die wij zessen in Zuid-Georgië met het eerste postschip naar huis beloven te sturen.

Velen zijn te zwak om te schrijven. Met grote dieprode ogen kijken How en McLeod me aan, ze hebben de hele nacht ijs gesmolten en twee drinkwatervaten voor de Caird gevuld. Hownow reikt me een foto van zijn vrouw aan – op de achterzijde heeft hij een korte groet gekrabbeld – en Stornoway stopt me zwijgend een kam toe, nog in zijn omhulsel van perkamentpapier.

Orde-Lees wacht tot we alle dingen bij elkaar hebben; zenuwachtig beent hij over het strand. Op het laatst raapt hij alle moed bijeen, gaat voor Shackleton staan en salueert: 'Sir! Ik hoop dat ik het respect dat ik u verschuldigd ben niet in één keer verspeel wanneer ik u vraag om dit mee te nemen naar Zuid-Georgië. Het behoort u toe!' Dat gezegd hebbende haalt hij Shackletons gouden horloge tevoorschijn en overhandigt het op zijn geopende hand. Shackleton weet van opperste verbazing niet wat hij moet zeggen. Hij pakt het horloge en brengt het naar zijn oor.

'Hij loopt nog, sir!' Orde-Lees barst in tranen uit.

Terwijl de naar de vloedlijn gesleepte boot wordt geladen, geeft Shackleton in de hoofdtent de laatste instructies, *Instructies voor de periode van afwezigheid*. Hij noteert twee besluiten. In Hurleys dagboek schrijft hij dat in het geval van zijn overlijden alle rechten van het gedurende de expeditie opgenomen fotomateriaal aan Hurley toekomen; bovendien laat hij de verrukte prins zijn grote verrekijker na.

In het logboek schrijft hij een brief aan Frank Wild, waarin hij het commando over de op het eiland achtergebleven mannen aan hem overdraagt; verder wordt Wild gemachtigd om in het geval van Shackletons overlijden in diens plaats lezingen over de expeditie te houden en samen met Orde-Lees en Hurley een boek over de reis van de Endurance te schrijven.

'Waarde heer,' staat er aan het slot van de brief, die we allemaal mogen lezen, 'ik heb en had altijd het volste vertrouwen in u. Moge God uw werk en uw leven zegenen. U mag mijn familieleden mijn hartelijke groeten overbrengen en hun verzekeren dat ik hen liefheb en het beste in mij heb gegeven.'

Ik vergezel Shackleton naar de mannen die te zwak zijn om het vertrek van de boot vanaf het strand mee te maken. Rickenson herstelt van een lichte hartaanval; McIlroy zit bij hem, hij legt een speelkaart op Rickensons buik en verbiedt hem alleen daarom al elke beweging. Naast hem ligt Green; hij weigert elk voedsel, en juist omdat McIlroy blijkbaar opdracht heeft gekregen om hem te kalmeren, laat hij zijn verbittering de vrije loop. Shackleton gaat bij hem op de mat zitten. Hij vraagt Green mijn opvolger aan te wijzen.

Green rochelt. 'Opvolger voor die daar? Van zo'n luie lamzak bestaat er geen tweede. Proviandmeester!' Hij lacht boosaardig, totdat hij moet rillen van een al even boosaardige hoestbui waarin hij bijna stikt, maar net niet helemaal.

'Kom, Charlie, vertel op: wie wil je op z'n nummer zetten? Ik weet toch dat je je oog op iemand hebt laten vallen.'

'Ik? Laat ze allemaal opdonderen.'

'Stevenson,' zegt Shackleton. 'Wat denk je van hem?'

'Geef me een sigaret, Merce,' piept moeder Green temerig en hij komt overeind.

Holness is niet meer bij bewustzijn. Dokter Macklin houdt de wacht bij hem. Hij vertelt Shackleton dat McIlroy afgelopen nacht bij het samenstellen van de proviand voor de boot op de verloren gewaande chloroform is gestuit.

'Daarmee kunnen we amputaties uitvoeren, sir.'

Holie ademt heel rustig; op zijn voorhoofd parelen zweetdruppeltjes en af en toe loopt er een lichte rilling door zijn lijf. Shackleton buigt zich naar hem toe, en terwijl ik in gedachten hetzelfde doe, drukt hij Holies bevende hand.

Wild haalt ons op uit de tent. Want de boot is inmiddels gereed: 'Alles is ingeladen, Ernest!' Ik loop achter de beide mannen aan en zie, terwijl een lichte sneeuw over de baai jaagt, Worsley en Bakewell in de voorste en Vincent en Crean in de achterste opening stappen. De mannen voor ons wijken uiteen en vormen een halve kring, en een dozijn andere mannen staat al klaar om de Caird te water te laten. Handen, ik weet niet welke, helpen me aan boord, en pas dan schiet me te binnen dat ik van niemand afscheid heb genomen. Ik zwaai; en ik kan er niet meer mee ophouden, terwijl Shackleton iedereen de hand schudt. Ik zwaai nog altijd wanneer hij Frank Wild omhelst en niet meer loslaat.

5

Golf

Wanneer ik mijn ogen open zie ik de wolken langs de hemel trekken. Ze zijn sneller dan onze boot, want ze hoeven geen golfbergen te beklimmen, geen golfdalen te doorkruisen en ze hebben geen stenen in hun buik.

Zoals ik daar op de afdekking lig en de zon mijn klamme kleren laat drogen, borrelt het bij me op als een waterval. Het boek dat ik over sir Francis Drake heb gelezen, zeg ik, was al even grijs als deze zee. De bladzijden waren vergeeld en dicht bedrukt, en de Endurance stampte door de Straat van Forster langs de ijsbarrière toen ik in mijn kooi was gekropen en met een hart dat bonsde in mijn keel had gelezen over deze strijdlustige zeevaarder die toch eigenlijk een vrijbuiter was geweest.

'In welk jaar precies weet ik niet meer, maar het was ergens aan het eind van de zestiende eeuw toen Drake de zuidpunt van Vuurland bereikte en daar waar men een landmassa vermoedde die zich eindeloos naar het zuiden uitstrekte, op een waterweg stuitte. Moet je je eens indenken. Er lag een naamloze zee. Niemand voor hem had haar gezien. Drake moet het gevoel hebben gehad dat hij zojuist twee continenten van elkaar had gescheiden. Geef toe, Vincent, dat je dat niet koud laat.'

Vincent lijkt helemaal niet te luisteren; sinds we op zee zijn heeft hij me geen blik waardig gekeurd.

'Ga er maar van uit dat ook mister Vincent Drakes prestatie op waarde weet te schatten,' zegt Crean droog. Hij knikt naar me.

En dus ga ik verder. '"Het is een groot en vrij gebied," schreef Drake in zijn logboek, en ook dat hij op zijn buik op een klip was gaan liggen en armen en bovenlichaam boven de afgrond had uitgestrekt. Weet iemand hoe die klip tegenwoordig heet? Kaap Hoorn heet hij, en de zee die Drake ontdekte, scheidt Amerika van het zuidpoolgebied. Het is Straat Drake.'

'Meen je dat?' zegt Vincent. 'Ik dacht de Cariben.'

Na drie dagen varen heeft de Caird ruim tweehonderd kilometer afgelegd. Sinds we door de gordel van drijfijs voor Elephant Island zijn geroeid en op volle zee de zeilen hebben gehesen, ligt Drakes zee in de zon, en ook ik lig in de zon, op de afdekking van de boot, ik breng de twee uur pauze suffend door en laat de beelden zoals ze komen door mijn hoofd dwalen, snel en bleek, net als de wolken die aan de hemel naar het oosten stromen. We kunnen in de openlucht zijn, kunnen ons opsplitsen. Voor de mannen in de benauwde ruimte onder dek een enorme opluchting.

Crean zit neuriënd aan het roer. Worsley bestudeert getallenreeksen in de zeealmanak. Vincent doet verstelwerk. Er zit een scheur in het kluiverzeil. Drie man houden de wacht, drie rusten er uit. Drie slaapzakken zijn bezet, drie liggen er te drogen in de wind. Zo gaat het wacht na wacht, golf na golf die achter ons komt aanrollen, de boot optilt en nog hoger tilt en op zijn kam meevoert, tot hij het volgende dal in kan glijden. Hoe dreigend de reuzengolven op het eerste gezicht ook lijken, ons boezemen ze allang geen angst meer in. Ik hou mijn arm boven de rand van de boot. Grijs, niets dan grijs zijn de golven, grijs als het boek over Drake. Hij noemde ze al Kaap Hoornrollers, en zonder dat ik erover heb verteld, heten ze bij John Vincent net zo.

'De eerste die ze zeilend doorkliefde was tweehonderd jaar later Cook. De Adventure bedwong binnen drie weken vijftienhonderd kilometer in noordoostelijke richting. De stormen waarop hij in de passage stuitte, noemde Cook "indrukwekkend". Wie Cooks taalgebruik kent, weet wat hij ermee bedoelde.'

Worsley kijkt op van zijn boek. 'Indrukwekkend,' zegt hij, 'dat is geweldig. Wat zou die ouwe beul wel van ons voornemen hebben gevonden?'

Vincent vertrekt geen spier. Maar uit zijn blikken, die van de schipper naar de stuurman en weer teruggaan, spreekt een diep onbegrip. Wat Crean en Worsley voor ogen staat, wat ze van mijn betweterijen vinden, is een raadsel voor hem. Hij veegt met zijn knuist over zijn gezicht. Hij komt er niet achter.

Zo mooi kan het niet blijven. Dat beseffen we allemaal. Op de vierde dag draait de wind. Hij komt uit het zuiden en drijft twee dagen lang ijskoude windvlagen door de golfdalen. In de vriezende motregen kan alleen degene die dik ingepakt aan het roer zit langere tijd in de buitenlucht blijven. Tachtig minuten lang moet hij doorbijten voordat de twee die niet in de slaapzakken liggen hem door de opening naar het benedendek sjorren, waar de een hem droogwrijft, warm masseert en van voedsel voorziet, terwijl de ander alweer naar de roerpen boven is geglipt en zich vastmaakt om niet overboord te worden geslagen. Elke dag moeten achttien wachten aan het roer worden gedraaid, driemaal daags zit ieder van ons bij de helmstok gehurkt. Hij moet de Caird op koers houden, wat er ook gebeurt. Meer wordt er niet van hem verlangd. Hij hoeft niets anders te doen dan zich met alle geweld te weren tegen de wind die hem wil wegblazen en de zee in waaien, en zich schrap te zetten tegen het geweld van de deining die onophoudelijk aan het roerblad rukt om het los te wrikken van het achtereinde.

Op de zesde dag is het op een gegeven moment zo koud geworden dat de regen in sneeuw overgaat. Weldra komt het uit de hemel gevallen als een oneindig hoge muur. Een dag en een nacht lang kruisen we blind door het onophoudelijke wit, doof van het lawaai van de in zee ruisende vlokkenmassa's, in voortdurende angst dat we op een schots of een ijsberg lopen, en zonder dat we onze positie kunnen bepalen en de diepte peilen. De sneeuw maakt een tweede lange wacht aan dek nodig. Op de voortsuizende boot heen en weer kruipend, alleen gezekerd met een touw, moet de man zo goed als het gaat afdekking, zeil en takelage sneeuwvrij houden, waarbij de sneeuw die de derde wacht van onderaf uit de openingen schept hem voortdurend in de weg zit: de schep vol belandt in zijn gezicht of op een zojuist sneeuwvrij gemaakte plaats. En wanneer je ook deze derrie overboord hebt geslingerd en je languit op je buik op de afdekking uitrust, een arm om de mastboom geklemd, een paar oogknipperingen lang, is elke centimeter aan dek en ben je zelf ook opnieuw dik ingesneeuwd en breng je met je gewicht de boot en zes levens, waarvan nog tweeëntwintig andere levens afhankelijk zijn, in gevaar. Dan is er voor de sneeuwman zo goed als geen tijd om ook nog op de man aan het roer te letten. Waar is hij? De opening is dicht gewaaid met sneeuw. Wiens mouw is dat? Zesmaal ben ik het die daar ineengedoken zit en ingesneeuwd raakt. Maar even zo vaak ben ik ook weer degene die moet toezien hoe de man aan het achtereinde in de sneeuw wegzakt. En omdat ik weet hoe hij zich voelt, kruip ik als sneeuwman naar hem toe en maak een ademgat voor zijn mond vrij en haal opgelucht adem, alsof ik er zelf zit.

De mannen benedendeks vergaat het intussen niet veel beter. Door de openingen dwarrelt de sneeuw tot in de verste hoeken. Door de lichaamswarmte van de drie die slapen en zich anderhalf uur lang door niets laten wekken, smelt de sneeuw onmiddellijk, en het water dat achterblijft verzamelt zich tussen de ballaststenen, waar het blijft staan en met de bewegingen van de boot heen en weer klotst. Het water is ijskoud, en je kunt het alleen afscheppen wanneer je de stenen verplaatst. In de weinige neerslagpauzes tussen de vijfde en de zevende dag proberen we verschillende keren de zwarte blokken, die doorgaans zo groot zijn als een hoofd en midscheeps in het zeewater liggen, over boeg en achtereinde te verdelen, zonder daarbij de trim geweld aan te doen. Maar noch Bakewell en Vincent noch Shackleton en Crean slagen daarin. Telkens opnieuw helt de Caird zo onverwacht over, of de boeg verheft zich zo plotseling uit het water, dat de twee mannen, die nauwelijks genoeg ruimte hebben om elkaar de glibberige stenen aan te geven, op elkaar vallen en armen en benen openhalen aan scherpe randen. Geplaagd door ischias en slaapgebrek, zijn gezicht doorploegd met rimpels, begint Shackleton elke dag meer op een grijsaard te lijken. Maar waarschijnlijk zien we er allemaal uit zoals Vincent zegt: alsof we al maanden in een lekkende havenloods bivakkeren. Uiteindelijk is het Crean die in plaats van Shackleton het machtswoord spreekt: het water blijft in de boot. De volgende dag houdt het op met sneeuwen, en de drie reserveslaapzakken die we als matrassen op de stenen mogen leggen, zuigen het water gulzig op en geven zijn kou aan ons door.

Het is benedendeks zo krap dat twee man niet tegelijk in de slaapzak kunnen kruipen. Zelfs de bewegingen van iemand die zijn doornatte kleren wil uittrekken om er in elk geval dan nog een beetje droog ondergoed onder te doen, moeten door een ander worden gecoördineerd. Meestal is het Shackleton of Worsley die in een opening hurkt en de commando's uitdeelt: 'Nou je voet links, Tom, en jij, Bakewell, benen optrekken tot je kin. Houden zo!' Vanaf boven meldt een ander aanstormende brekers en stortzeeën: 'Golven raken boot bakboord!' En beneden brult Worsley: 'Mister Vincent blijf liggen, mister Blackboro ernaast, Ernest, verdomme, hou je vast, of wil je…?' Verschillende keren vliegt alles wat niet vastgesjord of in kisten en vaten verstouwd is door elkaar. Kooktoestel, navigatietabellen, sokken, brieven, kaarsen, alles ligt wel een keer in de soep tussen de stenen, waar allang niet meer alleen water klotst. Melkpoeder lost erin op, beschuitbrij dobbert erin rond, en het lukt niet altijd om de inhoud van moeder Greens blauw geemailleerde kasserol waarin we onze behoefte doen tijdig door de opening naar buiten te krijgen. De stank die het lenswater verspreidt is een andere dan die op Elephant Island, het ruikt niet zozeer naar kak, maar vooral naar verrotting, en de lucht laat zich niet verdrijven, ook niet wanneer we alle oude ongerechtigheden uit het water hebben geschept en er nauwgezet op toezien dat de nieuwe allemaal onmiddellijk worden weggehaald. Maar toch stinkt het, het stinkt elke dag meer.

Vanaf de zevende dag op zee verontschuldigt Shackleton zich steeds vaker voor het feit dat zijn berekening dat we Zuid-Georgië binnen een week kunnen bereiken kennelijk niet kan kloppen. Straat Drake biedt geen enkel houvast voor een positiebepaling. Er is geen rif, geen eiland, zelfs niet de kleinste uit het water oprijzende rots. Maar ook na acht dagen zien we wier noch zeevogels, niets wat wijst op nabij land dat op twee of drie dagen varen ligt. De zee is grijs, stormachtig en eindeloos, één grote omhoog en omlaag rollende golf onder een koude bewolkte hemel. Een keer – we zitten met Crean aan dek en praten over mijn broer – vraagt Shackleton me of ik me kan voorstellen dat vliegtuigen ooit zulke afstanden zullen overbruggen. Ik heb alleen maar haar in mijn mond, fijne, niet van mensen afkomstige haartjes waarvan het benedendeks wemelt en waarvan niemand de herkomst kan verklaren, en omdat ik druk bezig ben ze uit mijn mond te krijgen en in de handschoen uit te spugen, zeg ik, zonder over Shackletons vraag na te denken: 'Ja.' Het is niet meer dan een plotseling opflakkerend verlangen, niet zozeer om te kunnen vliegen, maar om Dafydd, Regyn en mijn ouders te zien. Maar op dit moment komt dat op hetzelfde neer, en ook Shackleton, die al net zo met de haartjes worstelt, zegt met verstikte stem, terwijl achter ons Tom Crean zijn eeuwig eendere onbegrijpelijke lied neuriet: 'Ja. Het kan niet anders.'

Op de negende dag maakt Worsley gebruik van een gat in het wolkendek om de zon te schieten. Zwijgend keert hij terug onder dek en kruipt, met het doorweekte navigatieboekje en de handpalmgroot opgevouwen zeekaart, met zijn hoofd vooruit zo ver mogelijk de boeg in. Het is het enige nog enigszins droge hoekje aan boord, de enige plek waar hij ongestoord zijn berekeningen kan maken. In de slaapzakken aan zijn voeten liggen Vincent en ik zo dicht tegen elkaar aan dat we ondanks de zware zeegang elkaars ademhaling kunnen horen. We hebben elk een been van de schipper beetgepakt om hem houvast te geven wanneer de boeg van de Caird omhoogkomt, op de kam van de golf kantelt en met veel lawaai de rug van de golf in duikt, we steken de koppen bij elkaar en wachten op Worsleys commando om hem uit de nis te trekken. Zoals iedereen draagt de schipper een wollen maillot, daaroverheen een broek en daar weer overheen de Burberry-overall. We hebben allemaal enkelhoge viltschoenen over twee paar sokken en dragen ook nog *finneskoes*, laarzen met een hoge schacht van rendierleer, de bontzijde buiten. Worsleys Finse schoenen, die vlak voor Vincent en mij heen en weer zwaaien en ons telkens in het gezicht raken, zijn slap, volgezogen met water, en het bont is, net als bij de onze, al tijden verdwenen. Eerder hadden ze nog wel die fijne, zilveren haartjes, maar de haartjes die nu overal blijven plakken zijn zo talrijk dat ze niet uitsluitend van zes paar finneskoes afkomstig kunnen zijn. Ze vormen een bontlaag aan de binnenzijde van de bootwanden, glanzen in het lenswater en drijven in de melk.

Wanneer de boot even naar bakboord uitzwenkt, schiet me een spreuk van mijn vader te binnen: je moet de gelegenheid bij de haren grijpen voordat ze een kale kop heeft. In de plotselinge stilte zeg ik hardop wat ik bij het zien van Worsleys schoenen denk: ik vraag Vincent, die voor zich uit staart om me niet aan te hoeven kijken, of hij *Robinson Crusoe* heeft gelezen.

'Ja,' zegt hij. 'Als jongen.' Hij kijkt me aan. 'Dat had je niet gedacht, hè?'

Daarin kon hij wel eens gelijk hebben. 'Indrukwekkend,' zou Cook hebben gezegd.

De volgende golf komt aangerold, slaat tegen de boeg en stuwt hem omhoog. We gaan weer aan de slag.

'Dadelijk!' schreeuwt Worsley. 'Godallemachtig, wat een…'

'Ik moet eraan denken,' zeg ik tegen Vincent, 'dat wanneer zijn schip vergaat, Robinson van zijn kameraden alleen drie hoeden, een pet en twee schoenen kan redden… Twee die niet bij elkaar horen. Kom je op zes voorwerpen van zes mannen.'

'Net zoveel als wij met elkaar,' zegt Vincent. Het klinkt ongelovig en afwerend, maar zonder minachting.

'Precies.'

De schipper spartelt.

'Trekken maar,' roept Worsley, 'dat houdt toch geen mens uit!'

We trekken. Boven Worsleys benen zegt Vincent: 'En weet je wat ik denk: het zijn niet alleen die schoenen. Het is vooral dat verrotte rendierbont van die driedubbel verrotte Scandinaviërs.'

'Daarbinnen is het een ongelooflijk kabaal,' snuift Worsley terwijl hij tussen ons in overeind komt. 'Het komt van alle kanten als gongslagen op je af. Man, mijn kop suist ervan! Maar ik heb ze, ik heb de getallen! En moet je horen…'

'Een moment, alstublieft, sir!' zeg ik verward. 'Vincent is net… Hij heeft iets ontdekt.'

Worsley is niet eens beledigd, zo perplex is hij.

'De stank, Frank, sir,' zegt Vincent snel, en zijn enorme gezicht loopt rood aan, 'die komt van je schoenen, van het rendiervel, en dat zit ook in de slaapzakken!'

Om helemaal zeker te zijn heeft Worsley zijn berekening twee keer herhaald, terwijl Vincent en ik hem vasthielden en vrede met elkaar sloten. Nog uren nadat we uit de boeg zijn gekropen is de schipper doof aan het oor dat hij niet dicht heeft kunnen houden, maar ook zonder dat je verstaat wat we zeggen, merk je dat hij hogelijk verbaasd is dat Vincent en ik opeens met elkaar praten.

Vincents verdenking wordt bevestigd als hij en ik een van de drie matrasslaapzakken inspecteren: aan de buitenkant is hij vrijwel droog en ongeschonden. Maar binnenin heeft de bontvoering overal losgelaten, en het achtergebleven kale, tot brij vergane leer is wat er zo zoet-zurig naar bedorven vlees ruikt. Het valt niet mee om Crean en Bakewell, die net zo vast slapen als de stenen waarop ze liggen, ervan te overtuigen dat het beter is om de zachte mat bij hen weg te halen. Nadat woorden niets hebben geholpen, volstaan ten slotte een blik in en een beetje wapperen met de slaapzak. Vincent en ik kieperen de slaapzakken overboord, en enkele uren later is de stank bijna helemaal verdwenen.

Uit Worsleys berekening blijkt dat we na tien dagen varen zo'n twaalfhonderdvijftig kilometer hebben afgelegd. En, wat nog belangrijker is, er blijkt ook uit dat we met een afwijking van vijfentwintig kilometer in noordoostelijke richting exact op Zuid-Georgië afstevenen. Wanneer we westenwind kunnen houden, kan hij de Caird binnen achtenveertig uur naar haar bestemming leiden, mits we het eiland niet missen, want dan zeilen we langs de noordpunt, langs Willis Island, Bird Island en alle onooglijke rotsen waarmee Zuid-Georgië in zee oplost, dan is er geen omkeren meer aan voor onze notendop, dan vindt hij zichzelf terug op een zee die landloos voortgolft tot Australië aan toe. Worsley, de Nieuw-Zeelander, vindt het allemaal best. Shackleton en Crean spreken echter af om dit risico bij voorbaat uit te sluiten. Het plan om naar de noordkant van het eiland te zeilen en de boot op eigen kracht de Stromnessbaai in te manoeuvreren om Leith Harbour of kapitein Sørlles walvisstation aan te lopen wordt losgelaten. De nieuwe bestemming is de zuidkust van Zuid-Georgië, die breed genoeg is om hem niet te missen, ook niet wanneer de koersafwijking groter is dan je kunt zien. Er liggen veel windluwe baaien, en gletsjers en beken met helder, bruisend water. Maar er ligt ook nog iets anders. Een bergketen verspert de weg naar de nederzettingen van de walvisvaarders aan de noordkust, een gebergte dat geen naam heeft omdat geen mens het ooit heeft overgestoken.

'Dat, gentlemen, gaat veranderen!' zegt Shackleton, en in zijn ogen fonkelt hij al, de sneeuw op de Zuid-Georgische toppen. En dat terwijl er om ons heen nog altijd niets is dan de zee, waaruit slechts de paar getallen oprijzen waaruit Worsley een eiland heeft geconstrueerd.

54° 38' zuiderbreedte, 39° 36' westerlengte, honderdtien kilometer vanaf de kust van Zuid-Georgië, zo is onze positie op 8 mei, een maandag. Voor ons is het de vijftiende dag op zee, voor de mannen op Elephant Island de vierhonderdzeventigste dag ingesloten in het ijs.

De zee wordt weer onstuimiger, de Kaap Hoornrollers zijn terug. Ze stuwen hun bergen op voor onze ogen en komen zelfs met hun eigen weersschouwspel. In de dalen is de lucht zo nat van het woedende water overal dat het in stromen regent, terwijl boven op de kammen fijne sneeuw valt. Uur na uur bruist de Caird vanuit de motregens de plensbuien in en weer omhoog de sneeuw in. En hoewel het voortdurend dezelfde vuilgrijze wolken zijn die langs de hemel jagen, voelt het twee dagen lang alsof herfst en winter, winter en herfst elkaar om míj in de haren vliegen en alsof de beide jaargetijden helemaal geen getijden zijn maar twee imperiums die oorlog met elkaar voeren omdat het ene getijde kouder is dan het andere. Beide, kou en vocht, dringen door tot in onze botten. We hebben allemaal zoutwaterzweren op polsen, enkels en knieën, maar Vincent lijkt ook nog aan reuma te lijden, en alles wat McIlroys gehalveerde medicijnkast daartegen in het geweer brengt, is een flesje hamamelistinctuur dat Vincent slechts een vermoeid lachje weet te ontlokken. Door koortsrillingen bevangen ligt hij met zijn uitgemergelde lijf in zijn slaapzak te woelen. Even beeft hij nog, maar dan slaapt hij in en blijft kalm liggen, zolang het stijgen en dalen van de boot hem niet tegen de stenen smakt. Door de opening dwarrelt de sneeuw, en even later komt de regen weer naar binnen geplensd.

Na afloop van zijn wachtvrije tijd is Vincent terug op zijn post. Shackleton heeft zich vergist. Net zomin als voor de rest van ons zijn er voor John Vincent speciale maatregelen nodig om hem zijn plicht te laten doen. Ook wanneer hij zich nauwelijks nog kan bewegen zonder pijn te voelen, gaat hij naar de mast, sjort zich eraan vast en richt zijn met zout omrande ogen strak op de einder. Hij is degene die vanaf zijn stek op de middag van de zestiende dag een amper één meter grote bos wier ontwaart in de verre hoge deining van een stortzee. Het is de eerste aanwijzing voor land.

Vanaf dat moment speuren we de hemel af naar vogels. En ze komen. In de paar seconden dat de boot op een golfkam staat voordat hij naar beneden ploegt, het volgende dal in, zien we ze in het zuidoosten in zwermen over zee vliegen. Wat voor vogels zijn het? We sluiten weddenschappen af. Bakewell ontdekt een klein tapijt van drijvend materiaal, spieren, die met elkaar zijn verbonden door touwen die met algen zijn overwoekerd – bij het zien ervan vallen we elkaar juichend in de armen. Maar waar is het eiland? De bergen zijn zo hoog! Waarom zien we ze niet? De wolken jagen te laag en ook veel te donker voort langs de hemel.

'Blijf op de vogels letten!' roept Worsley. Ze zijn inmiddels zo dichtbij dat we ze kunnen onderscheiden, noordse stormvogels, blauwe stormvogels en sterns. Crean, die bij het roer blijft, volgt hun koers, en zijn zingzang aan de helmstok wordt luider naarmate de vogels luider onze komst aankondigen.

'Kijk!' roept Shackleton. 'Kijk, de hemel scheurt open, dadelijk wordt het licht en zien we de toppen!'

Een brede reep onbewolkte hemel komt vanuit het westen aangevlogen: inderdaad, het weer slaat om.

Op hetzelfde moment brult Crean.

Het is de eerste keer dat ik hem zo hoor schreeuwen, wat hij als een bezetene brult, zijn als de woorden van zijn lied, niemand die ze begrijpt: 'Hij komt!' schreeuwt hij. 'Zoek allemaal houvast!'

Wat daar van achteren op ons af raast is geen scheur in het wolkendek. Het is de witte schuimkam van een golf die in hoogte alles overtreft wat ik me maar kan voorstellen. Zijn donderend geweld absorbeert elke andere klank, en een paar ogenblikken lang – de Caird doorklieft nog het voor ons uit snellende golfdal – zijn alle geluiden van de zee verdwenen.

Er is geen tijd meer om de zeilen te reven. Niets in de resterende seconden is belangrijk, alleen dat je ergens houvast vindt om je aan vast te klampen. Crean gooit de roerlijn om. Hij sjort zich aan de roerpen vast. De man aan de mast laat zich op de afdekking zakken, het is Worsley; hij slaat armen en benen om de boom heen. Door de voorste opening duikt Vincent naar beneden, door de achterste met het hoofd naar voren volg ik, en na mij komt Shackleton als laatste.

'Drie man beneden!' schreeuwt hij, en ik zie dat zijn voorhoofd bloedt. Vanaf dek komt geen antwoord. 'Tom!' brult Shackleton. 'Tom! Hoeveel?'

En ook ik brul: 'Waar is Bakewell?' Dan begint de Caird te springen, ze springt als een vlo op en neer. Shackleton en ik buitelen over elkaar. Stenen vliegen door de boot, de watervaten rollen over ons heen, en in de boeg zie ik Vincent zitten en hoe zijn hoofd van onderen tegen een roeibank slaat, net zolang tot die in tweeën breekt. Op hetzelfde moment is het schudden voorbij en tilt de boot de boeg op; snel, licht, volkomen geruisloos rijst hij steeds hoger op, alsof hij vleugels heeft gekregen en de lucht in zeilt. In een flits besef ik waar we zijn: op de kam van de golf, zodat de afdaling naar het dal op het punt van beginnen staat.

Wanneer de boeg zakt, komt het water naar binnen. In een oogwenk is de boot volgelopen. De watermassa's zijn ijskoud en hebben zo'n kracht dat Vincent en met hem alles wat nog in het voorschip over was in één vloedgolf naar het achtereinde wordt gespoeld. De Caird suist omlaag. Het water stroomt terug en verzamelt zich in de boeg. Shackleton, Vincent en ik omklemmen elkaar midscheeps, waar iedereen iedereen probeert vast te houden en we naar adem happend samen op de klap wachten.

Het duurt lang, zo lang dat ik twaalf keer kan uitstoten: 'Bakewell! O god, Bakewell!'

De klap duwt de boot helemaal onder water. Elk geluid smoort, en de kleur van het water verandert nu het licht verdwenen is, Drakes grijze zee wordt glasgroen.

Ineens weet ik: we vergaan.

'We zinken,' kreunt Vincent in mijn armen.

Maar Shackleton, met een gezicht dat onder het bloed zit, weet beter: 'Het kan niet,' hijgt hij, 'en het mag niet. Ik verbied het.'

6

De onzichtbare vierde

Met z'n vijven slepen we anderhalve dag later de half verwoeste boot zo ver we kunnen een keienstrandje op. Het ligt diep in het binnenste van de Koning Haakonbaai aan de zuidkust van Zuid-Georgië.

Al urenlang heeft niemand een woord gezegd, en zelfs op de plaats van bestemming van onze reis brengen we behalve een diep en afgrijselijk gekreun niets uit. Zesendertig uur lang hebben we niets gedronken, sinds de golf de beide proviandvaten kapotsloeg en Shackleton, Vincent en ik in de buik van de Caird moesten aanzien dat ons drinkwater zich vermengde met de naar binnen gutsende zee. Mijn tong is opgezwollen tot een prop. Ik heb geblaft toen de klippen van Kaap Demidov voor me uit de branding staken, ik heb van blijdschap gejankt als Shakespeare zaliger voor Hurleys slee, en zelfs nog in de veilige omgeving van het strand, met het bruisen van het gletsjerwater in mijn oor, moet ik almaar denken aan de pijn waarover Scott schreef en die ik nu zelf aan den lijve heb ervaren: de doodsangst dat je van dorst stikt.

Pas bij de aanblik van het beekje dat vanaf het overhangende ijs op de rotsbodem ruist, vallen we elkaar zwijgend in de armen. Het water is onze garantie dat we zullen overleven. Worsley en de van uitputting wankelende Vincent worden onmiddellijk door Shackleton weggestuurd om te drinken. Crean, hij en ik gaan eerst naar de boot terug om Bakewell in veiligheid te brengen en hem naar het gletsjerbeekje te dragen.

Achter een twee man hoog ijspegelgordijn, enkele passen boven de vloedlijn, ontdekt Worsley een spelonk in de rotsen die groot genoeg is voor drie slaapzakken, het enige kooktoestel dat het nog doet en de restanten van ons proviand. Daar trekken we ons in terug nadat we de James Caird vastgemaakt en uitgeladen hebben. Ik maak een eenpansmaaltijd van gedroogd zeehondenvlees klaar, en met het verse water krijgt iedereen net zoveel melk als hij wil. Shackleton deelt een slaaporder uit: Vincent, die door reumatische pijn minutenlang nauwelijks aanspreekbaar is, krijgt een slaapzak voor zich alleen, de tweede wordt door Crean en Worsley gedeeld, de derde door onze gewonde en mij. Sir Ernest betrekt de eerste wacht van twee uur, hij loopt heen en weer tussen grot en boot. Voor het pegelgordijn valt de duisternis in, en in ons onderkomen wordt het snel volkomen donker, volkomen stil.

Aan het voeteneinde van de slaapzak omklemmen onze laarzen elkaar. Ik hou Bakewell in mijn armen.

'Ssst! Rustig… Rustig maar…' zeg ik vlak bij zijn oor en ik aai zijn bezwete voorhoofd zodra binnen in zijn lijf een nieuwe pijngolf komt opzetten en hij ineenkrimpt.

'Is goed,' fluister ik, 'alles is goed. Je hebt het gehaald, beste, beste Bakie, geen water meer.'

Hij bibbert en mompelt. De arm die zijn leven heeft gered, is onder de overall hard als een stuk hout, en daar waar de kluiverboom hem bedolf en beknelde, is het vlees dijbeendik opgezwollen. Bij elke aanraking klinkt een dof gekreun, net zolang tot ik mijn hand verleg.

'Bakie, luister, ik moet slapen,' hijg ik. 'Ik ben doodmoe. En jij moet ook slapen, begrijp je? Ga maar slapen! Alles is voorbij, het leed is geleden, en je hoeft niets te doen. Je kunt hier gewoon liggen en uitrusten. En morgen zijn je kleren droog en schijnt de zon, dan zullen we je arm koelen en wordt hij gespalkt. Ik ga niet weg, ik slaap alleen een beetje!'

Af en toe word ik wakker omdat hij rilt of hevig kreunt, voor de rest slaap ik, slaap ik diep en bewusteloos als nimmer tevoren in mijn jonge leven, waarin het me waarlijk niet aan slaap heeft ontbroken. Wanneer Worsley me wekt, is het nog niet helemaal dag. Het regent. In de ingang van de grot zijn verschillende pegels van het plafond gevallen, en door het gat dat in het gebit is ontstaan fluit spottend de wind. Crean, die de tweede wacht voor zijn rekening heeft genomen, slaapt, hij ligt te snurken in Shackletons armen.

'Ben je weer een beetje bijgekomen?' vraagt Worsley met vriendelijke ogen, en als ik knik, kijken we naar Bakewell. Hij is bleek, maar hij slaapt, en zijn voorhoofd is koel en volkomen droog.

Drie dagen lang verlaten we de grot alleen om de boot vast te maken of op jacht naar iets eetbaars te gaan. Albatrossen nestelen op een helling boven de klippen; Shackleton schiet een jonge vogel en vervolgens ook de moeder. Het dier is zo groot en zwaar onder mijn handen dat ik me probeer voor te stellen hoe het moet zijn om een engel te plukken. Crean en Worsley brengen een zeil vol boendergras mee van de hellingen; ze bedekken de grot ermee, en ik snij er wat bosjes van af om ze mee te koken in het eenpansmaal van albatros. We eten en slapen, eten, drinken en slapen. We eten, drinken, roken, keuvelen en slapen dagen achtereen. Op de derde avond in de grot lijken we weliswaar nog altijd op langharige geraamtes, maar Shackleton, Worsley, Crean en ik zijn intussen zo goed uitgerust en weer op krachten gekomen dat het ons niet veel moeite kost om McNeish' houten opbouw en de provisorische afdekking van de Caird te verwijderen. Hoewel de boot er daardoor niet steviger op wordt, is de maatregel nodig, want Shackleton besluit om de beide gewonden nog maar één nacht rust te gunnen voordat we tien kilometer dieper de Koning Haakonbaai in trekken om naar de punt te zeilen. De zeekaart registreert daar gastvrijer, op fjordenkusten gelijkend terrein – stranden, vlak genoeg om de inmiddels veel lichtere boot ook gevieren over de vloedlijn te slepen. Beschut door de winterse zeewinden moeten de drie die er achterblijven het onder de gekantelde boot zien vol te houden. Vijfenvijftig kilometer, tien minder dan vanaf de grot, bedraagt volgens Worsleys berekening de afstand van de punt van de baai over het gebergte in het binnenland naar de walvisstations van Stromness en Husvik aan de noord-kust. Worsley legt uit dat hij zeeman is en geen bergbeklimmer. Hij zegt ons daarmee niets anders dan dat hij bereid is om bij Bakewell en Vincent te blijven. Shackleton, Crean en ik moeten de mars gaan wagen.

Terwijl het buiten regent en stormt blijven we nog een dag in de grot, waar ik Bakewells spalk vervang en hem en Vincent iets vertel over de boeken die ik over kapitein Scotts terugmars van de pool heb gelezen. Telkens opnieuw, op dezelfde wijze als ik tot vervelens toe mijn broer heb bestookt, vraagt iemand waar-om Scott, Bowers en Wilson moesten sterven. Waarom misten ze in de beschutting van hun tent de kracht om het einde van de blizzard af te wachten? Waar zat hem de fout? Vincent wordt door deze onbeantwoorde vragen zo kwaad dat hij vloekend in zijn slaapzak wegkruipt. Ik weet het antwoord niet, niet zonder de boeken. En Crean, die destijds door Scott werd terugge-stuurd en alleen daarom de tragedie op de pool overleefde, Tom Crean, die luistert naar wat ik fluister terwijl ik Bakies arm ver-zorg, de Ierse reus, zoals Scott hem noemde, Crean verstelt in het vlammetjeslicht van de brander zijn broek en zwijgt.

Vier uur lang zeilen we dieper het eiland in. Hoe dichter we de punt van de baai naderen, hoe meer vogels we in de luchten en op de klippen van de rotsoevers zien. Even na middernacht trekken we de Caird op een zacht glooiend strand van zwart zand en kiezels. Een kolonie zeeolifanten heeft in de buurt haar winterverblijf betrokken. Onmiddellijk sturen de dieren twee jonge bullen als verkenners naar ons toe. Het zijn er zoveel dat Worsley, Bakewell en Vincent voor onafzienbare tijd van voed-sel en brandstof voorzien zullen zijn. Al zouden we met z'n drieën in een gletsjerspleet vallen, al zouden we doodvriezen of verhongeren of alles tegelijk, de drie anderen zouden het tot de lente kunnen uitzingen. Tweehonderdvijftig kilometer is het met de boot om het ijsvrije eiland heen tot Stromness. De vraag is wel hoeveel man op het olifanteiland tegen die tijd nog in leven zullen zijn.

We zetten de James Caird op veilige afstand van de vloedlijn op haar kop. Het houten hol krijgt een dichte sokkel van stenen, een tapijt van boendergras en een wal tegen de wind. Naar de familie van David Copperfields kinderjuffrouw noemt Worsley het kampement Huis Peggotty.

Drie dagen lang weerhouden mist, regen en sneeuwjachten ons van vertrek. We benutten de tijd om Huis Peggotty zo behaaglijk mogelijk in te richten, voorraden aan te leggen en de marsuitrusting telkens opnieuw na te lopen. Om het routeverloop vast te leggen onderneemt Shackleton lange tochten naar een steile, besneeuwde helling in het noordoosten, expedities waarop hij wikt en weegt en, zegt hij, een tweegesprek voert met Frank Wild. Hij mist Wild, zo erg dat hij zelfs Crean, zonder het te merken, vaak met Wilds naam aanspreekt. In onze zevende nacht op Zuid-Georgië, de vollemaansnacht op 17 mei – het licht van de nacht speelt in zijn marsplannen een belangrijke rol – is Shackleton zo onrustig dat hij in plaats van te slapen urenlang spijkers uit de overbodig geworden planken van de boot trekt. De rest van ons is nog nauwelijks wakker of hij vraagt Crean en mij om onze schoenen en slaat de spijkers in de zolen, acht stuks precies in elke laars.

Met Crean spreekt Shackleton af dat we, hoe het weer ook is, de komende nacht zullen vertrekken, slechts uitgerust met lichte bepakking. De drie slaapzakken blijven achter bij de wachtenden, de ploeg die het land in trekt zal tijdens de driedaagse mars om beurten slapen, permanent in de gaten gehouden door ten minste één van de anderen, die onder geen beding mag indommelen. Iedereen draagt zijn deel van het slederantsoen en de beschuiten. We verdelen primusbranders en brandstof voor zes warme maaltijden, een kleine kookpot, een doos lucifers, twee kompassen, een verrekijker, een vijftien meter lang touw en de ijsbijl. Persoonlijke bezittingen zijn taboe.

Hij staat geen uitzondering toe, zegt Shackleton en hij wijst naar mijn hart, naar Ennids vis. 'Dat geldt ook voor je talisman, Merce.'

Dan leest hij voor wat hij in Worsleys dagboek heeft geschreven: 'Kapitein, binnenkort ga ik een poging doen om Zuid-

327

Georgië te bereiken om hulp te halen. Ik draag aan u de verantwoordelijkheid over voor mister Bakewell, mister Vincent en uzelf. U beschikt over ruim voldoende zeehondenvlees, dat u gezien uw bekwaamheid met vogels en vis zult weten aan te vullen. U hebt onder meer nog een dubbelloopsgeweer en vijftig patronen. Indien ik niet terugkeer, adviseer ik u om de winter af te wachten en naar de oostkust te zeilen. De route die ik naar Stromness neem, ligt volgens de kompasnaald in oostelijke richting. Ik ga ervan uit dat ik binnen enkele dagen hulp voor u zal meebrengen. Met de meeste hoogachting, Ernest Henry Shackleton.'

Nog eenmaal kruipen Bakewell en ik in onze slaapzak. Om twee uur 's ochtends wekt Crean ons. Terwijl Worsley voor iedereen het restant van het albatrosmaal opwarmt, ruil ik mijn jas met die van Bakie. Hij schiet mijn Grego aan en tast naar de vis op zijn borst, dan omhelst hij me, zo goed en zo kwaad dat met zijn spalk lukt.

'Een, twee, drie,' zegt hij en hij probeert er vrolijk bij te kijken. 'Drie dagen, en dan heb je het gehaald. Dan komen jullie ons met het harpoenschip ophalen. Neem een biertje voor me mee. En nou opgekrast, dan kan ik eindelijk dat briefje lezen!'

Vincent vindt het wel amusant en slaat me met zijn klavier op de rug.

De drie vergezellen ons naar de boot. Daar blijven ze staan, Bakewell rechts, Vincent links en Worsley in het midden. En zo staan ze er nog altijd als ik vanaf een ver sneeuwveld door de ochtendschemer op hen neerkijk. Ik zie de zee en het strand, en ik zie de kleine gekantelde boot, Huis Peggotty in zijn tuin van stenen.

Op Shackletons zeekaart staat alleen de kustlijn van het eiland, en zelfs die is op veel plaatsen onvolledig. Steeds wordt hij onderbroken door het kaartblauw van de Zuidelijke IJszee. Binnenin is deze sikkelvormige tekening van Zuid-Georgië zo leeg en zo wit als het land in mijn oude droom, en hoewel de bergen al van verre zichtbaar waren, ontbreken zelfs zij op de kaart. Niemand buiten ons heeft het ooit aangedurfd om ze te beklimmen. Niemand weet hoe hoog ze zijn en een naam hebben ze niet.

Met deze op z'n best als aanvullend hulpmiddel bruikbare kaart in zijn borstzak stapt Shackleton voorop over het snel steiler wordende sneeuwveld. Het is mistig en de sneeuw is rul, we zakken er tot onze knieën in weg. Om te voorkomen dat we in verscholen spleten vallen, binden we ons aan elkaar vast. Shackleton loopt tien meter voor me, tien meter achter me bevindt zich Tom Crean. Wanneer we halt houden om even uit te blazen, zie ik mezelf in zijn sneeuwbril weerspiegeld, mijn baard, mijn lange manen. Ik ben magerder dan de graatmagere Holie ooit was, en ook nog eens haveloos en onherkenbaar vermomd.

Crean merkt hoe onthutst ik ben. 'Wat is er aan de hand, Merce? Nu al trek?'

'Komt niks van in!' roept Shackleton boven ons. Hij is buiten adem, maar heeft zijn breedste grijns opgezet. Hij is in zijn element, een en al euforie. 'Eerst gaan we naar boven, gentlemen!'

'Sir, met permissie, ik had helemaal niet de bedoeling…!' roep ik.

En Crean roept: 'We hebben alleen het uitzicht bewonderd,' wat met die mist wel een grap moet zijn. Het zou dan wel de eerste grap van Tom Crean zijn sinds Montevideo. Hij is onmiddellijk weer ernstig: 'Zo kan het wel weer.'

Het touw spant zich. We gaan verder. Achter me hoor ik dezelfde melodie als op het ijs, in de boten en in de Caird. Crean neuriet weer.

Nogmaals wordt deze eerste, zeker niet door mij gewenste rustpauze uitgesteld. Want vanaf de kam van de sneeuwhelling zien we – in de langzaam lichter wordende nevel goed te onderscheiden, even links van onze oostelijke marskoers – een groot, volkomen wit en dus dichtgevroren dalmeer. Shackleton noemt het al meteen een meevaller, want het meer houdt de belofte in dat je een vlakke route langs zijn oostelijke oever kunt volgen.

Moeiteloos dalen we gedurende ruim een uur aan de andere kant van de kam weer af. Dan verschijnen de eerste scheuren in het korstige sneeuwveld. Eerst zijn ze smal en niet erg diep.

Maar al snel volgen er steeds bredere waarvan je de bodem niet meer kunt zien en die dus wel spleten moeten zijn. Ze laten maar één conclusie toe, namelijk dat we op het punt staan een gletsjer in plaats van een met sneeuw en ijs bedekte bergrug af te zakken. Crean en Shackleton zien het net als ik, hoewel ik nooit eerder op een gletsjer heb gestaan, maar ik heb wel over honderden gletsjers gelezen en weet daarom: een gletsjer is een ijsstroom die richting zee gaat, op een eiland stroomt hij in elk geval nooit in een meer. Wat daar zo uitnodigend en vlak aan onze voeten ligt, kan, met permissie, geen meer zijn.

Crean stopt met neuriën en zegt het hardop: 'Het is geen meer.'

En de sir haalt de kaart tevoorschijn en vouwt hem open. 'Ja, Tom, je hebt helaas gelijk. De oeverlijnen kloppen. Het is de Possessionbaai. Het is de vervloekte oceaan.'

Vier grote baaien staan op de kaart in noordoostelijke richting: Possessionbaai, Antarctisbaai, Fortunabaai en, als enige bewoond, de baai van Stromness, ons doel. Daartussen bestaat de kustlijn uitsluitend uit met gletsjers overdekte rotswanden, klippen en riffen. Ook al hebben we na nog maar twaalf kilometer voetmars het eiland op een van zijn smalste punten overgestoken, we schieten er niets mee op. Van de verlokkende witte vlakte aan onze voeten leidt geen weg naar kapitein Sørlles station.

We keren om en klimmen weer tegen de gletsjerhelling op. Crean verhuist naar voren, Shackleton naar het eind van het touw. En ik, tussen hen beiden in, vraag me af of Scott de afdaling naar de baai zou hebben geriskeerd of dat hij ook omgekeerd zou zijn.

Zou hij nog hebben geleefd – tot die conclusie kom ik al voortstappend – en zou er een wedloop tegen Shackleton naar de baai van Stromness zijn geweest, dan zou Scott nooit zijn omgekeerd! Scott zou, in de woorden van Dafydd, nog eerder een hand hebben afgehakt en daarna, de bijl tussen zijn tanden, ook de andere.

Waarom praat Crean nooit over Scott? Ik kan me iemand als Drake of Cook, mannen die al eeuwen dood zijn, beter voor de geest halen dan de man die vier jaar geleden doodvroor, en dat terwijl ik zijn dagboek ken en zijn stem meen te horen wanneer ik lees: 'Die vreselijke kwelling – waarvoor? Voor niets dan dromen die nu ten einde zijn.' Waar heb ik gelezen dat hij, met twee andere mannen alleen in de hut op de Rosszee, tegen een van hen zou hebben gezegd: 'U en die idioot doen nu dit en dat'? Waarbij degene met wie Scott niet sprak naar verluidt Shackleton was.

Eindelijk, na een ononderbroken voetmars van zes uur, lassen we rond negen uur de eerste pauze in. In het ochtendlicht rijst in het oosten precies op onze route een kleine bergketen op. Met zijn vier door vrijwel loodrechte kammen verbonden toppen oogt hij als de knokkels van een gebalde vuist. Aan de voet van de sneeuwhelling die naar de eerste kam leidt, graven we een gat in het ijs, zetten de primusbrander erin, brouwen een mengsel van slederantsoen en beschuit en eten het terwijl het nog gloeiend heet is. Een halfuur later zijn we weer onderweg. Wanneer de helling te steil wordt om onszelf op handen en voeten door de sneeuw naar boven te werken, hakken we beurtelings om de anderhalve meter een trede in het ijs.

Shackleton is de eerste die even voor twaalven over de kam naar de andere kant kijkt. Eerst wenkt hij Crean en dan mij. Ik kruip door de sneeuw omhoog tot de kamlijn en kijk naar de andere kant.

Er is geen pad dat naar beneden leidt. Net als de lilliputters op Gullivers kruin liggen we op onze buik op een rots die bijna loodrecht omlaag gaat, en de blauwgrijze hellingen, kaal en steil, liggen links en rechts van ons bezaaid met stukken ijs die van ons uitkijkpunt moeten zijn afgebroken en in de diepte gevallen. Tot aan de zee strekt zich een ontoegankelijk terrein van kloven en gletsjerspleten uit.

Landinwaarts naar het oosten toe ontwaart Crean met de verrekijker echter een geleidelijk oplopende en gelijkmatig besneeuwde helling. Shackleton schat dat die zo'n veertien kilometer het eiland in loopt, hij geeft me de verrekijker en zegt: 'Dat is het pad. Om het even hoe we het doen, vóór het invallen van de duisternis moeten we beneden zijn. Laten we het via de tweede kam proberen. Durf jij voorop te lopen, Merce? Oké dan, dan gaan we terug.'

Ik hoef alleen de treden te volgen en dan, verder naar beneden, onze voetstappen. Na ruim een uur heb ik onszelf veilig naar de voet van de helling geleid. De lucht is helder en koud, de middag breekt aan. Wind is er nauwelijks. Maar dat hier stormen kunnen woeden die niet kinderachtig zijn, zien we wanneer ik ons groepje tussen overhangende ijsklippen door en langs de randspleet van een gletsjer loods. Het is het goede pad, maar toch bonst mijn hart hevig wanneer ik als eerste een sikkelvormige geul passeer die zeker zo'n driehonderd meter diep en meerdere kilometers lang is en door niets anders in het ijs kan zijn gesneden dan door stormen die hier God weet hoeveel eeuwen al tekeergaan.

Ook de door mij geleide klim naar de tweede kam is geen geluk beschoren. Om de twintig minuten liggen we languit in de sneeuw, ademen met diepe teugen de ijle lucht in en moeten bijkomen van het klimmen, touw aanspannen en treden hakken. Rond drie uur 's middags kijkt Shackleton over de kamlijn, een koepel van lichtblauw ijs, maar schudt, de verrekijker op zijn neus, nogmaals zijn hoofd. Opnieuw is het Crean aan wiens aandacht niets belangrijks ontsnapt. Beneden in de oostelijke dalen komen mistbanken opzetten, en ook achter ons nadert vanuit het westen over zee de avondnevel. Crean schat dat we ons op veertienhonderd meter hoogte bevinden. We zitten te hoog, veel te hoog, om zonder slaapzakken, alleen met onze versleten sneeuwpakken, de nachtelijke minimumtemperaturen te kunnen overleven.

'Wat zou Frank Wild nu doen?' vraagt Shackleton ons in het gieren van de wind, en als Crean noch ik iets zeg – want ik heb in elk geval niet het gevoel dat Shackleton een antwoord verwacht – zegt de sir zacht en met veel warmte, alsof dwerg baas in werkelijkheid in een wonderlijk kleine sneeuwkuil bij ons ligt: 'Kom Frank, geef me een tip, ouwe speurneus.'

Ondanks het risico dat de mist ons zou kunnen insluiten, besluit hij ditmaal niet af te dalen om bij de laatste, derde helling te komen. Na een korte pauze beginnen we in plaats daarvan een stuk verder naar beneden treden in het ijs te hakken die om het ijs heen leiden. Het is een, zou Cook met nasale stem hebben gezegd, indrukwekkend karwei dat we verrichten om een galerij te bouwen op de rug van een naamloze berg, op het laatste eiland ter wereld. In een vloeiende boog loopt het pad naar de derde kam. Elke derde trede hak ik uit, en Shackleton en Crean zijn zo snel met die van hen klaar dat ik nauwelijks naar adem kan happen of ik ben alweer aan de beurt.

Drie! Altijd weer drie! schiet het in de urenlange duizeling voortdurend door mijn hoofd. Drie boten hadden we. We hebben drie man achtergelaten. Drie toppen en drie kammen heeft de berg. Scott, Bowers en Wilson, die waren met z'n drieën, drie man, drie, net als wij.

De derde kam loopt zo spits toe dat Shackleton er schrijlings op kan gaan zitten. Naar adem snakkend tuurt hij door de kijker. De mist omhult het dal intussen volledig, dat is zelfs nog met het blote oog te zien. De zon gaat onder, het is snijdend koud geworden.

'Het zij zo, vooruit, kom, het moet lukken!'

Hij klimt over de kam, en aan de andere kant begint hij meteen de eerste trede in het ijs uit te trappen. Crean volgt hem, dan ik. Mijn benen voelen dood aan.

Al na enkele meters dalen gaat de bevroren sneeuw in zachtere sneeuw over, volgens Crean een aanwijzing dat de helling misschien minder steil wordt. Maar hij wil er niets onder verwedden. Treden hoeven we nog maar zelden uit te hakken, toch schieten we niet echt sneller op, zó dicht worden de over de helling naderende nevelslierten. En het duurt maar een paar minuten voor we ineens midden in de mist staan.

Shackleton maakt zijn veiligheidskoord los van zijn riem en verordonneert Crean en mij om dat ook te doen. Crean protesteert, maar Shackleton gaat geen discussie aan.

'Je doet wat ik je beveel,' vaart hij uit tegen Crean, tegen wie hij nooit eerder zo heeft gesproken, en op een bijna even scherpe toon zegt hij tegen mij: 'Dat geldt ook voor jou, Frank. Pak je bord. Drapeer je touw zo dat je een ronde mat krijgt. Leg die op het bord en ga erop zitten. We gaan glijden.'

'Dat is waanzin,' hijgt Crean. 'Wie weet wat er beneden is.'

Desondanks gehoorzaamt hij, hij rolt het touw op en legt het op het bord, zoals sir Ernest het voordoet.

'Wanneer we niet willen doodvriezen is het onze enige kans,' zegt Shackleton. 'We glijden samen, ik als eerste, zodat jullie je, mocht ik te pletter vallen, met een beetje geluk kunnen redden. Lijkt je dat redelijk, Tom Crean?'

Crean knikt.

'Frank?'

Ook ik knik. 'Mee eens. Maar ik ben niet Frank Wild, sir.'

'Neem me niet kwalijk. De hele morgen heb ik al het gevoel dat we niet alleen zijn. Alsof nog iemand ons vergezelt. Tom vergaat het net zo, nietwaar Tom? Jou niet, Merce?'

Nu hij het zegt zie ik geen reden om het langer te verzwijgen. 'Scott, sir.'

'Ja, Scott misschien. Geef mij maar Frank Wild!' Hij lacht. 'Laten we hopen dat het in werkelijkheid de man is met dezelfde initialen als de James Caird. Zijn jullie zover? Dan vraag ik jullie te gaan zitten, gentlemen. God zij met ons. Op mijn commando. Bij drie. Een, twee...!'

7

Spoken

Sneller en sneller suizen we door de mist de bevroren helling af, we houden elkaar stevig vast, ik heb mijn armen om Shackletons borstkas geslagen, en op mijn schouder voel ik Creans harde kop. Het ijs waarover we op onze borden en touwen omlaag stuiven spat hoog op, knisperend en ruisend, het opspuitende ijs bedekt ons van onder tot boven met flonkerende schilfertjes. Shackleton is de eerste die tegen het lawaai en het tempo begint aan te schreeuwen. Eerst brult hij alleen maar, alsof de aanstromende lucht door hem heen blaast, ik voel hoe zijn borstkas zich uitzet, zich samentrekt en weer opzwelt. Maar dan ontsnapt er aan zijn mond een luid en vrolijk gejoel dat zich telkens opnieuw in gelach ontlaadt en alleen verstomt als we over schansen van ijsbulten vliegen en hij in mijn armen zijn adem inhoudt. De golven die door hem heen slaan verplaatsen zich in mij, zijn gelach sleept me mee, en een tijdlang, zo lijkt het me, vraag ik me af waarom ikzelf niet lach, waarom ik tot niets anders in staat ben dan me aan hem vast te klampen; dan hoor ik mezelf toch lachen, weet niet hoe lang ik al lach, en wens opeens dat deze rit door de knisperend opstuivende ijskristallen nooit zal eindigen.

Crean zingt. Hij zingt recht in mijn oor, en ik herken de melodie, het is de melodie die hij al maanden neuriet, maar eindelijk meen ik ieder woord te verstaan.

'Uit de golven, uit de baren,
half gevlogen, half gevaren,
lang ervoor en lang erna
spreekt het paard van Uíbh Ráthach.'

Zo komt voor mij tot leven wat Tom Crean zingt. Hij slingert de verzen in mijn oor, zo luid dat Shackleton, die voor mij hurkt, ze wel móét horen, want terwijl we steeds sneller gaan en steeds dieper de mist in glijden, zingt hij mee in zijn veel hoogdravender Gaelisch:

'Van nabij en van verre
geen ziel, geen sterren,
niets wat langer verjaart
dan ik, oeroud waterpaard!'

We vliegen omlaag, drie Keltische skeletten, twee kwelende Ieren en ik, de Welshman die niet doorheeft wanneer hij lacht.
Maar ik heb wel door dat de ijshelling langzaam minder steil wordt. Op de nog nauwelijks aflopende vlakte verliezen we rap vaart.
Maar we blijven zingen:

'Vogels, bomen, mensen, al wie het vermag,
leef en leef, leef en pluk de dag!'

En op hetzelfde moment dat we een sneeuwhoop in stuiven die ons afremt en ten slotte tot staan brengt, vergaat het lachen me en zing ik mee met Creans laatste vers:

'Leef niet ervoor, leef niet erna!
Rij niet naar Uíbh Ráthach.'

We stappen van onze borden af, komen met trillende knieën overeind en vallen elkaar giechelend en snikkend tegelijk in de armen. Ver boven ons rijst uit de mist de kamlijn op waarover we nog maar luttele minuten geleden zijn geklommen. Opeens moet ik denken aan de pony van mijn vader, onze oude pony Alfonso, waaraan ik al jaren niet meer heb gedacht. Ik zie zijn grote droefgeestige ogen voor me. Crean omhelst me, lacht, en klopt me aan één stuk door op mijn rug tot ik ophoud met huilen.

'Dat komt alleen,' snik ik, 'alleen door dat lied, nergens anders door, snap je?'

Na staand een maaltje van slederantsoen en beschuit te hebben genuttigd, bergen we eetgerei en touwen op en gaan weer op pad. Van minuut tot minuut wordt de vermoeidheid groter, we mogen geen tijd verliezen. Het diep het eiland binnendringende sneeuwveld dat ons vanaf de bergkammen volkomen vlak leek, is in werkelijkheid een zacht maar voortdurend oplopende helling. Hoe verder we daarover door de vollemaansnacht oostwaarts marcheren, des te hoger we komen en des te kouder het wordt. Even na middernacht hebben we vijf uur lang ononderbroken door de korstige sneeuw gelopen, Crean schat onze hoogte op twaalfhonderd meter en de temperatuur op twintig graden onder nul.

Een zwijgend ondergaan uur later eindigt de klim, de helling loopt geleidelijk af en slingert verder naar het noordoosten. Onder de heldergele maan volgen we haar nog een uur lang, opgelucht dat het bergaf gaat en in de vaste overtuiging dat we straks aan de einder het water van de Stromnessbaai zullen ontwaren. 'Daar ligt het!' zal een van ons roepen, misschien ik wel, en misschien zullen we vanaf hierboven niet alleen de contouren van de baai herkennen maar ook al de lampjes van de schepen en boten, de lichtjes van de huizen en de kleine, in de windstilte kaarsrechte rookkolommen van de schoorstenen.

In plaats daarvan zijn we tussen drie en vier uur 's ochtends – uitgeput, hongerig en verkleumd – opnieuw op de terugweg. Mijn vermoeidheid is verstijfd tot een verlamming, waardoor ik niet in staat ben om, met uitzondering van mijn benen, een lichaamsdeel te bewegen. Teleurgesteld en vervuld van stille wrok jegens elke ijsklomp die uit de lichtblauw fonkelende sneeuw steekt en je dwingt eroverheen te klauteren, stap ik achter de beide anderen aan, struikelend langs de oever van de

Fortunabaai, die we in onze vertwijfelde ijver voor die van Stromness hebben aangezien. Maar inderdaad, ze lijken veel op elkaar, zoals Shackleton, die meent zich te moeten excuseren, op de kaart aanwijst. Er ligt een flink eiland ongeveer midden in de baai en er zijn nog andere richtpunten waarop hij en Crean elkaar opgewonden wijzen, zo vertrouwd schijnen ze hun toe. Maar in werkelijkheid kan geen sterveling met de Fortunabaai vertrouwd zijn. Het is een troosteloze kale bres in het pantser van het eiland, een van oudsher leeg en onbewoond stukje aarde. In de kou die mijn ogen doet schrijnen, denk ik onwille-keurig: hier is nooit iets gebeurd. Zelfs Cook zou de oever vanaf het schip in kaart gebracht kunnen hebben. Waarom zou je hier ook rondbanjeren? Hier heb je immers niks! Was Cook zo cynisch dat hij de onherbergzaamste van alle onherbergzame uithoeken naar de geluksgodin vernoemde? Nee, hij moet al net zo iemand als ik zijn geweest, een dromer, verlangend uitkijkend naar schoorsteenrook en lichtjes terwijl er niets anders is dan rotsen en ijs. We sjokken weer de berg op, volgen onze voetspo-ren terug over het sneeuwveld. Het duurt uren, en maar heel langzaam verdwijnt de verkeerde baai achter ons.

Niemand heeft in zijn mismoedigheid zin om te praten, en Crean laat het neuriën voor wat het is. We stappen over het sneeuwveld, willoos als de maan en moe als de glans van de sterren in het teken van de Grote Hond. Alleen Shackleton zegt op een gegeven moment, wanneer het bedrieglijke water achter een gletsjertong verdwijnt: 'De Fortunabaai ligt achter ons. Dat betekent dus dat hij niet meer voor ons kan liggen.'

Het is nog bijna helemaal donker wanneer ik om vijf uur 's och-tends aan mezelf moet bekennen dat ik niet verder kan. Door de vermoeidheid word ik door twijfel bevangen, ik voel met elke stap dat de hoop dat we Stromness zullen bereiken me steeds verder ontglipt, en voor het eerst in lange tijd word ik gekweld door de angst dat ik niemand van de mannen ooit nog terug zal zien, Bakewell, Worsley en Vincent aan de andere kant van het eiland niet, en Wild, Holness, Clark, Orde-Lees, Greenstreet, Hurley en Green evenmin, hen noch alle anderen op Elephant

Island, noch mijn zus, broer, zwager Herman, en ook de oude Simms niet, en nooit meer Ennid Muldoon. Een paar eindeloze minuten lang sleep ik me nog tussen Crean en Shackleton voort, maar ik merk dat ik wankel en steeds erger begin te slingeren. De gedachte vliegt me aan dat ik misschien helemaal niet meer de kracht heb om mijn mond open te doen en om een pauze te vragen, en door de paniek die zich vervolgens van me meester maakt kan ik weer enkele minuten hijgend met een van ontzetting opengesperde mond verder lopen.

In een rotsnis onder een kamlijn die ook al onder een dikke laag sneeuw schuilgaat, kom ik weer bij mijn positieven. Creans versleten bonthandschoen aait over mijn voorhoofd. Shackletons haar zal inmiddels net zo lang zijn als dat van mijn moeder, want het valt van onder zijn capuchon over zijn beide wangen wanneer hij me met een bezorgde blik een halve beker melk en een beschuit opdringt die ik kennelijk al een tijdje heb geweigerd. Het zijn onze laatste drie beschuiten – we eten ze in de nis – en hoewel we nu door onze proviand heen zijn, maken we ook de beide laatste slederantsoenen soldaat. Dicht tegen elkaar aan gedrukt, ieder een arm om de buurman geslagen, de slurpende en kauwende gezichten zo dicht mogelijk bij elkaar, zitten we met de rug naar de kou van de aanbrekende ochtend in de nis en wachten tot de warmte van de calorieën ons opnieuw doorstroomt, onze moed terugkeert en de werkelijkheid ons niet langer angst inboezemt.

'Het kan niet ver meer zijn,' zegt Shackleton. 'Deze kam nog, daarna gaat het bergafwaarts naar de kust, ik voel het. Ik beloof jullie, over zes uur uiterlijk zien we het station. We mogen de moed nu niet laten zakken! Merce, gaat het al beter?'

'Iets beter, sir.'

'Je doet het uitstekend. Iedereen heeft zijn inzinking. Het gaat erom dat je altijd je grenzen in acht neemt en geen onmogelijke dingen van jezelf eist. Ik heb je nodig. Zou je ons misschien niet een kleine anekdote uit onze verloren gegane boeken willen vertellen die ons opmontert of dan ten minste stof tot nadenken biedt?'

Het enige wat me te binnen schiet is een beeld, een beeld van beschuiten in de sneeuw, en juist omdat het onlosmakelijk met Scotts ongeluk is verbonden, is het een beeld van uitbundigheid en blijdschap, en daarom lijkt me dat een juist beeld, ook al kwets ik Crean er misschien mee in zijn onvoorwaardelijke liefde voor kapitein Scott.

Ik vertel over Amundsen. Terwijl Scott in zijn tent lag te verhongeren, reisde Roald Amundsen zo snel naar de pool en weer terug, en spaarde daarbij zoveel proviand uit, dat hij met zijn mannen een beschuitgevecht op het ijs kon organiseren. Iedere poolvaarder kreeg een kist beschuit als munitie. En aan het eind spanden de Noren de honden uit en lieten hen het beschuitslagveld opvreten.

Shackleton en Crean zwijgen, maar van beide kanten voel ik een arm op me drukken. We zijn klaar met eten, de bekers zijn leeg. Shackleton haalt de chronometer tevoorschijn, het is kwart over zes. Hij beveelt Crean en mij om een halfuur te slapen voordat we de kam zullen beklimmen. Crean leunt tegen de rots, hij sluit me in zijn arm, en op het volgende moment wekt Shackleton ons.

Ik wrijf sneeuw over mijn gezicht.

We laten de primusbrander in de nis staan, binden ons aan elkaar vast en beginnen treden in de helling uit te trappen. Het halfuurtje slaap heeft me meer verkwikt dan ik had verwacht, de klim naar de kam gaat me betrekkelijk gemakkelijk af, en een paar keer help ik de sir zelfs om in het spoor te blijven. Shackleton lijkt aan het eind van zijn Latijn, hij hijgt en ontwijkt mijn blik. Crean loopt voorop, ik hoor hem weer neuriën, van nabij en van verre geen ziel, geen sterren. En zo hebben we de lichtblauw in het ochtendlicht boven ons liggende kamlijn bijna bereikt wanneer we een geluid horen. Het klinkt als een ver gefluit, maar anders dan de kreet van een stormvogel of zuidpooljager. We blijven staan en kijken elkaar aan.

Van boven af vraagt Crean luid en duidelijk: 'Hoe laat is het?'

Shackleton heeft moeite zijn gehijg te onderdrukken. Wanneer hij op adem is gekomen, haalt hij de chronometer tevoorschijn. 'Half zeven precies.'

Hoe kan het nou half zeven zijn, willen Crean en ik weten, als we sinds kwart over zes een halfuur geslapen en de helft van een sneeuwhelling beklommen hebben?

Sir Ernest, nog altijd puffend, legt het aan ons uit: 'Jullie zijn allebei uitgerust, Tom, of niet soms? Ik heb jullie na vijf minuten gewekt omdat ik anders zelf in slaap zou zijn gevallen. Het is half zeven.'

'Om half zeven,' zegt Crean, 'wekt de sirene de mannen van het walvisstation.'

En Shackleton: 'Dan is het dat wat we hebben gehoord.'

'Als dat het was,' zegt Crean, 'dan horen we het over een halfuur nog een keer. Om zeven uur roept de sirene de mannen op om aan het werk te gaan.'

En Shackleton opnieuw: 'Zo is het precies. We hoeven alleen maar te wachten. En wat kunnen we beter doen dan dat, hè? Naar de kam en kijken.'

Wanneer de stoomfluit van Stromness een tweede keer klinkt, staan we op de flauw aflopende helling die we al een halfuur aan het afdalen zijn en omhelzen elkaar.

'Het is te mooi om waar te zijn,' zegt Shackleton beurtelings tegen Tom Crean en mij voordat we zwijgend onze weg door de enkeldiepe sneeuw vervolgen. In de verte, aan het andere eind van het dal, liggen de hoge bergen ten westen van Stromness en Husvik, witblauwe toppen die in de ijle ochtendlucht glanzen. Het zijn de Coronda Peak en Mount Cook, bergen die namen hebben.

We lopen de hele ochtend door. Even na twaalven hebben we een kleine heuvelketen bestegen en kijken we uit over de kaarsrechte kamlijn. Voor ons in het licht glanst de zwarte baai. Op enige afstand vaart een harpoenschip. De boot beschrijft een boog van kielwater in de zee. En op de werf van Stromness ligt een zeilboot aangemeerd, een driemaster als de Endurance. Op de dekken zie ik mannen, ze lijken erg klein maar ze dragen, duidelijk herkenbaar, verschillende kleuren joppers. Tussen de dokken en de loodsen zijn het er nog meer. Ze zijn druk in de weer. Sommigen hebben iets bij zich, werktuigen misschien.

Prachtig. Zwijgend liggen we vijf minuten op onze buik in de sneeuw van de heuvelkam. Zo nu en dan, wanneer een windvlaag over de oever blaast, beweegt de vlag aan de dorpsmast en toont ons blauw-wit-rood zijn Noorse kruis. Het is alsof de vlag door de wind die over de baai waait uit zijn slaap wordt gewekt, tot hij weer in elkaar zakt, alsof hij opnieuw indommelt omdat de wind hem nog een keer in slaap wiegt.

Zeventien maanden lang heb ik niemand gezien behalve onszelf. De laatste uren die we voor de afdaling naar de kust van Stromness nodig hebben, ben ik bevangen door een spanning die me bijna verscheurt. Ik berg haar diep in mijn binnenste op, onmachtig om een woord van vreugde uit te brengen en ons gezamenlijk geluk met Crean en sir Ernest te delen. We delen het zwijgend en door hard te werken. Niemand van ons mag nu nog iets overkomen. Elke greep van mijn handen maakt me gelukkig, en elke aanraking van de anderen waarmee ze me helpen om op de been te blijven en waarmee ze mijn nabijheid zoeken, vervult me met vertrouwen en doet me veel vergeten van mijn angst dat ik misschien gewoon droom dat ik met de James Caird ben vergaan, dat ik sterf en droom dat ik in slaap ben gevallen en in de sneeuw van de bergen doodvries, doodvries omdat er niemand meer is om me te wekken.

Wat me wekt, en nog wel met geweld, is de kou van een ijswaterval. Door de waterval heen dalen we met touwen af. Omdat hij het laatste obstakel is op weg naar een helling die rechtstreeks naar het walvisstation leidt, laten we de overgebleven uitrusting aan de rand ervan achter. We ontdoen ons van de aan flarden gescheurde Burberrypakken en klimmen achter elkaar door het neerstortende water omlaag.

Bibberend, in druipende lompen gehuld en met gezichten die zwart zijn van roet en vuil lopen we een uur later de helling af. Alleen dit ene sneeuwveld ligt nog tussen ons en de wereld. Eén keer blijft Crean abrupt staan en vraagt Shackleton en mij om te wachten. Hij zoekt iets in zijn borstzak en haalt een paar veiligheidsspelden tevoorschijn.

'Ik wil me op z'n minst nog wat fatsoeneren,' zegt hij met een droefgeestig lachje en hij begint de lappen die om zijn benen hangen, bij knieën en enkels aan elkaar vast te spelden. Als hij klaar is moeten we zeggen of hij er nu anders uitziet. Ik zie dat zijn handen trillen, maar als ik naar hem toe loop om hem het gevoel te geven dat hij de spelden niet voor niets zo lang heeft bewaard, merk ik dat niet alleen zijn handen beven, maar dat de hele Tom Crean beeft. Creans kin met de vervilte, op zijn borst hangende baard bibbert net zo als zijn knieën wanneer ik me vol bewondering vooroverbuig.

We lopen op de huizen af. Achter de ramen branden al lampen. Uit een kleine roestbruine barak aan de oever dringt opeens het gehamer op metaal naar buiten, en als we er bijna zijn, zwaait de deur van de loods open. Kinderen komen naar buiten gerend. Drie kleine kinderen. Wanneer ze ons opmerken blijven ze staan, zodat ik zie dat het twee meisjes en een jongen zijn, zusjes met hun broertje misschien, want alle drie dragen dezelfde rode oliejas. Dan rennen ze weg, en wij met z'n drieën, die al evenzeer aan de grond genageld stonden, komen weer in beweging en zoeken tijdens onze eerste stappen tussen de barakken en huizen elkaars gezicht en daarin de troost voor de schrik van de kinderen.

De kinderen verdringen zich rond de benen van een voorman die bij de steiger staat en toezicht houdt op een paar van zijn mannen die een boot lossen. Hij blijft met moeite op de been, zo trekken de kinderen aan hem. Als hij de reden van hun paniek bemerkt en ons ziet, haveloze spookverschijningen met vrouwenhaar en baard, die langzaam naar de aanlegplaats lopen, roept hij een commando, en twee van de mannen springen onmiddellijk uit de boot. Het moet het harpoenschip uit de baai zijn. Ze stellen de kinderen gerust, terwijl de voorman – een jongeman, groter dan Crean en net zo breed als Crean ooit was, met ver uit elkaar staande ogen, wit haar en rood gezicht – kordaat op ons afstapt. Dan blijft hij staan, slaat zijn armen over elkaar en verspert ons de weg.

Shackleton op zijn beurt spreidt zijn armen en geeft ons daarmee te kennen om niet verder te lopen.

'Wees zo vriendelijk en breng ons naar kapitein Sørlle!' roept hij streng en in het Engels.

De Noor is niet ouder dan ik; hij aarzelt met zijn antwoord. En al net zo aarzelend kijkt hij om naar de kinderen.

'Alstublieft, sir!' roep Shackleton hem toe.

Kapitein Sørlle stapt uit de deur van het huis in het midden van de nederzetting. Hij is in hemdsmouwen; Roald Amundsens zwager heeft een servet in zijn hand, in zijn gezicht een grote, zilverachtig glanzende snor, en hij is zichtbaar verbaasd over de avondlijke oploop. Meer dan twee dozijn arbeiders, vrouwen en kinderen nog niet meegeteld, hebben ons op gepaste afstand tot aan de trap vergezeld, de trap die de leider van het station met sombere blik afdaalt teneinde ons aan een zwijgende inspectie te onderwerpen.

De jonge voorman legt hem omstandig de situatie uit, en ten slotte heeft de kapitein zich voldoende van zijn verbazing hersteld en zijn snor in orde gebracht om voor ons te gaan staan.

'U komt uit de bergen, hoor ik. Is dat zo?'

Shackleton knikt.

'Onmogelijk,' zegt Sørlle. 'Waar komt u precies vandaan?'

'We hebben ons schip verloren. Zesendertig uur geleden zijn mijn begeleiders en ik vanaf de Koning Haakonbaai vertrokken. Zo zit het, mijnheer de kapitein. Herkent u me soms niet meer?'

'Ik herken uw stem. U bent de stuurman van de Daisy. Wat is uw naam?'

Sir Ernest antwoordt in alle rust. 'Mijn naam is Shackleton.'

Thoralf Sørlle kijkt naar mij en naar Crean, voordat zijn blikken weer terugdwalen naar Shackleton. Hij steekt een arm uit.

'Kom,' zegt hij. 'Kom mee naar binnen.' Hij loopt voorop. Maar de kapitein heeft de trap die naar het helder verlichte huis leidt nog niet bereikt of hij draait zich om en begint te huilen.

Vijfde deel

DE VLIEGENDE ENNID

Tussen de Ebbw en Usk
Zeg welkom en wuif ten afscheid

1

Tussen de Ebbw en Usk

Op een van die dagen dat het nieuws de wereld rondgaat dat Shackleton er in een vierde poging in is geslaagd om alle achtergebleven mannen van Elephant Island te redden, zit ik met Mrs Simms thee te drinken op de veranda van haar huisje aan de Ebbw. Ik moet Mrs Simms alles vertellen om zo haar verdriet te verdrijven, maar ben met mijn gedachten heel ergens anders. Ik denk aan een schip dat ik nooit zal zien, een schip waarvan ik alleen de naam ken.

De herfstig gouden kruin van de iep net voor de helling van de rivier lispelt als het stil is. Een grote vogel, een ekster of roek, hipt van tak naar tak, en naast hem, nauwelijks kleiner dan de kruin zelf, staat de schijf van de laagstaande zon, die helemaal niet fel is.

Nog een uur en dan begint het te schemeren, zegt een blik in de lucht, ik moet zo gaan. Mijn zus, Regyn, die minstens zo verdrietig is als Mrs Simms, heeft me nodig, zij en de kleine wachten.

'Ik heb geen licht op mijn fiets,' zeg ik, zonder Mrs Simms aan te kijken. 'Zo meteen is het donker.'

'Waarom heeft die kapitein... Hoe heet hij ook alweer?' Ze vraagt het met een verontschuldigend lachje, voordat ze de theepot pakt. 'Je neemt toch nog wel een kopje, Merce, ja toch? Braambladthee zuivert de nieren.'

Om aan te geven dat het goed is, tik ik tegen het kopje. 'Dank u. Maar daarna moet ik echt gaan.'

Over het gepoetste zilver glijdt mijn vollemaansgezicht. Maar als Mrs Simms de pot oppakt om me opnieuw in te schenken, valt mijn blik op haar zongebruinde hand. Aan haar middelvinger draagt ze boven elkaar de beide trouwringen, en haar huid zit vol rimpels, vol met de vreemde diepe plooien die de uitgemergelde benen van Tom Crean, over wie ik net heb verteld, op het laatst ook hadden.

'Sørlle,' zeg ik met het kopje aan de mond. 'Kapitein Sørlle.'

'Onuitspreekbare namen hebben ze toch, die Noren.'

Ik knik, en Mrs Simms, die gedurende mijn hele lagereschooltijd voor alle vakken behalve de gymlessen mijn onderwijzeres was, neemt er met de vertrouwde knipoog kennis van.

'Nog één koekje, Merce, dat moet je nemen, ik sta erop. Moet je jezelf eens zien: hoe lang ben je nou al terug uit dat verschrikkelijke Nergenshuizen, waar je alleen Noren en Russen hebt?'

'Bijna drie maanden, madam.'

'En nog altijd heb je nauwelijks vet op de ribben. Je bent zo mager als een gaslantaarn! Mr Simms zou dat niet hebben geaccepteerd. Bovendien had hij erop gestaan dat je tot het avondeten was gebleven. En hij zou er bij je moeder op hebben gehamerd dat ze haar zoon, zolang hij zo dun als een lat was, een dubbele portie moest geven, iedere dag, en ten minste acht weken lang. Doe me een lol, jongen, eet. Dat koekje. En nog eentje, hier.'

Uit de perengaard waait de oktoberbries de geur van de in het gras vergistende vruchten naar ons toe. Eenden snateren achter het talud van de Ebbw. Op nog geen steenworp afstand van het huis stroomt het riviertje voorbij, voordat het onder de baksteenbrug van de oude heerweg van Pillgwenlly versmalt en verdwijnt.

Yelcho. De naam spookt al dagen door mijn hoofd. Het is de naam van de kleine Chileense en, zoals overal te lezen was, bepaald niet voor het ijs geschikte sleper waarmee Shackleton er na vier maanden van mislukte pogingen in geslaagd is Elephant Island te bereiken. Yelcho, dat je de naam over je tong moet laten rollen zonder dat je er een beeld aan kunt verbinden, maakt me nerveus. Ik weet dat het niet zo is en dat ik hallucineer, maar in combinatie met het ruisen en kabbelen van de rivier klinkt het gekras uit de iepentakken als een dan eens zacht, dan weer luid jel-ko.

'Jel-ko, jel-ko!'

Terwijl Mrs Simms anekdotes over mij en mijn voormalige medescholieren opdist, denk ik aan het bericht dat mijn vader in de *South Wales Echo* ontdekt had, namelijk dat Shackleton op elk moment in Londen kon terugkeren en... Mijn hemel, wat heb ik een last van mijn barstensvolle blaas, zo erg dat het pijn doet als ik in het hazelnootkoekje hap.

Het geluid van mijn tanden klink als het gekras van de ekster.

'Mmm. U vroeg naar kapitein Sørlle, madam.'

'Inderdaad ja: waarom heeft de zwager van Amundsen, die kapitein Sourly, gehuild? Heb je daar een verklaring voor? Ik krijg niet de indruk dat het vreugdetranen waren.'

'Ze dachten dat we dood waren,' zeg ik gesmoord, maar ik heb meteen spijt van mijn woorden: afgelopen november, ongeveer in de tijd dat de Endurance zonk, is de oude Mr Simms overleden; de weduwe van onze magazijnmeester voor me draagt nog altijd het zwart van de rouw.

Kijkend in haar groene ogen haast ik me om er daarom aan toe te voegen: 'Maar dat hij zag dat we nog leefden, dat was het niet alleen. Ik denk dat het kapitein Sørlle in één klap duidelijk is geworden dat wij drieën geen idee hadden hoezeer de wereld waaruit we waren gevallen, was veranderd.'

'Je bedoelt hoe allesvernietigend de oorlog was geworden.'

'We wisten niet eens dat het nog altijd oorlog was. "Wanneer was de oorlog voorbij?" vroeg Shackleton toen hij zag dat Sørlle huilde, en de kapitein vertelde het ons: "De oorlog is niet voorbij. Miljoenen zijn op de slagvelden in Europa gesneuveld, en nog altijd sterven daar elke dag tienduizenden." De walvisvaarders lieten ons oude kranten zien en vertaalden ze voor ons. Zo hoorden we over het tot zinken brengen van de Lusitania, over gifgas, vlammenwerpers en de slag om Gallipoli. We konden het niet geloven. Op de avond na onze aankomst in Stromness was er een blizzard, we zaten vast in de barakken, aten zoveel we konden, wasten ons, werden geschoren en moesten telkens weer vertellen wat we hadden beleefd. Maar zodra we alleen waren, konden we over niets anders praten dan de oorlog. Dat er op het slagveld, zeggen ze, een hete wind opsteekt die het mosterdgas aankondigt. En aan de sneeuwstorm kwam geen eind. Het was alsof…'

'Het heeft hier dit jaar ook heel veel gesneeuwd,' zegt Mrs Simms.

Ik knik. 'Ja, mam heeft het me verteld.'

'Het graf was wit, helemaal wit. Heel vredig.'

'Het is een mooi graf, madam.'

'Zeker, dat is het. Ik heb je onderbroken.'

'Na twee dagen kon Tom Crean eindelijk uitvaren om de drie man van de zuidkust op te halen. Maar over de oorlog vertelde hij hun… nou ja, in elk geval niet de waarheid. De oorlog was beslist, zei hij, er vonden vredesbesprekingen plaats. Hij kon het niet over zijn hart verkrijgen. Madam, ik vrees dat ik nu echt moet…'

'Als je bedenkt hoe verzwakt die drie moeten zijn geweest, dan heeft hij daar goed aan gedaan,' zegt Mrs Simms snel en ze strekt al even snel haar beide handen uit over de tafel. 'Ze hebben het nog vroeg genoeg gehoord. Net zoals we het allemaal vroeg genoeg hebben gehoord! Pak aan, Merce. Je kunt nooit genoeg eten.' Op hetzelfde moment houdt ze het zilveren presenteerblad voor me waarop een koekjesberg is opgetast die maar niet wil slinken. 'Als heel klein ventje, weet je nog? Wat was je dol op eten. Je was een echt dikkerdje.'

'Dan ben ik wel aardig veranderd, madam, dat vrees ik tenminste. Zal ik u helpen afruimen?'

'Ja, het wordt donker,' zegt ze terwijl ze haar hoofd omdraait en naar de perengaard kijkt alsof alleen in die hoek de duisternis op me ligt te wachten. Ze peinst er niet over me te laten gaan, mijn oude onderwijzeres Mrs Olivia Simms.

In plaats daarvan zegt ze met een lege blik: 'Een van die drie die niet met jullie over dat gebergte is getrokken… Hoe heten die mannen ook alweer?'

Ik noem haar de drie namen.

'Vincent was het, geloof ik. In de krant stond dat hij zijn

bovenlip had afgescheurd aan een bevroren kop melk?'

Ze kijkt me aan. Uit haar ogen spreekt angst en verdriet. En toch heeft haar wanhoop niets met John Vincent te maken.

'Ja, madam. Helaas klopt het.'

'Wat is er van die man geworden?'

Met een laatste luidruchtige jel-ko verheft de vogel zich in de lucht en vliegt weg.

'Ik weet het niet. In Valparaíso belandde hij in het ziekenhuis. Daar heb ik Vincent voor het laatst gezien. Hij zal wel naar Engeland zijn teruggekeerd.'

Ze maakt een beweging met de hand die niets betekent, tenzij ze iets wil verdrijven, een nevelsliert, een boze dagdroom of haar angst.

'Wacht. Ik kom zo terug,' stamelt ze, maar ze maakt zelfs geen aanstalten om op te staan.

Ik ga staan. In mijn onderbuik bonkt de pijn, ik kan aan niets anders denken dan aan het moment van opluchting als ik in het donker tegen de fiets van mijn vader leun en luister hoe het water borrelend in het gras verdwijnt.

'Bobby Cooper, de rugbytrainer, je kent hem niet. Hij is een arm kwijtgeraakt in de slag aan de Somme. Mrs Cooper vertelde me gisteren dat de granaatscherf groot en zwart was als een vleermuis, zij het dat hij veel sneller was en gewoon dwars door de arm heen vloog en hem afrukte. Ook de Hutchinsons, die een paar huizen verderop wonen. Ze ontvingen binnen een halfjaar drie telegrammen. Al hun zonen, ik heb ze alle drie lesgegeven: gevallen helden. In elke straat doden, Merce, ook bij jullie in het dorp. Je zwager Herman, niemand weet wat er met hem gebeurd is. Mosterdgas, zei mijn man, nu gebruiken ze een gas dat nog ontelbare malen dodelijker is dan chloorgas. En dan jammerde hij: "Ach, kon ik maar, kon ik nou maar mijn uniform aantrekken. Ik zou wel raad weten met die Duitse duivels!" En op een ochtend, Merce, toen lag hij opeens dood in bed.'

Mrs Simms blijft zitten, niet van de wijs gebracht door haar gast, net als al die keren dat ze met rechte rug achter de lessenaar zat en haar groene ogen een van ons in het vizier namen.

Het is een zachte avond waarin ik opgelucht naar Pillgwenlly fiets. Geen sterveling is op pad. In de bossen van Dasshebdn zou een stam reuzen leven sinds de dag dat koning Arthur hun de heuvels met de peppels en berken schonk als dank dat een reuzenkind hem over de Usk droeg. Stil ligt het bos erbij, en uit de stoppelvelden die naar het bos oplopen, kruipt de nevel, de mantel van de reuzen van Dasshebdn. Een roedel reeën op een troosteloze akker zekert en kauwt verder zonder zich te storen aan het gepiep van mijn pedalen.

Hier heb ik vaak met Dafydd gelopen. Toen ik tien was en mijn broer vijftien hadden we allebei les van Mrs Simms. De oudste leerlingen zaten in de achterste, de jongste in de voorste banken. Als de school uit was, dwaalden we langs de stenen omheiningen en liepen dwars door het veld naar de Usk om te zwemmen. Het moet het jaar zijn geweest dat Blériot over het Kanaal vloog. Want ik weet nog hoe we met onze ogen de hemel afzochten wanneer weer eens in de krant stond dat ook Wales het luchtruim koos. Ik ben zijn naam vergeten, maar in Swansea had je een zakenman die uit Frankrijk een Blériot-monoplaan liet komen en een zomer lang pogingen deed om met deze eendekker – waarvan niemand van ons overigens ooit een glimp opving, maar die door de krant als vliegende dors-machine werd beschreven – over de Severn naar Portishead te vliegen. Ik herinner me dat ik mijn onoprechtheid pijnlijk vond, want mij zei de hele vliegerij niets, ik ging gewoon mee in het enthousiasme van mijn broer en had hetzelfde gedaan wanneer hij gek van paarden of paddenstoelen zou zijn geweest. Dafydd droomde ervan dat hij nog eens zou beleven wat destijds elke jongen, zelfs ik, tot in de kleinste details kon naver-tellen, namelijk dat Wilbur Wright tijdens een vlucht boven Frankrijk niet meer wist waar hij was, een noodlanding maak-te op een veld en daar een waarschijnlijk lijkbleke fruitteler vroeg om samen met hem weer op te stijgen.

Natuurlijk is de vliegende mens uit Swansea, zoals mijn vader de man noemde, nooit gekomen om Dafydd mee te nemen, en zelfs 'de Wilbur', zoals mijn broer hem altijd noemde, vliegt tegenwoordig niet meer, maar laat vliegtuigen bouwen in zijn fabriek in Amerika. Pas in juni 1915, toen ik met de ingesloten Endurance door de Weddellzee dreef en op de schots de gedenkwaardige Antarctische voetbalderby plaatsvond, ging Dafydds droom om te vliegen in vervulling. In Merthyr Tydfil schroefde hij nachtenlang een uitgerangeerde driedekker in elkaar, en William Bishop, voor wie Herman en Dafydd inmiddels het probleem van de propeller-MG hadden opgelost, toonde zich net zo dankbaar als koning Arthur tegenover de reuzen van Dasshebdn, want hij gaf Dafydd eerst een paar vlieglessen en daarna mocht hij met de oude Sopwich Triplan doen waar hij maar zin in had.

Dafydd deed wat ik ook gedaan zou hebben, hij vloog naar Pillgwenlly en bleef net zolang boven het huis van onze ouders cirkelen tot mijn moeder gillend naar binnen liep. De vurig verlangde erkenning heeft het hem niet gebracht. Toen ik mijn vader vertelde dat Shackleton een uitsluitend door zeehonden bewoond eiland in Zuid-Georgiës Koning Haakonbaai naar mij had vernoemd en dat zelfs aan de koning had getelegrafeerd, zei pa, een arm om me heen geslagen, tegen Dafydd: 'Hoor je dat? Dat is nou zeevaart! En jij knettert door de lucht.'

En Herman, waar zit Herman, die het voor elkaar heeft gekregen om mijn onuitstaanbare zus weer plezier in het leven te geven? Herman knetterde niet door de lucht. Met de trein en de fiets kwam mijn zwager elk weekend sinds het uitbreken van de oorlog van Merthyr Tydfil thuis in Pillgwenlly om Regyn en de baby te zien die ze, naar de vlieger en mij, William Merce hebben genoemd. Drie maanden lang mocht Herman zijn stamhouder nog meemaken, bijna twee keer zo lang al staat zijn fiets ongebruikt in het brandhouthok.

Ik zet pa's fiets ertegenaan.

Het grote keukenraam is donker, alleen in de woonkamer en boven in de slaapkamer van mijn zus brandt licht. De lantaarn van de veranda lijkt te flakkeren, maar dat lijkt maar zo omdat de takken van de kastanje in de wind op en neer wiegen en het licht dan telkens even niet te zien is. Het grindpad, dat mijn vader opnieuw heeft bestrooid, voert onder de kastanje door, en ik weet wie me verwachten als ik er langskom, namelijk de vleermuizen die boven in de kruin leven en daar hun rondvluchten beginnen.

Er is evenveel wel als niet veranderd. Het grind is nieuw, en Regyn heeft een baby. De lantaarn hangt al zo lang ik denken kan onder het verandadak. Herman stuurde nog een kaartje uit Parijs: 'Ik bekijk de triomfboog en het Panthéon, ga veel wandelen in de stralende zon.' Enkele dagen later werd zijn colonne met monteurs naar de Somme gedirigeerd. Ik denk aan Mrs Cooper, haar man de rugbytrainer en de blijkbaar op een vleermuis lijkende granaatscherf die zijn arm afrukte. Vleermuizen vliegen nooit op mensen af, ze zeilen hoog boven hun hoofd, waar ze er zeker van zijn dat ze alleen lucht en insecten vinden. De granaat, heb ik gelezen, wordt in gekartelde sikkels uiteengereten. De fragmenten van de grootste door de Duitsers gebruikte kalibers zijn zo zwaar dat twee man ze nauwelijks kunnen tillen. En toch razen de scherven met honderden kilometers per uur door de lucht en rijten het lichaam van de soldaten open of rukken een arm, een been of de onderkaak af.

Willie-Merce slaapt in zijn wieg op wieltjes, en Regyn ligt op bed, ze heeft de gestikte deken tot haar kin opgetrokken en slaapt. Ik ga bij haar zitten en kijk naar haar. Ze heeft weken achtereen gehuild. En ze is weer net zo mager als vroeger, toen haar armen en benen maar bleven groeien en ze plotseling groter was dan ik.

Maar, zegt ma, het gaat beter met haar sinds ik terug ben. Op het nachtkastje staat een foto van Herman. Hij draagt een pak en een hoed en kijkt trots. Hij heeft een houten propeller naast zich neergepoot die twee koppen groter is dan hij.

Willie-Merce slaapt heel vredig. Als een vredige miniatuur van onze vader ligt hij in zijn wieg en maakt rochelende geluidjes. In de keuken staat het bord eten dat ma voor me heeft klaargemaakt, ik neem staande een paar happen en ga me daarna wassen. Uit de kamer komt Willies gebrabbel, en als ik poolshoogte ga nemen, zitten ze al op de rand van het bed, de kleine op Regyns knie, en kijken me aan.

'Ei, doe, doe. Alles oké met de schatteboutjes?'

Ik moet haar nogmaals over Punta Arenas vertellen. Ze ligt in mijn arm en telkens vallen haar ogen dicht. Maar soms glijdt er ook een glimlach over haar lippen, en dus praat ik door en adem ondertussen de melkgeur in die ze verspreidt. Ik vertel over de stralend blauwe junidag toen we van de Falklands kwamen en over de ongelooflijke ontvangst die de Chilenen ons bereidden. En om haar een beetje op te vrolijken, vertel ik ditmaal ook dat Shackleton vanuit een kleine haven verder naar het zuiden onder valse naam had getelegrafeerd om zijn triomfantelijke terugkeer zelf aan te kondigen.

Tientallen schepen en bootjes kwamen ons vanuit de haven van Punta Arenas tegemoet gevaren, en de grootste en fraaiste daarvan, vertel ik Regyn, kwamen me in het licht en het lawaai van de hoorns en toeters als gezanten voor, gezanten van de landen onder de vlag waarvan ze voeren, maar het was ook net of ze stuk voor stuk waren gestuurd door onze tweeëntwintig kameraden die intussen op Elephant Island op hun redding wachtten. In mijn ogen dreven daar op zee de Greenstreet, de Wild, de How en de Holness.

'Het waren vijftien grote stoomboten en zeven zeilschepen, neem dat van mij aan. Ik heb ze drie keer geteld, het waren er exact tweeëntwintig.'

'Net zoveel als de vissen,' zegt ze, nauwelijks hoorbaar, in ons kussen.

'Wat bedoel je?'

Ze opent haar ogen en kijkt me aan: 'Die volkomen witte vissen in de buik van dat monster.'

'Ja, de zeeluipaard. Klopt, toen waren we nog met ons achtentwintigen.'

'De hele maand februari,' zegt ze en ze glijdt met haar duim over mijn lippen en de baard die ik heb laten staan om de gehavende huid eronder te verbergen. 'En nu is iedereen die erbij was gered en in veiligheid.'

Wat, schatteboutje, jammer genoeg niet klopt. Op hetzelfde moment dat wij met ons achtentwintigen in de Weddellzee uit alle macht probeerden te overleven, stierven aan de andere kant van de Zuidpool drie mannen van de Rosszee-ploeg, onder wie de kapitein van de Aurora, Aeneas McIntosh. Hij, Hayward en Spencer-Smith lieten hun leven bij de poging om voor ons depots aan te leggen waar we nooit ofte nimmer bij in de buurt hadden kunnen komen.

Regyn hoeft daarover op dit moment niets te weten. Als ze weer op krachten is, zal ze van vriendinnen van wie de man de krant leest nog vroeg genoeg te horen krijgen hoezeer er al aan de roem van Shackleton wordt geknaagd. Het artikel in de *Echo* dat pa ontdekte en dat Shackletons terugkeer naar Londen aankondigt, besluit met de woorden:

Deze man, die er ogenschijnlijk alles voor overheeft om te verhullen dat hij over de hele linie gefaald heeft, deze man raden we aan om nu eindelijk de wapenrok aan te trekken in plaats van weer ijsbergen te gaan observeren.

Ik vertel in plaats daarvan nog wat verder, over ons afscheid in Valparaíso en over Bakewells en mijn overtocht. Maar Regyn is even later ingedommeld, en ik blijf liggen waar ik lig en wacht in het donker tot Willie-Merce wakker wordt, zodat ik hem uit de wieg kan halen en bij haar kan leggen. Op een gegeven moment komen onze ouders thuis en lopen fluisterend en op de tast de trap op en over de overloop. Emyr Blackboro giechelt, hij is aangeschoten, en mijn moeder sist, maar ze zou Gwendolyn niet zijn, zíjn Gwen, als ze zelf niet ook een keer zou giechelen.

Het wordt stil in huize Blackboro, en ook ik val in slaap. Wanneer de baby begint te huilen, schrikt Regyn wakker, maar ik heb de kleine al in mijn armen en breng hem naar haar toe. Ze draait zich naar de muur, en Willie-Merce drinkt en smakt.

Ik ben weer in slaap gevallen, tot Regyn zich weer naar me toe draait. Ze vlijt haar hoofd tegen mijn schouder en legt een arm op mijn borst.

Een tijdlang liggen we zwijgend naast elkaar, dan streelt ze me plotseling over neus en voorhoofd. Ze is klaarwakker, en haar stem klinkt glashelder wanneer ze fluistert: 'En Ennid? Ben je erg verdrietig?'

2

Zeg welkom en wuif ten afscheid

Aan de onbewolkte herfsthemel komen vanaf de bergen in het noorden drie vliegtuigen aangeknetterd, de groen-witte Sopwith Camel van William Bishop, Albert Balls lichtblauwe Nieuport Scout en een glanzend oranjerood toestel, Mickie Mannocks driedekker. Mijn ouders, mijn zus en ik zitten in zondagse kleren onder wollen dekens in onze nieuwe koets. Alsonso II trekt ons bedaard langs de Usk voort, zodat ik moeiteloos kan zien hoe de drie machines de stadsgrens bereiken en rondjes beginnen te draaien boven de toren van de St. Woolo's en de met maretakken behangen populieren die het feestterrein omzomen.

Daar in de lucht – die Mickie Mannock is niet veel ouder dan ik en al een groter idool dan Tom Crean ooit was. Hij is een van de meest trefzekere en gevreesde piloten van de Royal Air Force. Ik weet niet hoe ze hem heeft leren kennen. Volgens Dafydd is hij een sympathieke slungel, opvallend verlegen, waarschijnlijk vanwege het ooglapje waarachter hij een blind, wit oog verbergt.

Het feest waar Ennid verliefd is geworden op Mickie Mannock zal niet zo'n feest zijn geweest als dat waar half Zuidwest-Wales vandaag naar op weg is. Maar ik heb me laten vertellen dat het desalniettemin een vliegshow was met de nodige prominenten, veel uniformen en een bal na. Dat vond plaats op de weiden van Caldoen, aan het andere, al even groene einde van de stad, op een mooie warme augustusdag. Om precies te zijn was het 15 augustus 1915, zoals ik heb ontdekt. Ennid zag er betoverend uit, ze droeg een witte muts met strik en een lange bloemetjesjurk, zo lang dat haar beenspalk nauwelijks opviel. Ze hebben met elkaar gepraat, mijn moeder, mijn zus en Ennid, die hun vertelde dat ze met de gedachte speelde om net als Dafydd naar Merthyr Tydfil te gaan. Waarom eigenlijk? Gewoon, zei Ennid, het was nog maar een gril, en alsof ze daardoor op een idee was gekomen, hadden de drie het daarna ook nog even over mij.

Waar was ik die dag, is de vraag, waar, Merce Blackboro, was je op die vijftiende augustus veertien maanden geleden, nou? Al weken vraag ik me af of ik er spijt van moet hebben dat ik in het ijs geen dagboek heb bijgehouden.

Nee, ik heb er geen spijt van. In de Usk weerspiegelen zich de rood en geel ontvlamde toppen van bomen waarop het strelende oog van mijn met de tong klakkende vader rust. Van tijd tot tijd breekt de waterspiegel open en ontstaat er een rimpeling. Jonge snoeken zoeken daaronder naar buit. Wat doet het ertoe of Bobby Clark me op de dag dat Ennid Mickie Mannock ontmoette over goudkuifpinguïns vertelde, of dat ik Biscoes aantekeningen over de Zuidelijke IJszee las toen miss Muldoon in de trein naar Merthyr Tydfil stapte om haar verziekte leven in de winkel van haar vader achter zich te laten?

15 augustus 1915, dat kan ik nog wel nagaan, was mijn tweehonderd en derde dag ingesloten in het ijs. Het was zondag, ik dreef over de Weddellzee, en het was twintig uur per dag donker.

Pa stuurt ons span naar de buitenste ringweg. We gaan om het stadscentrum heen, met zijn stegen die inmiddels ook op andere dan feestdagen gevaar opleveren als je er met paard-en-wagen doorheen rijdt. De automobielen die er luid toeterend in en uit rijden, zijn bakbeesten, en hun bestuurders hebben wijd opengesperde, panische ogen wanneer ze voorbijsuizen. 'Hout in de stroming' noemt mijn vader het autoverkeer in de stad. Op de straatweg die door de oostelijke voorstad naar het feestterrein loopt, hoor je nog altijd het kabaal en geknal uit de straten tussen kathedraal en haven. Het schiet me weer te binnen wat Dafydd zei, namelijk dat hij erover dacht om na de oorlog een automobielwerkplaats te beginnen. Als ik zin had en me er niet te goed voor zou voelen, zou ik zijn compagnon kunnen worden.

Gebr. Blackboro
AUTOMOBIELWERKPLAATS
goedkoop, WEERGALOOS *goedkoop,*
en sneller dan u kunt rijden

Door de door de lichte bries in beweging gebrachte lucht komt het geschetter en geschal van de politieblaaskapel van Newport tot ons. We komen de weide op gesukkeld, pa stapt van de bok en pakt Alfonso, die nerveus zijn blonde manen schudt, bij de halster. Hij leidt ons naar de rij bomen waar de paard-en-wagens onder staan geparkeerd, daar spring ik in het gras en help de vrouwen uit de koets.

Voor Regyn is het het eerste uitstapje sinds Herman vermist wordt. Ze neemt me bij de arm en vraagt bedrukt: 'Zie ik er niet stom uit?'

Onder de populieren aan de overkant parkeren de auto's. De witte Morris Oxford Bullnose van Ennids ouders is nergens te zien. Maar het is nog vroeg in de middag, steeds meer nieuwe auto's komen over het modderige gras aangereden, stoppen, produceren een luide knal en zwijgen dan abrupt alsof iemand als Frank Wild ze met één schot met de karabijn heeft geveld. Onwaarschijnlijk dat de Muldoons zich dit feestelijke afscheid van de helden laten ontgaan, tenslotte is het ook voor hun toekomstige schoonzoon bedoeld. Bishop, Ball en Mannock, onze drie jongens, ze vliegen naar de luchtoorlog om Parijs.

'Je ziet er geweldig uit, *très chic.*'

Regyn knijpt haar ogen dicht, probeert te glimlachen en knijpt me in mijn arm.

Wanneer we al meteen bij een van de eerste kraampjes, een rood-wit gestreept kraampje waarin je toeters, vaantjes en souvenirs kunt kopen, Bakewell treffen, wil Regyn me niet loslaten, ze wil niet met onze ouwelui het gedruis en het lawaai van muziek en propellers in. Voor zover ik over de hoeden en kruinen heen kan kijken, strekt de mensenmenigte zich uit tot de versperring waarachter de drie vliegtuigen en de blaaskapel staan. Daar zie ik gras, een grote groene vlakte.

'Wie weet wie me daar zit op te wachten,' roept ze, 'nee, nee, dank je feestelijk!'

Bakewell heeft zich opgedoft. Hij draagt een wit overhemd en een opvallend gebreid vest en heeft, tenminste tot hij ons bemerkt, een nieuwe pet op zijn hoofd. Ik weet dat hij erg op Regyn gesteld is, en voor ik er erg in heb heeft hij de pet in zijn handen en tuurt ernaar alsof hij die net van mijn zus heeft gekregen.

'Dag, Regyn.' Woorden die zijn lippen vormen, maar horen kun je ze niet.

'Reg,' zegt mijn moeder, die de enige is die haar zo noemt, 'er is geen enkele reden om nerveus te zijn. Je broer en Mr Bakewell willen graag wat rondkijken. En wij doen hetzelfde. We zeggen welkom en wuiven ten afscheid.'

En onze vader: 'Kom, popje. Ik let wel op je.'

Hij kan me met moeite bijhouden. Zelfs als hij vlak voor de versperring in een groepje jonge frakdragers zijn nieuwe werkgever ziet staan dring ik verder naar voren en roep over mijn schouder: 'Kom op, die loopt niet weg, maar Mannock vliegt straks wél!'

Mr Klein uit Boston heeft Bakewell – de enige Amerikaan die met Shackleton heeft gevaren – de leiding over zijn aanmonsteringskantoor toevertrouwd. Verbaasd licht hij zijn bolhoed wanneer we glimlachend langs hem en zijn zakenvrienden schuifelen.

'Mister Klein,' zegt Bakewell, 'sir!'

'Mister Bakewell?' vraagt Klein. 'Sir' zeggen doet hij niet, ofschoon het wel gepast was geweest, ook al draagt mijn vriend beenkappen noch frak maar een merkwaardig gebreid vest.

Tegen mij – we zijn nauwelijks buiten gehoorsafstand – zegt Bakie: 'Sakkernondeju, hij zal me eruit mieteren, weet je dat wel? Ik zal de beste baan van mijn leven kwijtraken, alleen omdat jij zo nodig een houten vis de wereld rond moet slepen.'

'Gebeurt niet. En als dat wel zo is, vind je wel wat anders. En nou opschieten.'

'Op Zuid-Georgië had ik dat ding kunnen verbranden. Briefje lezen en allebei in de ketel, klaar. Vertel mij nou waarom ik dat niet heb gedaan.'

'Omdat ik je arm zou hebben afgerukt, en jij weet welke.'

'En jij weet hopelijk wat je te doen staat. Waar is hij?'

Ik klop op mijn hart, en mijn hart reageert met gebons.

'Mooi. Pak hem nou maar.'

'Daarom zijn we hier.'

De versperring kan ik nog niet zien, maar overal hangen al uniformen rond, officieren van de Air Force, bazuinblazers. Hoe dichter we bij de vliegtuigen komen, des te minder vrouwen je ziet, maar zijn ze in de modderbrij eenmaal helemaal tot hier doorgedrongen, dan zijn ze een en al elegantie. Ze moeten wel gedragen zijn, je ziet nog geen spatje vuil op een rok, alleen wat kreukels hier en daar door het lange zitten in de automobiel.

Met zo'n bepantsering van het onderlichaam en een enorme vleugelhoed schuin op het hoofd die het halve gezicht bedekt, of in een aardbeikleurige jas met lange linten en gespen op de rug kan ik me Ennid niet voorstellen. Ik kijk uit naar een gebloemde zomerjurk.

Maar daarvoor is het, uiteraard, te koud. Het is oktober. Tweeënhalf jaar heb ik haar niet meer gezien, en daar staat ze tussen alleen maar mannen in overall of uniform voor een enorm oranjerood vliegtuig, in nog altijd dezelfde regenjas als destijds op het kantoor van mijn vader.

Ze draagt het haar langer. Haar koele, gespannen gelaatstrekken, die herken ik. Nee, schiet me door mijn hoofd, en iets in me verzet zich, half panisch en half rebels. Nee, ze is niet veranderd. Alleen de tijd is voortgesneld en heeft van haar een vrouw gemaakt. Nee, ze houdt niet van dat grote magere kind met die belachelijke vliegeniersmuts, absoluut niet! Ze heeft nog hetzelfde gezicht, hetzelfde gezicht dat ik voor me zag toen ik naar het ijs keek of in het donker op mijn smeltwatermatje lag. Ik ben haar niet kwijt, nee. Je mag nooit iets of iemand opgeven, Shackleton heeft gelijk, dus waarom uitgerekend ík mijn meisje, waarom ík Ennid?

Beide, mijn angst dat ik haar kwijt ben en mijn verzet ertegen, verdwijnen onmiddellijk wanneer onze blikken elkaar ontmoeten. Ze staat nog geen tien meter van me af achter de versperring en houdt de arm vast van de eenogige vlieger die ten oorlog trekt en van wie ze houdt. Het is de blikwisseling van twee vreemden. Daarom is ze nog mooier dan in mijn herinnering, ze heeft de schoonheid aangenomen die bij vreemden past. Mij in elk geval, met mijn baard, mijn aan de vorst geofferde huid, mij herkent ze niet meer.

Wegrennen, een andere keer terugkomen met hernieuwde kracht, als ik haar op een of andere wijze pijn kan doen, in plaats van dit zinloze verlangen te moeten verdragen.

Ik ben het, het aapje!

Bakewell naast me zegt niets, hoewel hij merkt wat er met me gebeurt. Dat is ze dus.

'Geef.' Hij houdt zijn uitgestrekte hand voor me.

'Nee,' zeg ik, al is de verleiding nog zo groot. Ik haal de vis tevoorschijn, hij heeft bijna al zijn kleur verloren.

Eenmaal onder de versperring door gekropen zijn het nog maar een paar stappen. Een monteur zoals Herman er ooit een was, staat boven aan de trap bij Mannocks vliegtuig en sluit een klep. Op de klep staat ze, de waarheid, de naam van de liefde, daar staat in zongele letters: DE VLIEGENDE ENNID.

Ennidurance heb ik ons schip voor mezelf gedoopt.

Je vliegt mee naar Frankrijk, zeg ik tegen mijn vis. Je was al aan het einde van de wereld, nu kun je ook de oorlog binnenvliegen.

Ik ben nog niet eens helemaal bij hem, als ik roep: 'Mannock! Ik heb wat voor u!'

Niemand van ons, ook Ennid niet, ziet Mickie Mannock terug.

Het liefst had ik die jongen die me op de feestweiden van Newport met zijn ene oog vol nieuwsgierige welwillendheid aankeek en die me desondanks heel afwezig leek, alsof hij al weggevlogen was, het liefst had ik hem in de herrie van de aangeslingerde motoren toegeroepen wat dominee Gunvald in het met een dikke laag sneeuw bedekte kerkje van Grytviken ons zuidpoolgangers toeriep.

'Keer om, Mannock, opdat het u niet zal vergaan als koning Sverre!'

Ik weet niet waarom uitgerekend deze zin bij me opkwam toen ik Mannock de vis gaf en Ennid, die er huilend bij stond, me herkende. In de propellerwind naar de versperring terug tuimelend, zag ik plotseling wat voor mijn geluk verantwoordelijk was geweest. Zonder het briefje in de buik van de vis te hebben gelezen, wist ik opeens wat erop geschreven stond, en ik wist tegelijk dat de woorden niet meer konden betekenen dan de vis zelf. Gruwelijk, maar omdat hij niet van haar kwam, zou Ennids talisman Mickie Mannock geen geluk kunnen brengen. En mijn oprechtheid was daarvoor niet voldoende, ze was als Ennids snikken, als haar tranen, hij zou het zich herinneren, maar zich er niet aan kunnen optrekken.

Van de drie vliegers keert alleen Willie-Merces eerste naamheilige levend terug: William Bishop, die op een middag kort na de oorlog zelfs in onze keuken zit en tegen mijn vader zegt hoe trots hij op zijn Dafydd mag zijn. Albert Ball wordt begin mei 1917 door het jachteskader van Lothar von Richthofen neergehaald. Mickie Mannock sterft veertien maanden later, in juli 1918, door Duits infanterievuur wanneer hij – dat was zijn handelsmerk – een uit de lucht geschoten tegenstander op de grond een trofee afhandig probeert te maken. In de *South Wales Echo* staat te lezen dat men de gesneuvelde held onmiddellijk met het Victoriakruis had onderscheiden en het ordeteken aan zijn vader had overhandigd.

Ook dominee Gunvald overleeft de oorlog niet. Ik lees over zijn dood in een boek met foto's van Frank Hurley dat mijn ouders me op mijn eenentwintigste verjaardag geven. Bij een foto die kort na de turbulente preek van Grytviken moet zijn genomen en die Gunvald glimlachend samen met kapitein Jacobsen en zijn vrouw laat zien, schrijft Hurley kort dat het schip waarmee de dominee van de Falklands naar Chili hoopte te ontkomen door een onderzeeër getorpedeerd en tot zinken gebracht was.

'Er zijn,' aldus Hurley, 'geen levenstekenen meer van deze man van het geloof.'

Een andere foto in Hurleys boek, dat net als zijn latere film *South: Ernest Shackleton and the Endurance Expedition* heet, laat opvallend genoeg uitgerekend Cheetham en Tim McCarthy zien aan boord van de met een ijslaag bedekte Endurance, een dag die ik me goed herinner. Het is de dag van Orde-Lees' uitstapje met de fiets op het ijs, en jawel, het rijwiel op deze foto staat tegen moeder Greens koelkist geparkeerd.

McCarthy is het eerste lid van de oude bemanning dat in de oorlog sneuvelt. Ik kom dat pas veel later te weten door een brief die Tom Crean me uit Ierland stuurt. Tim McCarthy, met wie ik al die tijd in het ijs nooit echt een woord heb gewisseld, sterft achter zijn scheepskanon in het Nauw van Calais, nauwelijks drie weken na zijn terugkeer in Engeland. Op Hurleys foto hebben ze de armen om elkaar heen geslagen, McCarthy en Cheetham, en ik meen me Alfs gelach te kunnen herinneren als hij goedgemutst was en zijn status van ijsheilige door niemand betwist zag. Maar ondanks de fiets en de alomtegenwoordige vorst, het moment van de opname herinner ik me niet, hoe vaak ik de foto, waarop alleen twee spookverschijningen zijn te zien, ook bekijk. Alfred Cheetham was een beroemdheid. Geen enkele andere zuidpoolreiziger is de poolcirkel vaker overgestoken dan hij, daarom is zijn dood, enkele weken voor de wapenstilstand, zelfs een vermelding in de *Echo* waard.

Duitse onderzeeër brengt
mijnenveger voor monding Humber tot zinken:
Endurance-veteraan Cheetham verdronken

Dafydd gelooft zijn ogen niet als het tot hem doordringt wat hij in zijn handen houdt. In de spelling van zijn hart schrijft Tom Crean me in zijn brief dat hij naar zijn dorp Anascaul is teruggekeerd en er een pub heeft geopend. Alsof ze zich elke avond aan de toog verzamelen en de waard laten delen in het spookachtige verdere verloop van hun leven weet Crean te melden wat er is geworden van Orde-Lees, Wild, Clark en veel andere mannen van de Endurance. Ze schrijven op hun beurt brieven aan hem, sturen foto's, of er is er een op reis om voordrachten te houden die tussendoor de South Pole Inn van de Ierse reus van Anascaul aandoet.

Aan Orde-Lees, die door Shackletons bemiddeling tot het Koninklijke Vliegerkorps is toegelaten, is het voor een groot deel te danken dat de piloten met valschermen worden uitgerust. Om te laten zien dat ze het ook echt doen, springt tante Thomas er zelfs met een van de Tower Bridge. Hurley weet als kapitein in het Australische leger kleurenfoto's van de loopgraven van Ieper te maken, die met verbazing worden bekeken. Expedities voeren hem naar Papoea-Nieuw-Guinea en Tasmanië, waarvandaan hij Crean op de hoogte brengt van zijn huwelijk met een jonge, oogverblindend mooie, Frans-Spaanse operazangeres. Worsley brengt als kapitein van een gecamoufleerd bewapend koopvaardijschip een Duitse onderzeeër tot zinken en ontvangt daarvoor een hoge onderscheiding. Van Worsley verneemt Crean in bedekte termen over een naar verluidt geheime opdracht die Shackleton eerst naar Spitsbergen en uiteindelijk naar Moermansk voert en waarvoor sir Ernest behalve de in Archangelsk in alcohol wegzinkende Wild en de in Ieper ernstig gewond geraakte McIlroy ook de schipper ontbiedt. Shackleton, Worsley, Wild, McIlroy, Hussey en Macklin vormen, tot de bolsjewieken ze verjagen, de Antarctische voorpost waarvan niemand weet welke opdracht hij heeft. 'Lennon,' schrijft Crean, 'heeft de kern van de oude bemanning nog één keer naar alle windstreken verstrooid,' en ik heb lang nodig om te begrijpen dat met dat raadselachtig machtige 'Lennon' alleen Lenin kan zijn bedoeld.

Ikzelf zou het hem niet meer hebben gevraagd, maar om de lang gekoesterde wens van mijn broer in vervulling te laten gaan, schrijf ik Crean in de eerste zomer na de oorlog nog een keer en vraag hem hoe het precies met Scotts einde zit. Het duurt maanden tot Crean met een prentbriefkaart antwoordt, maanden waarin Dafydd nog een wens in vervulling ziet gaan en in de buurt van de Alexandra Docks zijn automobielwerk- plaats opent. Tom Creans kaart toont een bleekblauw gezicht op Anascaul. Hij zal sir Ernest altijd blijven bewonderen, schrijft hij, maar zijn liefde gaat uit naar kapitein Scott.

In deze verregende zomer verlooft mijn zuster zich na lang dralen met Bakewell. Regyns verzet trotseert alle broederlijke listen, het brokkelt pas af als Bakie haar aanbiedt om Willie- Merce te adopteren. Dat ze van hem houdt laat Regyn hem blij- ken wanneer Bakewell er ten overstaan van mister Klein op staat om haar en de jongen mee te nemen op de voorgestelde zakenreis naar Boston, Mexico en Zuid-Amerika.

Nog één keer zie ik Shackleton.

South, zijn boek over de reis met de Endurance, verschijnt in 1919. Lezingen voeren hem een jaar lang kris kras door Amerika en Europa, tot hij op een van de eerste lentedagen ook Newport aandoet. In de nauwelijks voor de helft gevulde zaal mengen wij ons onder het publiek. De heer in het onberispelijk blauw-wit gestreepte pak, die ooit mijn Bakie was, ik en mister Bakewell – hij zal altijd mijn Bakie blijven – zijn van plan om onze aanwe- zigheid pas kenbaar te maken als Shackleton klaar is met zijn lezing.

Hij is getekend door de inspanningen om het geld voor de mislukte expeditie bij elkaar te lenen, door de reizen over de Andes, de Appalachen en de Alpen, door de vergeefse pogingen om iedereen versteld te doen staan en toch nog een oorlogsheld te worden, hij is getekend door alles wat de roddelrubrieken schreven over hem en zijn stukgelopen huwelijk, zijn drank- zucht, zijn vetzucht, zijn zucht naar avontuur en zijn Amerikaanse minnares, Mrs Rosalind Chetwynd. Hij is tweeën- veertig en oogt als een man van tweeënzestig. En toch lijkt hij minder oud dan destijds, geplaagd door aanvallen van ischias aan boord van de James Caird, waarvan hij vertelt dat ze haar in zijn kielzog over de hele aardbol meeslepen.

Tijdens zijn lezing denk ik aan John Vincent en probeer me voor te stellen wie dat misbaksel sindsdien niet allemaal het leven zuur heeft zitten maken. Wat is er van Stevenson gewor- den, die ongetwijfeld de grootste rat van de twee was? Waar hangt Holness uit? Leeft Stornoway nog? En zou How, de op een schaduw lijkende Hownow, zijn Helen hebben teruggezien en zijn zoon, die net als hij Walter heet?

'Zeshonderdvijfendertig dagen zaten die mannen gevangen in het ijs,' zegt een dame met bloemenhoed uit het publiek. 'Hoe lang zal het duren, sir, tot zij die tijd kunnen vergeten?'

Shackletons antwoord brengt de lady in verwarring, de bloemen op haar hoed trillen: 'IJs, madam, is de herinnering aan water, het is niet zelf water, daarin lijkt het op de toestand van zoveel mensen op dit moment.'

Hij heeft geen tijd om te blijven en met ons te eten. Hij moet verder. Morgen Cardiff, overmorgen Swansea. Zijn blijdschap dat hij Bakewell en mij terugziet, is ondanks alle vermoeidheid op zijn gezicht groot en oprecht. Na Wales staat eindelijk Ierland op het programma, het nieuwe Ierland, sinds anderhalf jaar onafhankelijk, misschien dan toch zijn vaderland. Bij de automobiel, die met draaiende motor op hem wacht, een kort gesprek over het paasweekeinde van 1916, toen ze in Dublin de opstanden met kogels neersloegen. In dezelfde periode vertrokken wij met de James Caird van Elephant Island naar Zuid-Georgië.

Hij geeft ons een hand, legt een hand op mijn schouder en stapt in de wagen. Wat had ik verwacht?

Een perspectief. Een aanhaken. Een niet-verloren-gaan.

Hij weet het, of voelt het. En anders dan Crean, die zijn goede redenen heeft, bewonder ik hem niet alleen, maar ik hou ook van hem, omdat hij mijn verbondenheid niet tegen me gebruikt.

'Het ga je goed, Merce,' zegt hij door het open raam van de auto. 'Vergeet niet, je hebt jezelf gered. Bouw iets op. Maar besef wel dat ik op een dag weer zal opduiken en je zal vragen om alles achter te laten.'

We lopen door de haven, ik naar mijn fiets die bij het kantoor staat, Bakewell naar zijn wagen. Alsof we ons ervan moeten vergewissen dat de rivier er nog is, worden we naar de Usk gedreven. Nog altijd zijn de bomen aan de oever bladloos. Maar een grote troep vogels is al aangekomen, een zwerm groenlingen dwarrelt door de avond, strijkt neer op de kale takken van de platanen aan het water en stuift bij elk hard geluid scheldend en zingend weer op. Even ben ik terug in La Boca en kijk vanuit het raam van ons pension uit op de kale boom in de naar vogel-lijm stinkende straat die naar de haven van Buenos Aires loopt. Zoals de groenlingen vliegen, snel en dwarrelend, voordat ze gaan zweven en zich gewoon laten drijven, zo, precies zo, zwemmen zeehonden.

INHOUD

Leden van de Imperial Trans-Antarctic Expedition
1914-1916, Weddellzee-ploeg

Sir Ernest Shackleton, leider
Frank Wild, plaatsvervangend leider
Frank Worsley, kapitein
Lionel Greenstreet, eerste officier
Hubert Hudson, navigator
Thomas Crean, tweede officier
Alfred Cheetham, derde officier
Louis Rickenson, eerste machinist
Alexander Kerr, tweede machinist
Dr. Alexander Macklin, scheepsarts
Dr. James McIlroy, scheepsarts
James Wordie, geoloog
Leonard Hussey, meteoroloog
Reginald James, natuurkundige
Robert Clark, bioloog
Frank Hurley, fotograaf
George Marston, tekenaar
Thomas Orde-Lees, ingenieur, later proviandmeester
Harry McNeish, timmerman
Charles Green, kok
John Vincent, bootsman, later volmatroos
Walter How, volmatroos
William Bakewell, volmatroos
Timothy McCarthy, volmatroos
Thomas McLeod, volmatroos
William Stevenson, eerste stoker
Ernest Holness, stoker
Merce Blackboro, verstekeling

Figuren en gebeurtenissen van mijn roman zijn niet door mij verzonnen. Veel van de uiterlijke feiten hebben ook echt plaats-gevonden op de wijze die ik beschrijf. Mijn bedoeling was ech-ter niet om de historische reis van de Endurance zo nauwkeu-rig mogelijk na te vertellen; ik wilde al vertellend vooral zelf een avontuur tot een goed einde brengen en me begeven op een expeditie naar een wat tijd en ruimte betreft onbekende wereld. Net als mijn alter ego ben ik in het zuidpoolgebied geweest, maar pas nadat mijn boek was gepubliceerd. Perce Blackborow, zoals Shackletons verstekeling in werkelijkheid heette, heeft zich niet door een Antarctische bibliotheek gelezen en was evenmin verliefd op een meisje als Ennid Muldoon. Ik ben zo vrij geweest om zijn initialen aan de mijne aan te passen. Naast veel andere dingen heb ik ook de naam van het schip waarmee Blackborow naar Zuid-Amerika voer gewijzigd; in het hoofd-stuk 'Schipbreuk' gebruik ik motieven uit verhalen van Jack London, en daarom heb ik de Golden Gate omgedoopt in de John London.

Voor zijn begeleiding en belangrijke adviezen dank ik Robert Schindel. Verder dank ik Nuala Ní Dhomhnaill en Seán Ó Riain voor informatie over het Gaelisch en de persoon Tom Crean.
M.B.